UN ROMAN DE QUARTIER

INSOMNIAQUES ET FERROVIAIRES

Francisco González Ledesma

UN ROMAN DE QUARTIER

TRADUIT DE L'ESPAGNOL PAR CHRISTOPHE JOSSE

L'ATALANTE
Nantes

Le polar est une littérature pour insomniaques et ferroviaires.
Jean-Patrick Manchette

Photographie de couverture © Joan Colom/courtesy Foto
Colectania Foundation

© Francisco González Ledesma, 2008
© Librairie L'Atalante, 2009, pour la traduction française

ISBN 978-2-84172-472-7

Librairie L'Atalante, 11 & 15, rue des Vieilles-Douves, 44000 Nantes
www.l-atalante.com

1

Bien.

L'homme qui doit mourir est déjà à l'intérieur.

Il ne se doute de rien. D'ailleurs, cet appartement d'autrefois le séduit, sans doute chargé de souvenirs.

— Regarde les stucs au plafond, lui murmure-t-on. Les décorations sont faites à la main, plus personne ne travaille comme ça. Regarde les cristaux gravés à l'acide, ils ont cent ans d'âge. Regarde les marques sur les murs, où étaient les miroirs.

L'homme qui doit mourir regarde et regarde encore, comme si la voix l'accompagnait. L'homme qui doit mourir n'a jamais visité de musée, mais la voix ressemble à celle d'un guide. « La salle de bains vaut le coup d'œil. Il n'y a plus de robinetterie, mais la céramique de Manises est restée intacte, un vrai miracle. »

L'homme qui doit mourir n'a toujours aucun soupçon.

Jusqu'à ce qu'il observe un gant sur les doigts, un gant si fin qu'on ignore s'il habille une main d'homme ou de femme, et aussi leste que ceux enfilés pour les tours de magie. Un gant, ici, mais pour quoi faire ? a-t-il l'air de se dire. Avec cette chaleur…

Et, tout à coup, le pistolet.

Un .38.

L'homme qui doit mourir reconnaît le calibre, les armes lui sont familières. Il regarde l'objet de métal comme s'il ne comprenait pas, mais il subodore quelque chose. Toutefois, dans un premier temps, il croit à une plaisanterie. Il s'efforce de rire.

— Bon… mais à quoi ça rime ?

— À genoux, fils de pute.

Ça n'a plus l'air d'une plaisanterie pour l'homme qui doit mourir et, s'il ne comprend toujours pas, son instinct lui dit qu'il a tout intérêt à obéir. Obéir et gagner du temps est une option, essayer de foncer sur un flingue à cinq pas, c'en est une autre, sauf qu'on a plus de chances d'y passer qu'un mourant à qui l'on porte le viatique. Il s'agenouille en bredouillant, les yeux écarquillés :

— Qu'est-ce que ça veut dire ? Il va y avoir une fête ?

En effet, on voit de longues tables avec des nappes. Des bouteilles qui brillent. Et même un rai de lumière sur les porcelaines de Manises posées par un parent du président Azaña.

— À quatre pattes. Marche à quatre pattes.

La voix est métallique, obscure. On a peine à croire qu'elle jaillisse de ces lèvres. L'homme qui doit mourir comprend soudain, en un éclair, que son heure a sonné. C'est la seule chose qu'il ait comprise. Il tente de se relever.

Et la balle fuse. Une seule, un tir de professionnel. L'impact lui secoue la tête, comme pour la lui arracher. Le sang gicle dans une seule direction, vers la lumière. Le corps s'écroule.

L'homme qui devait mourir a fini par comprendre, mais trop tard.

Les gens du quartier, qui s'étaient réunis une demi-heure plus tôt (certains venus de lointains faubourgs où l'infortune les avait relégués), traversèrent la chaussée et s'apprêtèrent à entrer dans l'immeuble une dernière fois. Tous n'étaient pas présents, beaucoup refusaient d'affronter leurs souvenirs, des souvenirs qui, parfois, n'étaient pas les leurs mais ceux de leur pauvre mère. En tout cas, l'association de quartier s'était démenée pour que les adieux se déroulent dans les meilleures conditions. Au premier étage, le plus noble autrefois, on avait dressé une table avec des sandwichs au chorizo, au fromage, au saucisson, au jambon de pays bon marché, et une marinade de sardines exemptes de tout soupçon puisque pêchées à l'entrée du port un dimanche après-midi. Comme de juste, il y aurait du vin de Cariñena, de l'eau plate ou gazeuse, de l'*orujo*, un marc de Galice, pour les plus téméraires, et toute une collection de yaourts écrémés pour les mamans au régime depuis qu'elles habitaient de plus petits appartements.

Ce serait la dernière cène, en quelque sorte.

Et cette cène avait été organisée en grande pompe par l'association de quartier et par son président. Allons, mes amis, marchons ensemble vers notre ancien immeuble, allons-y comme de braves gens en odeur de sainteté.

Nous savons tous à quoi ressemblait la rue autrefois, cette rue où aucun maire n'a jamais planté d'arbre. Les habitants n'avaient pas les moyens d'entretenir un oiseau, il faut croire. Souvenez-vous : d'un côté, les appartements donnaient sur la rue, et aux balcons ne logeaient qu'un pot de fleurs, un fauteuil à bascule étroit – conçu pour des belles-mères constamment au régime – et un petit pékinois qui aboyait parfois, le museau pointé vers la lune.

C'est à peu près tout ce qui logeait sur ces balconnets.

Derrière, l'immeuble ouvrait sur une cour de terre évoquant les origines du quartier (minuscules potagers cernés d'appartements fraîchement éclos) et où, de longues années, avait survécu un figuier.

Allez, mes chers voisins, traversons la rue tous ensemble, ce dernier jour n'est pas éternel. Nous savons ce qu'a supporté ce vieil immeuble barcelonais depuis la Semaine tragique de 1909, lorsqu'on a déposé à l'entrée une momie déterrée dans un couvent, jusqu'au sang du 19 juillet 1936, quand, à ce qu'on raconte, un insurgé a tué monsieur Matías qui défendait la liberté sur notre toit, un fusil à la main, et que madame Matías, qui avait un sacré caractère, a liquidé l'insurgé. L'immeuble est si ancien qu'il recèle des histoires dont plus personne n'a souvenir.

Et après ça la guerre, de 1936 à 1939, les bombes, la faim et les clapiers où chaque voisine élevait des lapins qui tous portaient un nom comme s'ils étaient de la famille. Ensuite, une famine accrue, de plus en plus de marches qui s'effondrent et que le proprio ne fait pas réparer, et davantage de solitude aux balcons, où même la subsistance du petit pékinois n'est pas garantie. L'immeuble a tout supporté, mes amis, des bombes à la pauvreté en passant par la ruine, mais il n'a pas résisté à la spéculation car aujourd'hui, mes amis, le terrain vaut plus cher que nos habitations (et plus cher, forcément, que les habitants et leur âme). L'immeuble va être rasé pour laisser place à un plus gros bâtiment, au nom de la grandeur de la ville. Car désormais, voyez-vous, nous sommes au XXIe siècle, et Barcelone est riche.

Mes amis, nous allons tous nous réunir au premier étage.

Si nous avons choisi cet appartement, ce n'est pas seulement pour épargner ceux d'entre nous atteints d'arthrose, mais bien parce qu'il s'agit du logement le plus vaste, le seul à peu près en état et qui ne menace pas de s'effondrer. Ce n'est pas un hasard, chers amis, car rien n'obéit au hasard en ce monde : l'occupante des lieux, madame Ruth, en a pris soin car elle y disposait d'un salon où quatre filles, je dis bien quatre, accueillaient en tenue légère des messieurs discrets qui avaient patiemment économisé pour vivre leur péché. Il en reste encore quelque chose, c'est le président de l'association de quartier qui vous le dit tout en ouvrant ces portes pour la dernière fois avant la démolition. Voyez, ici, c'était l'entrée, sa porte coulissante, ses vitrages roses, voyez les accès aux chambres du péché, où les hommes absorbés dans leurs propres pensées regardaient les jeunes femmes qui, elles, tournaient des yeux absents vers le plafond.

Voyez le salon, mes amis, le plus spacieux de la maison, voyez ces décorations en stuc, voyez ce lustre à la dignité républicaine tellement il est ancien, et voyez surtout les balcons ouverts par où s'engouffre la lumière. Naguère, ils étaient clos.

Les voisins entrèrent et virent tout cela.

Les balcons.

Le haut des murs décoré de stuc.

Les portes avec un gribouillis.

La table posée sur des tréteaux, digne et bien garnie.

Les bouteilles placées solennellement en file indienne.

Et le cadavre.

— Bon, voyons qui était le mort pour commencer.

Tels furent les propos du commissaire principal Monterde tandis qu'il allumait un Montecristo Edmundo, le dernier du mois, car au jour d'aujourd'hui, pour se procurer des havanes, il faut presque un aval de l'Otan. Il rapprocha le cendrier, aspira la fumée, tomba en extase et lut la déposition apportée par son adjoint. Elle consistait en ces mots :

Qui est le mort, monsieur Manuel Martín Monterde – enfin, monsieur M., je veux dire, monsieur le commissaire principal ? Qui est le mort, n'est-ce pas ? Eh bien, je peux vous en toucher deux mots. Je soussigné, Dalmiro Azcácarate Rey, cinquante-deux ans, marié, carte d'identité n° 36.197.140, sans compter divers détails qui apparaîtront sûrement plus bas, déclare :

Être le président de l'association du secteur de la Francia Chica, un lieu ancien puisqu'il figure, comme tout le quartier de Pueblo Seco, sur les vieux plans militaires du château de Montjuich, et de gauche au surplus : une colonne républicaine s'est constituée ici même pour rejoindre le front d'Aragon, sans plus donner aucune nouvelle par la suite. C'est aussi un site historique : dans le petit hôtel de passe du secteur, la moitié de Barcelone s'est offert sa première partie de jambes en l'air, y compris l'épouse de qui vous parle. Comme je disais donc, je suis le président de l'association de quartier, ma femme étant vice-présidente.

Or, monsieur M., avec le respect que je vous dois, en mars 2007, je déclare : que la propriété urbaine où on a retrouvé le cadavre est une des plus vieilles du quartier et qu'elle a toujours été habitée par des familles de la classe ouvrière, des gens simples que toutes les révolutions, la nationale-syndicaliste incluse, ont promis de sauver, sans résultat notoire à cette heure.

Bien au contraire, comme le prix du foncier augmente de jour en jour dans notre ville, le propriétaire de l'immeuble en question l'a laissé se dégrader jusqu'à ce qu'il soit déclaré insalubre et que le type obtienne ainsi le permis de démolir, de sorte que les locataires ont dû plier bagage après avoir sollicité de l'aide un peu partout, auprès même de Juges pour la démocratie et de Médecins sans frontières.

C'est bien triste car tout le monde, ou presque, y a vu mourir ses parents et naître ses enfants, qui sont la joie du peuple, vous savez bien.

C'est pourquoi l'homme qui vous parle a organisé une soirée d'adieu, et c'est là qu'on a découvert le mort.

Qui était le mort ?

Il y a de cela pas mal d'années, vers 1975, il traînait dans le quartier. Si j'ai bonne mémoire, il s'appelait Omedes, il ne travaillait pas. Une belle ordure. Il tabassait sa mère. Il avait passé son enfance dans une maison de redressement, sa puberté en prison et sa jeunesse chez madame Ruth, un établissement accueillant, bon marché, où officiaient des donzelles qui avaient foi en la Vierge. Jusqu'au jour où il a maltraité une des pupilles. Là, madame Ruth, qui n'était pas toujours facile, a engagé un costaud pour lui briser les côtes. C'était un gars du district et, que je sache, il n'a même pas voulu toucher sa récompense. Plus tard,

Omedes a visé plus haut, il voulait s'enrichir, et il a braqué une banque avec un complice. Le hold-up a fait deux morts, le vigile et un otage, un gamin de trois ans. Son complice a été capturé, mais Omedes a pris la fuite avec une partie du butin et, jusqu'à aujourd'hui, il courait toujours, monsieur le commissaire principal, mais tout finit par se savoir dans nos quartiers.

Notre association, qui est aussi la vôtre, regrette de ne pouvoir vous en dire davantage sur le défunt, monsieur M., et de ne pas disposer de preuves de première main quant à l'état du cadavre car, poussés par la curiosité, les gens l'ont tripoté et lui ont même ouvert la braguette, il me semble, sans mauvaise intention, évidemment. Et on s'est aperçu qu'il avait reçu une balle de .38 dans la nuque, comme si le tueur l'avait exécuté de sang-froid. C'est une voisine qui nous a renseignés sur le calibre, son mari est policier municipal, et elle lui a confisqué son arme.

Pour conclure, monsieur M., j'ajouterai trois choses, oui, trois, bien sûr avec tout le respect qui vous est dû : premièrement, avant les événements, une jeune inconnue a été vue dans l'immeuble ; deuxièmement, vous devriez interroger madame Ruth. Si elle vit toujours, elle peut sûrement vous renseigner sur le défunt, mais je dois vous dire que madame Ruth, l'ancienne gagneuse, a réussi depuis. Aujourd'hui, paraît-il, elle est marquise, ça prouve bien que l'on peut prospérer sans suivre un droit chemin. Troisièmement, confiez plutôt l'enquête à un fonctionnaire ayant tout son temps car, dans les immeubles qui n'existent plus, les filles et les heures n'existent pas non plus. Respectueusement vôtre. Signé : *le président de l'association de quartier au nom de l'association de quartier.*

— À ce qu'on m'a dit, vous avez tout votre temps, Méndez.

— Tout le temps du monde, monsieur le commissaire principal, monsieur M. Il faut dire que je suis à deux doigts de la retraite et qu'on ne me confie plus aucune affaire. Autant dire que je suis à deux doigts de l'état post mortem.

L'honorable commissaire principal, voire le supérieur, libre à chacun d'employer l'épithète de son choix, afficha un air placide et promena les mains sur son ventre comme pour enfiler un gilet de sauvetage. Puis il reprit :

— Je sais que votre sort s'est amélioré, Méndez. Vous n'habitez plus au fond d'un bar, dans cette chambre où certains soirs vous ne pouviez pas rentrer vu qu'on y enfourchait la patronne. Je me demande comment vous avez pu tenir le coup, mais il est vrai qu'avec les femmes chacun porte sa croix, surtout avec les femmes des autres. Il paraît qu'aujourd'hui vous logez dans un petit appartement en face des Atarazanas et que vous croulez tellement sous les bouquins que la dernière femme de ménage est peut-être morte sous un tas.

— Ça va mieux, j'avoue, mais ma vie est toujours un désastre absolu, monsieur M.

— Je comprends, Méndez : votre monde est en train de mourir. Les vieux bars de Barcelone où la république a été proclamée et où vous regardiez la nuit tomber ont fermé l'un après l'autre, souvent à la demande de la santé publique. Le vieux Raval n'est plus ce qu'il était : on y a ouvert une avenue et des boutiques de produits allégés, les maquerelles ont cédé leur bail à des dentistes. On ne dit même plus « Barrio Chino » pour désigner ce district. Le pays a perdu tout sérieux, mon ami. Les vieilles tapineuses qui vous racontaient leur vie sont mortes ou sont rentrées au village pour se marier devant le maire avec une collègue de travail ou se faire élire députées. Le monde change, Méndez, arrêtez de croire à ce qui est passé de mode.

— Oui, je suis encore en vie miraculeusement, pourtant mon univers a disparu. Mais pourquoi faire appel à moi, monsieur M. ?

— Parce que vous connaissez les rues. Vous traînez encore çà et là, vous discutez à droite à gauche, vous faites la queue chez les coiffeurs pakistanais et vous allez aux enterrements des vieux syndicalistes, des chanteurs de chorale et autres vedettes locales. Dans ces occasions-là, les langues se délient, surtout rapport aux cornes au front du mort.

— C'est vrai. On devrait fabriquer des cercueils à fenêtres, monsieur M.

— N'en parlez pas autour de vous, on pourrait déposer un brevet. Mais allons droit au fait, mon ami. Vous avez dû le lire : dans un immeuble qu'on allait raser, on a découvert un type flingué proprement, donc un mec refroidi. Et l'on sait, même si la presse n'y a pas fait allusion, qu'il avait un putain de casier, qu'il était recherché encore plus activement qu'un fumeur, et qu'il y a bien longtemps il avait participé à un braquage qui s'était soldé par deux morts : un vigile et un gosse de trois ans. Il s'appelait Omedes et il a filé avec une partie du butin, sur lequel, j'imagine, il a vécu depuis. Son complice a été arrêté, maintenant il a purgé sa peine. Bien entendu, on a fait mille recherches, mais on n'a pas trouvé son dernier domicile, Omedes n'avait pas de papiers sur lui. L'assassin a dû les voler. Et il n'était pas affilié à la Sécurité sociale, donc on a fait chou blanc. Les pistes ne mènent nulle part, mais il y en a une, très lointaine, il est vrai, sur laquelle vous pourriez vous pencher, vous qui connaissez les travers de tous les quartiers. Un interrogatoire officiel ne donnerait rien : j'ai besoin de quelqu'un qui suive des traces insignifiantes. Dans sa jeunesse, le défunt Omedes fréquentait l'appartement où il est mort, c'était alors un établissement de jeunes filles du quartier dirigé par madame Ruth, une tenancière qui vit toujours, même si elle a fini par épouser un marquis, devenant marquise du même coup. Elle peut nous renseigner, nous fournir un indice, mais pour ça il faut le flair d'un chien, pas le nez d'un flic.

L'éloge immérité fit s'émouvoir Méndez.

— J'ai connu madame Ruth, fit-il. Son espèce de clandé tournait encore après la mort de Franco.

— Je vais vous indiquer son adresse actuelle. Pénétrez dans son univers et tirez-lui les vers du nez, mais en douceur, pas question de lui faire offense. N'oubliez pas, les marquises qui faisaient la pute ou les putes anoblies passent à la télé, et les citoyens les acclament. La dénommée Ruth ne met pas un pied dehors, il paraît, mais elle pète la santé, plus encore qu'un évêque.

Monsieur le commissaire principal conclut :

— Au boulot, Méndez.

Méndez n'avait pas d'âge, mais on était alors en mars 2007.

— C'est bien gentil, les « Au boulot, Méndez » et les histoires sur l'ex-madame Ruth, présentement veuve et marquise de Solange, qui jouirait d'une santé de fer, monsieur le commissaire principal, lança Méndez qui serrait un combiné aimablement fourni par le cafetier. Mais ce n'est pas aussi simple.

Puis, s'acquittant scrupuleusement de son devoir, il enchaîna :

— La maison où habite la dame en question est l'un de ces recoins du vieux Barcelone qui ont disparu du vieux Barcelone, monsieur M. Imaginez une de ces villas entourées d'un jardin où la bourgeoisie séjournait l'été au XIXe siècle pour ne pas s'éloigner de la ville, où monsieur avait son travail et sa poule, et madame sa repasseuse et sa coiffeuse attitrées. Elle se trouve à Horta, aujourd'hui un quartier très peuplé, avec des bars qui ont pour nom *La Cepa, El Tronío* et *La Gamba,* mais qui offrait naguère des bosquets et des fontaines, et où, dit-on, l'air était plus frais et non contaminé par la révolution. Cette maison a trois niveaux, deux arbres centenaires et un dogue. Si l'animal vous lorgne, décrochez aussi sec le téléphone rouge.

Méndez fit un signe de gratitude à l'adresse du patron et reprit :

— L'enquête a été simple, monsieur M. Dans ce petit secteur qui garde une atmosphère rurale, tout finit par se savoir. Madame Ruth vit recluse dans la demeure qui appartenait à son mari, le marquis, et une femme plus jeune veille sur elle. Apparemment, elle la connaît depuis longtemps. Je n'ai pas jugé opportun de l'interroger puisqu'elle est au plus mal, elle aurait un cancer gros comme un camion. Tout à l'heure, le médecin est entré, et lui aussi elle le connaît depuis un bail. Dès qu'il ressort, j'essaie de lui parler si le chien ne l'a pas boulotté.

— Je vous trouve meilleure mine, Ruth, dit le médecin d'un grand âge, les yeux rivés sur la femme dans le fauteuil. Il fait trop chaud dans cette pièce, mais vous m'avez l'air en forme. Je modifie l'ordonnance pour alléger le traitement.

Le bras tendu, il ajouta :

— Mais d'abord enlevez-moi ce tableau, là. Quelle idée d'accrocher cette toile !

C'était une reproduction fidèle d'une œuvre de Munch, *Le Cri* : un visage féminin dont la bouche difforme a l'air de pousser un dernier hurlement, la douleur est dans l'air mais elle palpite aussi dans les entrailles, et, en arrière-plan, des nuages qui ne nous appartiennent plus, qui sont d'un autre monde. *Le Cri*, justement dans la chambre d'une femme qui va mourir, d'une femme qui crie.

— Ôtez-moi ça immédiatement.

— C'est une belle reproduction. En plus, c'est un cadeau.

— Vraiment n'importe quoi !

— Et vous, docteur, ce n'est pas n'importe quoi ? Vous prétendez que le traitement sera allégé alors que vous m'administrez des calmants de plus en plus forts. Vous me prenez pour une idiote ? Mon état empire, je suis condamnée, mais je ne veux plus souffrir, c'est ma seule volonté. Ne me donnez plus de cachets ni je ne sais quelle potion au foie de chat. Je vous demande une mort digne, docteur. Vous me soignez depuis toujours, mais vous me menez en bateau en prolongeant mon agonie. Aujourd'hui, tout le monde est pour l'euthanasie, et vous en avez les moyens… Finissons-en.

Le médecin prit un air impuissant.

— Non, écoutez, je ne peux pas… Comprenez-moi, il y a des choses que je ne peux faire, et il reste encore de l'espoir. Vous devez me croire, je vous en prie.

La patiente ébaucha un sourire glacial, sans force, sans dents, sans vie, un sourire d'automate à tête de mort. Et sa bouche ouverte dessinait un O, comme dans *Le Cri*.

— Bien sûr, je crois en vous, docteur, naturellement. Je crois même que vous feriez mieux d'aller vous faire foutre.

— Je vais mener l'enquête dans ce quartier qui n'est pas le mien, monsieur le commissaire principal, poursuivit Méndez à voix basse. J'accomplirai mon devoir, dussé-je récolter une crise d'urticaire, mais ça ne va pas traîner car je sais...

Bien qu'en un coin discret du bar, Méndez parla encore plus bas :

— Je sais qui a tué Omedes. C'est un dénommé Miralles. Mais inutile de me féliciter, monsieur le commissaire principal, il m'a suffi d'écouter certaines personnes, de mettre le nez dans un ou deux registres et d'aller visiter une tombe.

— Visiter une tombe, ah ouais ? s'enquit monsieur Carrasco, illustre patron d'un illustre bar.

Quand la boîte où travaillait monsieur Carrasco avait fermé, on l'avait mis en retraite anticipée ; fort de cette retraite anticipée et des indemnités, il avait ouvert un bistrot qui, bien sûr, ne pouvait s'appeler que L'Anticipée. On y servait du café, divers rafraîchissements, des plats maison, de la bière locale et des *orujos* à l'authenticité avérée puisque livrés de Galice par un compatriote, et décorés d'une estampille (de l'apôtre saint Jacques, peut-être bien).

— Visiter une tombe…, répéta le patron. Bizarre.

Il ne s'agissait plus du café situé dans le quartier d'Horta d'où Méndez avait passé un coup de fil à monsieur M., le commissaire principal. L'Anticipée était à proximité du lieu du crime, rue de la Francia Chica, où madame Ruth avait dirigé sa vénérable institution. En conséquence, le débit de boissons se trouvait sur les terres de Méndez, son territoire sacré. Le fonctionnaire expliqua :

— J'ai jeté un dernier coup d'œil dans l'immeuble qui va être rasé, et ses murs, voyez-vous, m'ont paru empreints de nostalgie. Vous savez, je suis l'un de ces policiers sans nom qui retournent plusieurs fois au même endroit car les lieux m'inopirent. Après, j'ai dirigé mon pas vers le quartier où vit aujourd'hui madame Ruth. Où elle vit, façon de parler : elle a un cancer en phase terminale. Et c'est l'une de ses anciennes pupilles qui veille sur elle, une pupille qui ne peut pas la sentir apparemment. On a du mal à imaginer un pire calvaire. J'y suis allé sur ordre du patron sous prétexte que j'avais le temps. Mais en poussant la porte du bar, je savais déjà qui a buté Omedes, le macchabée auquel tous les voisins ont dit au revoir.

— Putain, m'sieur Méndez, vous êtes balèze. Vous allez voir une tombe, et hop !

— J'ai aussi bavardé avec les gens du coin. C'est un quartier traditionnel où il reste encore des vieillards qui ont bonne mémoire. Alors on m'a guidé vers les registres de décès, qui m'ont conduit jusqu'à une tombe toujours fleurie. C'est tout.

— Les autorités territoriales vont sûrement vous donner du galon, m'sieur Méndez.

— Je ne prends jamais de galon. Et l'affaire n'est pas close : sans preuve, impossible d'arrêter cézigue, le suspect, à moins d'y aller au culot. Mes supérieurs m'ont ainsi demandé de le filer et d'effectuer quelques vérifications sur son compte. Je me fous qu'il me repère, ça m'arrangerait, même.

— Il va sûrement s'en apercevoir. En tout cas, merci pour la confiance.

— De rien. Je cause toujours dans les bars, et les bars me causent eux aussi, de cette façon j'ai des tuyaux. Mais les saines habitudes sont en train de se perdre, on ne discute plus au comptoir si ce n'est de ballon rond. Et encore. Aujourd'hui, les gamins se touchent les couilles, les jeunes calculent leur prêt immobilier et les vieux regardent la télé. Un des vieux du quartier qui se souvenaient d'Omedes a repensé d'un coup à la tombe. La tombe d'un enfant de trois ans qui est toujours fleurie. J'y suis allé. La pierre tombale portait une inscription intéressante, monsieur l'Anticipé. Ce n'est pas un secret, je peux bien en parler. À cette heure, les multinationales n'ont pas encore privatisé les sépultures.

— Ben, allez-y, lâchez le morceau, m'sieur Méndez.

— On y lisait le texte suivant : tout en haut, le nom, Juan Miralles Cuesta. Et en dessous : « Mort à l'âge de trois ans. » Puis tout en bas, en gros caractères : « SAVANT. » Vous m'entendez, l'Anticipé ? Savant à l'âge de trois ans. C'est à n'y rien comprendre.

Méndez vida son *orujo* du terroir, qui avait certainement voyagé à dos d'homme depuis la Galice en suivant la route des églises romanes, et conclut :

— Alors si Omedes a pris part au braquage qui a causé la mort d'un gamin de trois ans, nous tenons un mobile : la vengeance. Le justicier, c'est le père, un certain Miralles. Les années passent, monsieur l'Anticipé, mais la haine demeure. Elle demeure et vous ronge. Et le Miralles, que j'ai coincé pour ainsi dire, jc dois le surveiller, voyez-vous. Mais pas lui seulement. J'arrive toujours au fond des choses, même si là j'outrepasse ma mission.

— Comment ça ?

— L'agression meurtrière a été commise par deux types. Je dois trouver le second.

Dans la chambre intérieure ouvrant sur un patio étroit dont on ne distinguait que des tuyaux et un mur blanc, il y avait une chaise, un bureau avec des papiers, une radio, une étagère avec des livres, un radiateur toujours éteint et quatre photos encadrées dont trois d'un petit garçon : un petit garçon qui fait ses premiers pas à douze mois, un petit garçon étrennant un vélo d'enfant, un petit garçon qui rit en gribouillant sur une ardoise.

La quatrième représentait un homme : il n'était pas franchement jeune, mais un patron l'aurait jugé dans la force de l'âge. Il portait un uniforme de vigile, une cravate impeccable, une casquette bien vissée sur le crâne ainsi que des menottes et une arme dans son étui.

Quand la porte s'ouvrit, le regard se tourna vers les photographies. Les mains gantées semblaient soupeser un pistolet où l'on ne relèverait aucune empreinte.

Ce n'était pas le pistolet réglementaire d'un corps de sécurité. Sur la photo bien cadrée, le type en uniforme montrait, à la ceinture, un Star de calibre .38 alors que ce semi-automatique, d'un calibre similaire, était de marque Tokarev. Les mains gantées ôtèrent le chargeur et les yeux virent qu'il restait trois balles.

Le chargeur fut réengagé, produisant un léger claquement. Les mains ouvrirent la seule fenêtre (donnant sur le mur blanc et les tuyaux) et soulevèrent le dormant de bois peint où venaient s'appuyer les volets. Ce dormant se divisait en deux parties de même dimension, il avait donc suffi de soulever la partie droite, qui recouvrait un trou creusé dans le mur avec, au fond, un plastique. Les mains enveloppèrent le pistolet et le couchèrent dans la cavité conçue exprès. Puis elles réajustèrent la base en bois avec l'autre moitié. La fenêtre refermée, tout semblait parfaitement en ordre.

Trois balles. Il y en avait eu quatre, mais une avait servi à trouer la nuque d'un certain Omedes. Les trois autres suffiraient amplement pour finir le travail.

Parce qu'il y avait un autre type. Le second.

C'est le second qui appela, mais l'avocat Escolano n'en savait rien à cette heure. Le téléphone sonna dans le cabinet de « Ramírez et Escolano, Avocats, Droit de la famille, Séparations et Divorces ».

Escolano marcha dans le bureau, contourna la table de réunion où nulle réunion ne s'était tenue depuis longtemps puis se demanda s'il empocherait des honoraires avec ce coup de fil. Sûrement pas, se dit-il. Depuis deux mois, on ne le contactait que pour des broutilles émanant des tribunaux ou de vieux clients n'ayant toujours rien compris à leurs problèmes. Le pire étant qu'on lui téléphonait parfois pour lui signifier qu'il devait encore le prêt de l'année précédente ou le loyer du cabinet, qui, bien qu'ancien, augmentait sans arrêt à présent. Ou pour un travail mal payé de commis d'office. Mais pas l'ombre d'un nouveau client. De nos jours, c'était ahurissant, avec toutes les affaires de famille et les divorces. D'autres que lui s'en occupaient, à l'évidence.

La table de réunion était vieille et servait peu, comme le cabinet de consultation. Acheté par son père à une époque de solennités et d'avocats en cravate noire, c'était là tout l'héritage d'Escolano fils. Sans compter diverses dettes (un avocat en cravate noire doit maintenir son rang, et ça coûte cher) et une certaine expérience en séparations et divorces, ses parents étant séparés.

Et à l'expérience du père, mon Dieu ayez pitié de nous, s'ajoutait l'expérience du fils. Divorcé pour n'avoir pu répondre aux aspirations de sa femme, Escolano était expert en querelles, en disputes autour des enfants, des sous et de l'appartement. Et patati et patata, au lit tu ne vaux rien, t'as insulté ma pauvre mère, avec tout l'espoir que j'avais en toi, au bout du compte je me retrouve avec un naze ou, plutôt, un vrai fils de pute. Escolano et son cabinet étaient spécialisés en pleurs et en insultes, mais de nouveaux clients enclins aux pleurs et aux insultes ne s'allouaient toujours pas ses services. C'est un coup à sombrer dans l'alcool, songeait parfois Escolano junior, à ceci près qu'il aurait dû acheter ses bouteilles à crédit.

Il décrocha enfin au bout de cinq sonneries.

— Cabinet Ramírez et Escolano, je vous écoute.

Une voix rauque demanda :

— Vous êtes monsieur Escolano ou monsieur Ramírez ?

— Monsieur Escolano. Monsieur Ramírez est mort il y a quelques mois, mais, par respect envers lui, le cabinet a gardé son nom.

— Et vous êtes le père ou le fils ? Le fils, sans doute, parce que le père serait très âgé.

Encore une histoire à la manque, se dit l'avocat. Au mieux, une foutue réclamation sur une vieille affaire.

— Le fils, dit-il tout bas. Mon père est mort depuis longtemps, et j'ai repris son cabinet. À qui ai-je l'honneur ?

— À Erasmus.

— Désolé, ce nom ne me dit rien.

— Normal, admit la voix rauque aux accents vulgaires de qui n'a jamais eu de paroles distinguées. Vous parlez d'un nom, pas vrai ! Je le dois à votre père. Il disait que j'étais futé, aussi futé que... Attendez voir, votre père admirait Érasme de... de...

— De Rotterdam.

— Exact. Tous les goûts sont dans la nature.

La voix devenait de plus en plus vulgaire, et ces derniers mots avaient un accent ironique. Escolano comprit que le dénommé Erasmus se moquait des lectures de son père. Il faillit raccrocher, mais demanda, patient :

— Bien, alors... que puis-je pour vous ?

— Je ne sais pas si je dois vous parler, vous n'êtes que le fils. Avec votre père, là, oui, on discutait, et, comme j'ai dit, il m'a même donné ce surnom. Mais pour vous ça ne veut rien dire, je vois bien.

— Non, pas vraiment, mais je dirige le cabinet fondé par mon père, et s'il s'agit d'une vieille affaire, je peux sans doute vous être utile... professionnellement. Veuillez me dire ce que vous voulez et pourquoi vous m'appelez, nous gagnerons du temps.

— J'imagine, dit Erasmus, qu'il s'agit toujours d'un cabinet important.

— Certainement. Pourquoi cette question ?

— Ce n'est pas une secrétaire mais vous-même qui avez décroché.

Escolano se mordit la lèvre, furieux : la voix était de plus en plus moqueuse et irritante. C'était pourtant la vérité. Son père avait eu deux secrétaires et un stagiaire, lui travaillait seul. La séparation avait emporté avec elle les rêves, le travail soigné, les attentions envers le personnel, les comptes courants, tout. Qui travaille a besoin d'un objectif, or son père, dans les derniers temps, ne savait plus pourquoi il travaillait. Le fils non plus, présentement. Mais ce fils happé par les ans murmura :

— J'étais tout bêtement à côté du téléphone quand il a sonné. Je dirige un cabinet important. En tout cas, ce n'est pas à vous d'en juger.

— Vous m'avez mal compris. Mais votre père était un type important, d'accord ? Et un avocat important. Il m'a tiré d'un joli pétrin et je n'ai pas pu le payer, mais aujourd'hui c'est différent, je vous rétribuerai grassement... si vous m'aidez.

— Un avocat est censé rendre service, dit Escolano sur un ton ambigu, mais dites-moi de quel pétrin vous a sorti mon père, si cela peut être formulé au téléphone. Ça vaudra mieux.

— Je peux vous en parler au téléphone, oui... Il y a un bail de ça, quand la peine de mort existait encore, vers 1976, imaginez un peu, en plus, la chose est jugée, on dit comme ça, n'est-ce pas ? Une chose jugée, on ne peut plus m'accuser de rien... Eh bien, votre père m'a sauvé du garrot, même s'il n'a pas trop eu à batailler puisqu'en ce temps-là on rédigeait la Constitution, et cette Constitution, vous savez bien, a aboli la peine de mort. Mais il a assuré un max, oui, un max. Et si vous lui ressemblez un peu, il faut qu'on se voie tous les deux, vraiment. Pour vous, c'est tout bénéfice.

« Tout bénéfice... » C'était là l'expression qu'Escolano avait besoin d'entendre et qu'il n'entendait plus ces temps derniers. Mais de sa voix la plus aimable il demanda :

— Quel délit avez-vous commis ? Si la chose est jugée, vous pouvez sans doute me le dire.

— Oui, bien sûr... Je ne sais pas quel âge vous avez, mais c'est dingue que votre père ne vous ait rien dit sur moi, sur l'affaire Erasmus, parce que, ce genre de dossiers, il n'en a pas eu deux dans sa vie, sûrement pas. En tout cas, les journaux en ont fait tout un foin à l'époque, on en parlait à toutes les pages, sauf à la rubrique cinéma. Putain, le bordel, et le ramdam dans les tribunaux. Mais si vous voulez tout savoir, je vais entrer dans les détails : j'ai tué un gosse dans un hold-up. Un gosse de trois ans et un vigile.

Bon, ça y est, Méndez, le tour est joué. Tu n'as plus qu'à serrer le coupable, dès cet après-midi si tu veux, mais la même histoire va se répéter, Méndez : tu restes les bras croisés au lieu d'agir.

Comme à l'accoutumée, tu as mal déjeuné. Dans ce quartier – que tu commences à apprécier – il y a des fast-foods, tous minuscules, mais, en compensation, on trouve un hôtel immense et majestueux, le França, conçu pour les culbutes express. Tu as comme l'impression qu'on baise davantage qu'autrefois, Méndez, car cet hôtel, te semble-t-il, a dû être agrandi au moins deux fois. Un client a peut-être été emmuré, va savoir. Un jour, tu as dû arrêter un quidam dans ces murs, en des temps révolus. Tu étais bien embêté : la femme du patron occupait une des chambres.

Allez, tu as fini ce repas succulent : hors-d'œuvre de la maison, boulettes de viande de la maison, flan de la maison, vin de la maison. Les boulettes ne t'inspirent pas confiance, cependant aucun habitué n'est mort récemment, la viande a donc été produite ailleurs. Et comme l'enquête est un succès, tu décides de fêter ça :

— Un café et cognac de la maison, s'il vous plaît.

— Monsieur est connaisseur, je vois. Qualité garantie.

Les logements du quartier sont exigus, mais ils doivent ressembler à des palais à côté des clapiers de vingt mètres carrés promus par le ministère du Logement. En outre, ils possèdent des balconnets de fer forgé, un luxe impensable aujourd'hui. La Plaza del Surtidor est joyeuse, et elle accueille depuis toujours un collège religieux qui dégage à cette heure une certaine dignité d'athénée républicain. Plus haut, de petits escaliers de pierre donnent accès à la montagne; naguère, les gamines allaient y faire pipi. Et, tout près, un café, le Bar But, au nom on ne peut plus direct.

— C'est bien ici que vit monsieur David Miralles ?

La voisine qui nettoie l'escalier comme avant elle sa mère et sa grand-mère, alors que les journaux parlaient déjà d'émancipation féminine.

Elle observa Méndez avec curiosité.

— Le garde du corps ?

Méndez ignorait que David Miralles, l'assassin, était garde du corps, mais rien n'échappant aux voisines, il murmura :

— Exactement.

— Il n'est pas là. Il est sorti à l'instant avec son filleul, le fils de la veuve Ross.

Méndez ne savait pas non plus qu'il avait un filleul, mais il hocha la tête avant d'interroger :

— Vous savez où ils sont ?

— Il y a un tailleur sur le Paralelo. Vous descendez la rue, c'est au coin.

— Merci.

Concernant Miralles, Méndez savait seulement, outre son nom et son adresse, que son fils de trois ans était mort au cours d'un hold-up et qu'au bout d'une éternité, de fait sitôt qu'il avait pu, il avait supprimé un des tueurs pour se venger. Les voisins lui avaient simplement parlé d'un enterrement avec un cercueil blanc. Après, il n'avait eu qu'à lire un nom sur une pierre tombale.

Enquêter sur un crime n'est pas non plus si difficile.

Ni si facile, évidemment, car si d'autres suspects apparaissent, on repart à zéro. Méndez haussa les épaules et descendit la rue jusqu'au Paralelo, peuplé autrefois de femmes à talons hauts et aujourd'hui de bus de retraités et de gamines au nombril à l'air. Quelle sorte d'érection pouvait provoquer un nombril ? Pour Méndez, c'était un mystère. Mais il cessa de réfléchir.

Il tourna sur la droite.

La boutique du tailleur.

Un atelier modeste avec une seule vitrine, un seul manne-quin et un seul client, Miralles à coup sûr. Certes, ce n'était plus un jeune homme, mais il gardait la souplesse et la vigueur d'un type qui s'est toujours entretenu. À côté, un petit garçon d'environ trois ans, selon Méndez. Miralles l'habillait de pied en cap et lui caressait les cheveux de temps en temps.

Méndez eut alors une pensée de haut vol.

— Merde, fit-il.

Il n'allait quand même pas alpaguer un type qui achetait des vêtements à un minot.

Le policier mit les bouts pour ne pas compliquer les choses. Son portable sonna.

Et chiotte, songea Méndez.

Pour lui, cet arsenal technologique était d'une modernité excessive. Un de ces jours, la police scientifique deviendrait un mystère, mais lui n'irait sûrement pas jusque-là. Avec le por-table, il atteignait ses limites. Il répondit à la vue du numéro affiché. Le commissaire principal lui demanda s'il avait pu s'entretenir avec madame Ruth.

— Pas encore, monsieur M. J'ai seulement fait quelques investigations préliminaires, mais intenses néanmoins.

— Alors courez chez elle ou il sera trop tard. Elle est à l'agonie.

— Qui vous l'a dit ?

— Son médecin. Même qu'elle l'a incité au meurtre.

Je me souviens parfaitement : la maison où j'ai commencé à gagner ma vie avec les filles, celle de la Francia Chica, ainsi dit-on maintenant, était orientée à l'ouest elle aussi, comme là où j'habite aujourd'hui. Le soleil de l'après-midi s'endormait aux fenêtres, des heures durant ; le soleil ternissait les tissus du mobilier, décolorait les rideaux, effaçait les dessins des tableaux sur les murs où l'on voyait des scènes champêtres au goût des employées. Elles aimaient la verdure, natives pour la plupart de villages morts de soif. L'une d'elles m'avait même offert gentiment un diplôme des Chœurs et Danses de la section féminine de la Phalange : on lui avait décerné un prix pour avoir dansé seule, lors des fêtes patronales, devant monsieur l'évêque.

Moi, madame Ruth, qui étais si habile à trouver des clients pour les filles, c'est insensé, tous les souvenirs qui me reviennent.

De cette première maison et des femmes qui l'habitaient, il n'est rien resté ; rien, à part le soleil... Le soleil a toujours asphyxié les chambres des pauvres depuis l'invention de la ville, de sorte que les hommes ont guetté un souffle d'air à la fenêtre, et les femmes écarté les jambes sur une chaise, dans le seul angle ténébreux, sentant les effluves de leur bas ventre à cause de la chaleur. Comme les relents des lits et des cuisines, même si, je me rappelle, c'était moins fréquent chez moi que dans les rues environnantes. J'installais des ventilateurs dans tous les coins, et les draps étaient changés après chaque usage. Et puis les filles ne mangeaient pas sur place et la cuisine, bien qu'en un quartier prolétaire, demeurait toujours impeccable.

L'appartement au premier, avec ses miroirs dans les chambres, s'est perdu dans le temps, et il sera perdu plus encore d'ici peu puisqu'on va raser l'immeuble. Où je vis actuellement, dans la demeure ancienne et luxueuse qui appartenait au marquis, le soleil est tout aussi envahissant. Jadis, bien sûr, les riches affectionnaient les villégiatures au soleil. C'est même pire que dans la rue de la Francia Chica car ma propriété donne sur une large avenue et aucune construction n'arrête les rayons du soleil. De ma fenêtre, je vois des arbres et j'entends les cris des enfants qui jouent dans le jardin d'en face. Avant aussi, dans le vieil immeuble, j'aimais ces cris et, n'ayant alors aucune difficulté à me mouvoir, je me penchais à la fenêtre et restais à les regarder; pourtant, les mères qui me connaissaient ne supportaient pas de me voir, même de loin. Ça m'est désormais impossible, j'ai un mal fou à me lever du fauteuil. Si personne ne me voit, alors personne ne me déteste, me dis-je.

Erreur, ma chère.

Mabel me déteste, or elle est censée veiller sur moi.

Elle n'a pour moi aucune compassion. Et elle voit que je vais mourir, que le cancer me ronge, qu'il prend mon sang, ma chair, mes lèvres et ma poitrine. Je ne le sais que trop et n'aspire qu'à une mort prompte et charitable. Je n'ai pas demandé à naître et je ne pourrais pas décider de ma mort? Je l'ai dit cent fois au docteur, mais il n'a que la science à la bouche : aujourd'hui on fait des miracles, et les tissus se régénèrent, et des greffes sont envisageables, et il y a des rayons si efficaces et si puissants qu'ils s'infiltrent dans le cerveau et vous ressortent par le cul.

Sachant qu'il n'y a pas d'espoir du côté du médecin, j'ai pensé à quelqu'un d'autre. Il ne manquerait plus qu'une riche, de surcroît marquise, sur qui *Hola !* a sorti deux papiers, ne soit même pas fichue de mourir dignement.

Seulement mes pensées, ou plutôt mes souvenirs, se défont brusquement, je me sens atrocement prise au piège.

Mabel vient d'entrer.

Comme toujours, elle me jette un regard mi-enjoué, mi-haineux.

Mais son histoire n'est pas banale.

Je suis bien placée pour le savoir.

Comme je dirigeais la maison de la Francia Chica, avec une clientèle de travailleurs manuels qui étaient presque de la famille, et où fornicateurs et fornicatrices se montraient les photos de leurs gosses, le marquis de Solange vint à passer par là. Il en avait assez des prostituées de luxe et réclamait de la chair de prolétaire. Marchant dans la rue par hasard, il avait, semblait-il, repéré une des filles, la Nati, et l'avait suivie jusqu'à l'entrée. Cependant, il avait aussitôt oublié la Nati en tombant sur moi ; à l'époque, j'étais jeune, grande et bien en chair, et j'avais les traits d'une vierge torturée par un consul romain. J'avais déjà eu plusieurs compagnons – l'un d'eux m'avait installée en ces lieux – mais il n'en paraissait rien. Disons qu'on m'aurait crue droit sortie d'un couvent d'Ávila. Le marquis avait une mère catholique et mal embouchée, qui lui enjoignait toujours de ne pas fréquenter de dépravées aux airs vicelards, mais, passant outre, il fréquentait des dépravées aux airs chastes. Nous nous sommes installés dans la plus belle chambre, bien que j'aie répété cent fois que je ne couchais pas avec les clients, ce qui n'était pas entièrement faux, et qu'il m'ait lui aussi dit cent fois que j'empocherais ce jour les bénéfices d'un mois, ce qui était vrai pour le coup. Je lui ai proposé une ou deux gâteries dont il n'avait pas connaissance bien qu'issu d'une longue lignée de moines inséminateurs et de chevaliers à la queue raide.

Il fut enchanté.

Le soleil de l'après-midi m'a tenu compagnie de si longues années que le temps, quelquefois, me paraît irréel, comme arrêté. Des fois, j'ai du mal à me rappeler, à comprendre ce qui a fait que le marquis, une fois satisfait, soit tombé amoureux de moi, avec autour de nous toutes ces vierges, tous ces gentils minous et toutes ces mères dévotes prêtes à sombrer dans la luxure. Je sais bien que les émois au lit et que la certitude d'avoir trouvé la femme de sa vie ne durent que quelques semaines. Mais, pour le marquis de Solange, cela dura toute une vie.

La sienne fut courte, il est vrai.

Mon Dieu, le soleil s'engouffre dans la pièce jusqu'au fond de ma tête et me donne mille vertiges. Mabel ne ferme jamais les rideaux et elle n'entrouvre pas la fenêtre pour éviter la chaleur. Elle sait forcément combien ça fait mal.

Mabel a transpiré sous bien des hommes.

Mais tout a commencé avec le marquis de Solange : sans lui, cela n'aurait jamais eu lieu. Je savais qu'il était plein aux as, que sa mère allait bientôt mourir (non sans chercher d'abord, inutilement, à léguer sa fortune à un chanoine) et que lui-même ne voulait pas mourir en odeur de sainteté sans avoir possédé son harem. J'étais sa préférée, mais il essaya chacune des employées, ainsi qu'une fille de l'extérieur. Mabel.

Mabel était une adolescente de la rue, blonde, fragile, pauvre ; elle avait de belles formes de femme impure, le regard angélique et une quinzaine d'années. Mabel.

Bien souvent, j'avais joué les entremetteuses – après tout, c'était mon métier –, mais j'étais une entremetteuse qui ne prospectait pas : je recueillais les filles. D'ordinaire poussées par la faim, elles venaient frapper à ma porte. Je leur montrais la maison, leur parlais des tarifs, leur inculquais mon élégance (car j'en ai, ou, du moins, j'en ai eu) puis je les initiais avec un client digne de confiance.

Je n'ai jamais recruté de mineure. Jamais. En vérité, à mon époque, la législation était plus stricte. Maintenant, une gamine peut faire la pute à dix-huit ans, mais, en ce temps-là, c'était interdit avant vingt-trois ans ; pourtant, on était majeur à vingt et un ans. Pas avant vingt-trois ans, je m'en souviens très bien. Bien sûr, je savais que, l'argent aidant, il y avait toujours des gamines de quinze ans sous des sexagénaires, de fait il y en aura toujours. Mais je n'y étais pour rien.

Sauf une fois.

Le marquis avait repéré Mabel dans la rue. La sachant dans la misère, il m'avait demandé de jouer les intermédiaires pour la toute dernière fois. La dernière, disait-il, mais au fond c'était la première. « C'est une fille du quartier, tu devrais la convaincre aisément. Vas-y, Ruth, fais-le, s'il te plaît, je t'en prie... »

Et je lui avais obéi.

Et le temps est comme arrêté, mais c'est une illusion.

Et Mabel se tient devant moi.

Oui, Ruth, la Mabel est là, sous tes yeux, et elle s'occupe de toi, elle est la seule personne qui te rattache au monde. Mabel est grande et elle a des hanches comme une amphore, ce qui n'est plus au goût du jour ; les diététiciens, grands gourous désormais, réprouvent ces courbes. C'est comme ça. Dire qu'après trois mille ans de peinture et de sculpture, de civilisation en vérité, expliquait une pupille avec de l'instruction, on arrive à ce résultat, on invente la ligne droite chez la femme.

La peau de Mabel est très fine à son visage et à sa gorge, songe Ruth, la langue et les dents des clients n'y ont laissé aucune empreinte. Ses jambes ont un peu forci, on dirait même qu'elle a un peu de cellulite aux cuisses, mais c'est l'âge, se dit encore l'ex-patronne. Mabel a maintenant cinquante ans, mais elle a fière allure, et chacun sait qu'à cet âge bien des filles restent en activité, et avec de beaux résultats.

Et sa silhouette, surtout l'après-midi sous la lumière chaude, n'a rien d'inquiétant, au contraire. C'est compter sans ses yeux, se dit Ruth, ces yeux gris et froids qui concentrent la haine de toutes les femmes soumises. En vérité, ce n'est pas nouveau, surtout chez Mabel. Certains clients, incapables de soutenir ce regard d'acier, lui disaient de fermer les yeux en la prenant.

La voix de Mabel est métallique, de même que ses yeux.

— Que dit le docteur ?

— Que je dois poursuivre le traitement. J'en ai marre de lui répondre que je ne suis pas d'accord et que je veux en finir.

Mabel se tourne un court instant vers la fenêtre. Le soleil semble se refroidir au contact de son regard.

— Tu penses comme lui, dit Ruth sur un ton de reproche. Toi aussi, tu veux que cela dure encore et encore…

— Ne te plains pas, murmure Mabel de sa voix métallique. Tu ne manques de rien. Bien des femmes de ton âge agonisent sur un lit d'hôpital avec deux ou trois malades à côté. Et pour finir les infirmières installent un paravent pour ne pas effrayer leurs voisines. Tu mènes encore la belle vie, et puis une guérison n'est pas exclue : tu as droit aux derniers médicaments, aux derniers traitements.

— Comme les rats de laboratoire.

— On les teste sur eux, premièrement.

— Et j'y ai droit quand ils sont morts.

— En tout cas, Ruth, ne compte pas sur moi pour t'aider. Je ne le ferai pas, ton médecin non plus. Il ne pratiquera jamais l'euthanasie, il est du genre apostolique et romain. Tu devrais le savoir après toutes ces années.

— Je sais seulement que je souffre pour rien. Il fait horriblement chaud dans la chambre, tu ne trouves pas ? Tu veux bien baisser le volet, qu'on ait un peu d'ombre ?

— Impossible. La courroie est cassée, Ruth.

— On aurait dû réparer, depuis le temps.

— On a téléphoné au menuisier. Mais tu appelles un artisan de nos jours, il ne vient jamais.

— Tu pourrais au moins fermer les rideaux.

— Tu le fais toi-même, Ruth.

— Mais tu les tires ensuite, Mabel ! C'est un calvaire sans fin. Je les ferme et tu les ouvres ! Sauf qu'à présent j'ai un mal fou à me lever du fauteuil.

— Arrête. Je le fais pour ton bien. Le docteur te conseille de bouger, de marcher. Tu l'as oublié ? Pas dimanche dernier, mais celui d'avant, quand tu allais mieux, il a même dit que tu devais sortir, aller à la messe.

— À la messe...

La voix de l'ancienne tenancière n'est qu'un murmure de mépris. À la messe... Il ne manquerait plus qu'elle implore la pitié du Seigneur, elle qui veut qu'on la tue. Elle qui a recueilli dans ses chambres nombre de croyantes dont l'époux était décédé. Il ne manquerait plus que ça... Et tout à coup, elle se rappelle que Mabel, à quinze ans, travaillait pour la paroisse en échange d'un morceau de pain et de quatre bénédictions. Le marquis de Solange, quand il était monté sur elle, lui avait donné du pain lui aussi, mais nulle bénédiction. Ruth se souvient parfaitement de cet après-midi ensoleillé. Déjà ensoleillé.

Mabel était si jeune qu'elle portait des socquettes blanches.

Plus tard le marquis était tombé amoureux... Mabel, Mabel, Mabel. Il la voulait toujours avec des tresses, des robes de fillette, toujours avec des socquettes blanches.

Mais le temps nous a filé entre les doigts, petite Mabel. Tu n'es plus une enfant, tu n'as plus de tresses, et l'on rirait si aujourd'hui tu enfilais des socquettes blanches. Les clients riraient eux aussi, en dehors du marquis : en toi ils aimaient la femme, les yeux de plomb et les bas noirs. Je t'ai offert du travail, Mabel, beaucoup, tu étais sur place : les hommes se bousculaient au portillon. Tu te souviens ? Et cet imbécile de marquis te croyait uniquement à sa botte. Jusqu'à ce qu'il tombe amoureux, qu'il finisse par t'aimer pour de vrai : là, il t'a possédée pour de bon.

Le regard d'acier se promène dans la chambre envahie par le soleil. Tel est le regard de Mabel. Ruth le perçoit plus que jamais, plus que jamais elle sent sa haine. Le regard gris, dur, impie, digne d'une embaumeuse d'enfant.

— Il faut que tu appelles un autre médecin, Mabel. Tu en as sûrement eu parmi tes connaissances, ou parmi tes clients. Rends-moi ce dernier service, s'il te plaît.

Le regard de glace à nouveau, comme s'il distillait des gouttes de mercure. Les rideaux à nouveau écartés, comme s'ils ne l'étaient pas suffisamment. Le soleil de l'après-midi qui rend l'air suffocant à nouveau.

— Aucun médecin ne voudra s'occuper de toi dans ces conditions, Ruth. Tu ne le sais pas, mais le docteur a sérieusement compliqué les choses : il te prescrit moins de calmants. Il veut écarter toute responsabilité, de peur que tu en avales une poignée pour te suicider. Il a parlé à la police de ta demande d'euthanasie, ce qui reste un crime au regard de la loi. Personne ne t'accusera, bien sûr, ça n'aurait pas de sens, mais aucun médecin ne t'aidera à mourir, crois-moi. Et tu n'es quand même pas stupide au point d'avoir confiance en moi...

Mabel a un éclat de rire dur, blessant, un éclat de rire que l'air transforme en milliers d'aiguilles qui piquent la peau de Ruth. D'une voix traînante, se moquant d'elle à chaque syllabe, elle dit :

— Je connais pourtant un type qui pourrait faire ce travail. Un type qui a tué un homme autrefois.

— Il a tué un homme, oui, pour sûr, dit Carrasco, le patron du bar L'Anticipée ; je le connais, évidemment. Et il l'a buté proprement… Deux balles dans la tête. Pan ! Pan ! Un peu plus, la cervelle du bonhomme, elle restait pour de bon dans la banque. Les vitres étaient tellement dégueulasses que deux femmes ont dû les astiquer pendant un mois pratiquement.

En écoutant Carrasco, accoudé au comptoir, Méndez avalait un breuvage qui avait deux vertus, l'une héroïque et l'autre non : en effet, tout d'abord, après l'avoir ingurgité, le premier légionnaire venu aurait chargé à la baïonnette, y compris un dimanche des Rameaux ; par ailleurs, cette potion aurait pu faire aussi un décapant haut de gamme. Un jour peut-être, la télé vanterait les mérites de cet élixir.

Le voyant grimacer, Carrasco le rassura :

— C'est un alcool à base de plantes, m'sieur Méndez, donc cent pour cent écolo. Mais il est déconseillé pour les mineurs, les retraités, les femmes qui allaitent et les ménages qui veulent emprunter de l'argent à la banque.

— Putain, je suis en plein dans la paperasse pour ma retraite.

— Ah bon ? On dirait pas. Le plus grand danger, c'est pour les mineurs, croyez moi, ça rend impuissant. Mais vous, m'sieur Méndez, vous n'avez plus de souci de ce côté-là. Maintenant, posez-moi toutes les questions que vous voulez.

Méndez murmura :

— On cause, on cause, tous les deux, mais on ne joue pas cartes sur table. C'est fréquent chez les policiers comme chez les cafetiers, qui ne veulent pas se mouiller. Je vous ai parlé du mort, Omedes, dans cet ancien clandé.

— Ben oui. On a même conclu que c'était une ordure.

— Je vous ai dit aussi que je croyais connaître l'auteur de ce crime : le père d'un gosse tué pendant un hold-up. Je ne me suis pas étendu sur la question, et vous non plus. Le type était du quartier, c'est bien ce que vous m'avez dit ?

— Je ne me rappelle pas.

— Moi non plus, peu importe. Des fois, ma mémoire me joue des tours. En résumé, je pense que l'assassin est un certain Miralles et qu'il a agi par vengeance. S'il apprend que je lui colle au train, ça m'est égal. Comme ça, il va peut-être paniquer et commettre une erreur.

— Ou filer.

— Il n'a pas intérêt, fit Méndez.

— Quand même, ça m'étonne que vous ne l'ayez pas arrêté pour l'interroger et tout et tout. Ou pour examiner son pistolet. Miralles a un permis de port d'arme, il est garde du corps. Je ne suis qu'un patron de bistrot, mais j'ai vu ça au cinéma : la balle en dit long sur le flingue.

Méndez vida bravement son verre.

— Au moment où j'allais l'arrêter, il achetait des vêtements à un gamin, et je n'ai pas voulu choquer ce pauvre gosse. Et puis le commissaire m'a dit qu'il valait mieux le surveiller quelque temps car, son arme réglementaire, on en dispose quand ça nous chante. Et si Miralles s'aperçoit qu'on a des soupçons ? Aucune importance.

Le patron de L'Anticipée sourit.

— Me prenez pas pour un couillon, m'sieur Méndez. Si vous le chopez et qu'il refuse de parler, ce qui ne fait pas un pli, tout est fichu. Par contre, si vous le filez, quelqu'un va peut-être le contacter ; enfin, un autre suspect. C'est arrivé il y a long-temps, mais les vieux du quartier se rappellent que deux hommes ont commis ce braquage où un gamin a été tué. Et l'ancien complice d'Omedes a très bien pu flinguer cet enfoiré. Je comprends qu'un enquêteur de votre qualité, amateur avec ça de liqueurs du terroir, ne veuille pas foncer tête baissée.

Méndez ne répondit ni oui ni non. Mais il balaya du regard le comptoir désert à cette heure matinale et dit en soupirant :

— J'aimerais en savoir plus sur Miralles.

— Je vous ai déjà tout dit, vous n'avez qu'à interroger les vieux du quartier. Miralles est devenu fou à la mort de son fils. Comme il était séparé d'avec sa femme, il est resté complètement seul. Comment vous dire, Méndez ?... Ceux qui les ont connus pensent que c'est à cause d'elle qu'ils se sont séparés, parce que Miralles est un brave type. Mais à ce qu'on raconte, un jour, elle lui a dit : « Tiens, prends ton fils. J'en ai marre. Nos routes se séparent, bonne chance. »

— S'il est si brave, pourquoi l'a-t-elle laissé tomber ?

— Alors là... Ça fait si longtemps qu'il n'y a plus guère que nos anciens qui s'en souviennent, mais on jase dans les bars. J'imagine que Miralles ne touchait pas un gros salaire et qu'elle trouvait notre quartier un peu miteux. Elle était jolie, elle aimait l'argent, et d'après une voisine, elle aurait trouvé un autre homme. C'est sûr, elle s'est débarrassée du mioche comme d'un ballot et s'est barrée avec un autre. Plus tard, il me semble, on a su qu'elle habitait dans une baraque cossue, de celles où on s'attend à voir un majordome. Et on l'a aperçue dans une voiture de luxe. Mais Miralles s'est résigné, à mon avis.

— Pourquoi ?

— Je m'étonne qu'un vieux policier comme vous me pose la question. Vous avez dû en voir, des gens qui se séparent à cause du fric. Moi, je ne suis qu'un pauvre couillon avec un bistrot – un couillon anticipé, je dirais même –, mais des appartements vidés, des fenêtres ouvertes et des murs avec la marque des tableaux qu'on a décrochés, j'en ai vu, croyez moi. La vie est ainsi faite, Méndez, il n'y a pas à tortiller : les femmes, ça va, ça vient. Comme elle avait des goûts de luxe et que le pauvre Miralles ne pouvait lui offrir que sa bite – encore fallait-il qu'elle soit vigoureuse –, qu'est-ce qu'il pouvait bien faire à votre avis ? Tôt ou tard, elle aurait mis les bouts. Et au moins il gardait l'enfant, la prunelle de ses yeux.

Méndez fit d'une voix rauque :

— Si la population savait le nombre d'enterrements qui ont lieu les nuits de noces…

Et il laissa Carrasco lui resservir un fond d'alcool bio.

Ses propres funérailles ne le tracassaient plus.

— Son fils a été tué par-dessus le marché.

— Et donc il a perdu la tête, comme je disais. Des gens du quartier pourraient vous parler des après-midi où il restait seul sur un banc, les yeux dans le vague. Il bossait pour une compagnie d'assurances et il commençait à se tromper dans les comptes, il paraît. Pas étonnant, putain ! Vous êtes dans cet état quand un client rapplique pour une assurance vie, et vous lui faites une assurance décès.

— Il a été viré ? s'enquit Méndez, qui vérifiait toujours les détails des informations recueillies.

— La compagnie s'est montrée patiente, paraît-il, mais voilà qu'un jour, à la surprise générale, Miralles s'est présenté à un concours pour occuper un poste de vigile dans une banque. N'oubliez pas qu'à une époque, dans ce pays, vers la fin des années soixante-dix, les banques, c'était un peu le tir aux pigeons, si bien qu'on recrutait des gorilles armés. Miralles tirait comme un as, c'est ce qu'on m'a dit, mais en tout cas une chose est certaine : les tests psychologiques étaient faits par un manche, un vrai de vrai. Un gars dont le fils a été tué par des braqueurs de banque n'aurait jamais dû travailler comme vigile dans une banque. Ben oui, ce genre de mec a la gâchette facile.

— Mais il a été embauché.

— Oui, Méndez, il y a de ça des années. Et dans des bistrots plus vieux que le mien, vous pourrez connaître la suite : un jour, trois types armés de fusils à canon scié ont rappliqué. Avec ce genre d'outil, t'as les couilles arrachées rien qu'en le regardant. Miralles était seul, mais il n'a pas tremblé. Pan, pan et pan. Les deux premiers, il leur a pété les genoux avant qu'ils ouvrent le feu, mais le troisième, à côté de la porte, il lui a brûlé la cervelle.

Je vous ai dit pour la vitre tout à l'heure ? Ben, les femmes de ménage ont touché des heures sup.

Se sentant l'âme d'un brillant chroniqueur de guerre, l'Anticipé enchaîna :

— J'ai gardé le meilleur pour la fin.

— Le meilleur ?

— Quelqu'un s'est rendu compte que des individus de la trempe de Miralles, ça ne court pas les rues : vingt sur vingt en sang-froid, vingt sur vingt en tir, et zéro en goût pour la vie. Bizarrement, en Espagne, ces mecs-là, on se les arrache : tous les hauts dirigeants, les banquiers et les maîtresses des députés ont un ou deux gardes du corps. Et des entreprises se chargent de les recruter.

— On a donc fait une offre à Miralles…

— Tout juste. Maintenant, il est garde du corps, vous vous souvenez ? Il gagne plein de pognon, mais ses dépenses sont bizarres. Demandez autour de vous, vous verrez : des dons à des orphelinats, des cours payés à un gamin du quartier, des habits neufs pour les gosses dans le besoin. Vous l'avez vu de vos propres yeux, Méndez.

— C'est vrai. Qui oserait serrer un tel homme ? Je ne veux pas non plus qu'il arrête de fleurir la tombe du petit.

— Vous avez raison. Les fleurs, ça coûte la peau des couilles. À croire qu'on les arrose avec du sperme de puma.

Méndez acheva sa boisson. Son visage, peu à peu, vira intensément au vert, couleur des plus écologique. Au mépris de l'adversité, il dit tout bas :

— Si le bruit court dans les bars, les hôtels de passe et les foyers pour anciens que les flics soupçonnent Miralles, je m'en fous pas mal. C'est pour ça qu'on bavarde autant tous les deux.

— Vous l'avez dit vous-même, m'sieur Méndez : vous aimeriez qu'il perde son sang-froid.

— J'aimerais surtout que l'autre perde son sang-froid, mon ami. Car il y a une autre personne.

12

Le téléphone retentit à nouveau.

— Ramírez et Escolano ?

— Oui.

— Vous êtes monsieur Ramírez ou monsieur Escolano ?

Le jeune avocat Escolano sentit comme un pincement de honte à l'écoute de cette voix. Il faillit raccrocher, machinalement.

Mais sa banque l'avait informé que le paiement de sa cotisation à l'ordre des avocats avait été refusé. Un impayé, donc. Or un avocat ne pouvant s'acquitter de cette cotisation doit au moins empocher des notes d'honoraires.

Il garda son sang-froid.

— Cessez vos plaisanteries, monsieur Erasmus. Il n'y a qu'un Escolano, vous savez bien, et cet Escolano, c'est moi.

— Je ne suis pas d'humeur à plaisanter, l'avocat. J'ai déjà appelé pour une affaire importante, vous êtes au courant. Je dois vous voir immédiatement. J'imagine que vous êtes disponible.

— Un instant.

Escolano fit mine de consulter son agenda.

— En effet. À quelle adresse ?

— Notez. Je vous ai dit qu'on devait se rencontrer, il y a des choses qu'on ne peut pas régler au téléphone. Allez-y. Écrivez.

Le ton frisait l'insulte, mais Escolano prit note.

L'hôtel était un cinq-étoiles à une sortie chic de la ville, après les facultés ; il était entouré de palmiers, de jardins et d'un palais des congrès où l'on devait prôner la construction d'autres hôtels du même standing, en prévision d'une visite du roi du Siam.

On distinguait dans le lointain le cimetière des Corts, dont les occupants devaient frémir dans leur niche tous les quinze jours sitôt qu'on hurlait « BUT ! » dans le stade du Barça, à côté. Plus bas, on découvrait les colonnes d'un monument aux morts d'une guerre oubliée. Des employés bedonnants effectuaient leur jogging, rendant leur dernier soupir à l'approche de l'hôtel.

Les clients de cet établissement arrivaient dans de très luxueux véhicules, des limousines, ou en taxi, au pire.

Escolano avait pris le bus de la ligne 7, celui que les étudiants empruntaient pour se rendre à la faculté. Dans l'immense réception, il demanda le numéro de la chambre de monsieur Leónidas Pérez, le nom indiqué par son client car l'hôtel ne l'aurait pas admis sous le sobriquet d'Erasmus.

Joint par téléphone, ce dernier permit au visiteur de monter.

C'était une suite. Vues magnifiques sur la ville noble qui s'étendait plus bas, magnifique lumière de la ville propre qui voulait monter jusqu'à la colline du Tibidabo, magnifique mobilier doux comme de la soie, magnifique lit (le taux de TVA montait en flèche dès qu'on s'y allongeait).

Magnifique créature allongée sur le lit, avec ou sans TVA.

La jeune femme, d'une vingtaine d'années tout au plus, se couvrit quand Escolano pénétra dans la suite. L'avocat se rappela certaines petites annonces dans la presse. *« Scort Service. We speak English. »* Nul doute que la fille, au regard méfiant, travaillait aussi pour des congrès et des conventions. Décoiffé, les joues écarlates, Erasmus portait un pyjama qu'il avait enfilé à la hâte. Peu avant, il tirait un coup, du moins il essayait, jugea Escolano.

— Ce n'est peut-être pas le moment idéal, dit-il.

— Mais si, mais si, Escolano… C'est moi qui ai fixé l'heure du rendez-vous. Je pensais en avoir fini avec la petite, mais elle n'est pas facile, et les choses ont traîné en longueur. Ne faites pas attention à ses yeux apeurés. (Il baissa le regard sur la femme recroquevillée sous les draps.) À tous les coups, tu nous voyais partis pour un trio, hein, petite ?

Fils d'un avocat qui n'aurait jamais reçu un client en bras de chemise, Escolano se sentit honteux, déplacé, comme un intrus. Un groom n'aurait pas même été traité ainsi. Il ne savait pas quoi faire, et sa propre confusion, ou sa honte, le paralysait. Erasmus fit signe à la fille de gagner la salle de bains et le prit par le bras pour l'entraîner vers le salon et fermer l'accès à la chambre.

— J'aurais dû vous faire attendre en bas, dit le client, mais ce n'est pas la peine, finalement. Autant faire connaissance. La vie, il faut la croquer, mon vieux, la presser comme un citron, parce qu'en bout de course il n'y a plus de garantie, c'est fini. Enfin, bon, je ne sais pas si vous pensez comme moi.

Escolano resta muet, les yeux rivés sur l'homme qui sollicitait ses services. Erasmus n'était plus tout jeune. Rien d'étonnant puisqu'il avait été client de son père. Il avait la soixantaine bien tassée, mais semblait en bonne forme et gâté par la vie ; en bonne forme, d'abord, à en juger par ses muscles et ses yeux, et à l'éclat de sa peau qui semblait droit sortie d'un salon de massage. On le voyait aussi à sa taille ample et généreuse, fruit des meilleures langoustes de la mer Cantabrique et de ces agnelets qui n'ont jamais brouté, n'ayant tété que le pis maternel. Escolano songeait parfois qu'avec tous ces commensaux prêts à payer le prix fort, bientôt mers et campagnes seraient entièrement dépeuplées. Il y en aurait toujours, évidemment, qui mangeraient peu ou se nourriraient d'OGM.

Quant aux gâteries agrémentant son existence, pas besoin d'en faire un dessin.

Erasmus, pensa le jeune avocat de manière distante, se trouvait à cet âge où le sexe tutoie sa phase terminale, mais où un homme riche et exigeant peut encore obtenir d'une femme les émois les plus variés. Il manifesta son mécontentement :

— Je n'ai pas l'habitude de voir mes clients à leur bureau ni dans leur chambre d'hôtel.

— Qu'est-ce que ça peut faire ? Et c'est vous qui l'avez proposé, il me semble.

Bien sûr, songea l'avocat avec la même distance. Sinon, tu aurais vu que ma secrétaire ne bosse qu'à la vacation.

— Oui, en effet, dit-il enfin, ça permet d'aller plus vite puisque l'affaire est urgente, si j'ai bien compris.

— Absolument, alors autant aller droit au but. Comme je disais au téléphone, votre père m'a sorti d'un sale pétrin, un de ces pétrins d'autrefois, un vrai donc. Aujourd'hui, vous risquez vingt ans de prison, dix en réalité, mais en ce temps-là on risquait le garrot. Enfin, Escolano, je ne veux pas non plus dramatiser puisqu'en fait, dans ces années-là, la peine de mort était virtuellement supprimée, mais c'était grave, croyez-moi. Et votre père m'a tiré d'affaire.

Escolano se demanda pourquoi son père ne lui avait jamais parlé de ce dossier (un succès pour lui, semblait-il) et encore moins de ce client. Est-ce qu'il avait honte de l'avoir défendu ? Un avocat peut-il avoir la sensation de condamner la société en sauvant son client ? Peut-il se sentir sale, ou même coupable ?

Il aurait bien aimé avoir son père en face pour lui poser la question. Mais il n'était pas là.

Et il n'arrivait plus à réfléchir. Erasmus, qui ne montrait aucune trace de culpabilité, poursuivit son explication.

— Désolé de vous dire ça, Escolano, mais je n'ai jamais compris votre père. Qu'on se consacre à un métier sans rien gagner, putain, moi, ça m'échappe ! J'avais alors un peu d'argent, enfin assez pour le payer, mais il n'a pas voulu empocher un centime. Et rien, pas une explication. Moi, vraiment, ça m'échappe.

— Pas moi.

— Comment ?

— Eh bien, je le comprends.

— Écoutez, laissez-moi vous dire qu'il y a des avocats idiots, sans vouloir offenser votre père, mais que ces couillons d'avocats ont bien tort. Parce qu'il y a plein d'avocats futés.

— Alors pourquoi m'avoir contacté ?

Erasmus prit l'air patient du professeur devant un élève qui ne comprendra pas, de toute manière.

— Mon cher Escolano, je vais vous l'expliquer en détail. Mais ce n'est pas un hasard, croyez-moi. Je voulais rencontrer votre père, lui seul possédait les documents et les contacts nécessaires, et pouvait donc me renseigner. Mais à défaut du père, il y a le fils. Vous pouvez retrouver ces documents, ou au moins ces contacts.

Erasmus marqua une pause. Derrière la cloison résonnait soudain la douche à pression de la femme : l'hôtesse, l'*escort*, la petite. Escolano imagina sa peau de secrétaire bilingue qui un jour s'était vu offrir une minijupe, des billets, un espoir et un péché. « Pas besoin de trimer autant ni de parler une seconde langue, ma jolie. Une seule suffit pour gagner sa vie. » Il imagina l'eau éclaboussant sa peau, effaçant les baisers, les coups, la bave, l'étonnement, le dégoût.

Erasmus avait dit :

« Elle n'est pas facile. »

Et il reprit :

— Les avocats sont libres d'accepter ou non une affaire, je sais bien, mais, en ce qui me concerne, cela ne fera de tort à personne, et en plus je vous paie. Vous n'êtes pas un de ces benêts d'avocats, j'espère. J'ai eu affaire à toutes sortes de gens, et à votre tête on jurerait que ça vous étonne. Putain, merde, vous êtes une grande personne, le fils d'un avocat décédé, et tout ça s'est produit il y a un bail, à l'époque de la transition après la dictature, vous voyez ? Quand on préparait cette gentille Constitution pleine de mensonge et de poésie comme toutes les Constitutions. Alors, comprenez-moi : c'est du passé. Et le passé ne fait de mal à personne. Donc ouvrez vos oreilles, vous ne risquez rien.

Escolano se mordit les lèvres.

— Je vous écoute, dit-il tout bas.

— Eh bien, avec un collègue, j'ai commis un hold-up.

— Un... hold-up ?

— Ouais, on a braqué une banque, ce n'est pas dur à comprendre, quand même ! Je m'excuse, mais les avocats, vous tirez salement la tronche par moments... Voilà... Je disais donc un hold-up, avec du bon matériel, des pistolets militaires qu'on se procurait facilement dans ces années-là. Aussitôt, le vigile a joué au con, il s'est pris pour un caïd et on a dû lui exploser la tête. Il y a eu du boucan, un putain de boucan, et, une minute après, je ne sais pas comment, les flics rappliquaient. Ils se pointent en retard, d'habitude, mais pas là : ils nous attendaient à la sortie.

— Vol avec homicide, prononça Escolano en un filet de voix. Dans la législation antérieure, perpétuité ou peine de mort. Peine de mort, je dirais.

— Pas besoin de me réciter le vieux Code pénal, je le connais mieux que vous. J'ai eu des années pour l'apprendre. Et ce Code appartient au passé, lui aussi, alors arrêtons la visite du musée et reprenons cette discussion. Vous avez raison sur un point : quand la police rappliquait, on hésitait à presser la détente. Si on butait un agent, c'était foutu : six mois après, bonjour le bourreau.

L'avocat ferma brièvement les paupières. Il était obsédé par la question et en avait maintes fois discuté avec son père lorsqu'il était en fac de droit. Pourquoi, dans certains cas, est-ce qu'on échappait au garrot après avoir tué une victime sans défense alors qu'en tuant un policier on y avait droit à coup sûr ? Pourtant, ça paraissait moins grave : le policier, lui, n'était pas sans défense. Il écoutait les explications de son père, sans conviction, sans doute parce que les pères sont toujours des fascistes. Écoute, fils, si la police arrive, c'est terminé, le braquage est fini, car si l'on tue un policier, automatiquement, c'est la peine de mort, et cela donne à réfléchir. Soit les autres policiers vont te liquider, soit c'est la peine capitale assurée. Même complètement désespéré, tu as intérêt à te rendre, ainsi tu es presque certain d'échapper au bourreau, et tout le monde y gagne : toi, d'abord, tu restes en vie ; ensuite le policier, qui ne meurt pas lui non plus ; et enfin les autres victimes de cette attaque à main armée, qui peuvent rentrer chez elles. Tel est le sens de cette loi : si un policier meurt, il faut un châtiment exemplaire pour éviter un nouveau drame.

Bien sûr, Escolano n'était pas convaincu par le raisonnement de son père, non plus par son conservatisme derrière lequel se cachait toujours un bourreau ; mais plus tard, avec le temps, le doute s'était immiscé en lui. Si la peur est si forte qu'elle vous paralyse, personne ne mourra probablement. En revanche, qu'arrive-t-il si la peur disparaît ?

On eût dit qu'Erasmus lisait dans ses pensées.

Il murmura :

— Comme la peine capitale venait d'être abolie, je devais saisir ma chance, même s'il fallait tuer quelqu'un d'autre. Je ne sais pas si vous me comprenez, monsieur l'avocat, si vous vous mettez à ma place comme vous en avez l'obligation : je risquais tout au plus vingt ans sur le papier ; autrement dit, un second meurtre ne me coûtait rien. La seule cliente dans l'agence était une femme qui s'était évanouie de peur, et elle était accompagnée d'un gamin de trois ans. Son âge, en fait, je l'ai su plus tard. Après, j'ai aussi appris que la femme évanouie était une voisine du gosse et qu'elle le gardait. Avec mon collègue, on a pris l'enfant en otage et on a exigé qu'on nous dégage la sortie. Il n'y a eu aucun problème, évidemment. Ne me regardez pas avec cette tête-là, on dirait votre père. La loi, c'est une chose, mais la réalité en est une autre. On a réclamé deux motos à la sortie, et Omedes, mon pote, a ainsi pu filer. Normal, les flics avaient les yeux braqués sur moi comme je tenais le gosse. Et voilà pas qu'un jeune agent s'est pris pour Kirk Douglas ou le Stallone de mes deux et m'a tiré dans la jambe. J'ai agi sans réfléchir, je vous jure : j'ai eu mal, mes jambes ne me portaient plus, j'ai compris qu'avec le môme je ne pourrais pas courir. Ne me regardez pas comme ça. Les gamins aussi, plus tard, c'est des vieux cons. Il ne faut pas tomber dans la pitié.

Puis Erasmus claqua des doigts.

Soudain, le silence de la suite. La petite qui a cessé de se doucher parce que c'est inutile, la saleté est incrustée, elle sent encore la langue du type sous sa peau. La ville se meut en contrebas, s'agite, fait des comptes, calcule ce que peuvent dépenser d'autres langues et ce que peuvent coûter d'autres filles. Allez, pauvre couillon d'avocat, accepte la réalité, évacue ces pensées.

Erasmus murmura :

— J'ai été arrêté, forcément, mais ils ont cessé le feu. Quelques mois plus tôt, on m'aurait transformé en passoire, mais désormais, si un flic pressait la détente, il avait autant d'emmerdes que moi. On m'a conduit, blessé, devant un juge qui venait d'être père et, quand il a su pourquoi j'étais là, il a tiré une de ces tronches de fils de pute, bordel, jamais vu ça ! Et le procureur, je ne vous dis pas. Même votre père, le vieil avocat Escolano, commis d'office dans cette affaire, a montré les dents comme s'il voulait me les croquer. Je n'en dirai pas plus, je respecte les avocats, contrairement à ce que vous pouvez croire. Bref, ça n'a pas traîné : les faits étaient accablants, on m'a traité de tous les noms et on a requis la peine de mort contre moi.

Il ouvrit les mains comme pour dire : *Vous vous rendez compte ?* Escolano, qui l'évitait du regard, afficha des yeux incrédules, n'en ayant jamais entendu parler. Certes, il était question de l'année 80 du siècle dernier (c'est bizarre de dire le « siècle dernier » quand on l'a vécu), mais il était alors un tout jeune étudiant en droit ; en bonne logique, il aurait dû se passionner pour cette affaire bien que son père ne l'eût pas informé. Il comprit subitement : un accident de moto l'avait cloué deux mois sur un lit d'hôpital. Deux mois devant un mur blanc, un vieux médecin, une grosse infirmière, rien d'autre. Sans radio, ni télé, ni journaux, rien. Juste la tête angoissée de ses parents qui semblaient évoluer dans un autre monde.

— Soyez reconnaissant envers mon père, grogna-t-il. Quand il vous a défendu, il traversait une grave crise personnelle.

— En tout cas, il s'est bien débrouillé, insista Erasmus. Il a vu aussitôt que la requête du procureur serait rejetée puisqu'on venait d'abolir la peine de mort. En plus, votre père était contre la peine capitale. Je sais bien, l'avocat, c'est l'éternel débat : la régénération du coupable ou le châtiment exemplaire ? Le bourreau empêche d'autres délits ou il ne sert à rien, ne faisant qu'ajouter une mort à une autre... Personne n'a le droit de tuer ses semblables... Le peuple demande alors : « Il a le droit, lui, l'assassin ? » Et les apôtres du Congrès disent aux proches des victimes : « Ce n'est pas la justice mais la vengeance que vous réclamez. » Putain, l'avocat, je ne sais pas si vous avez envie d'en discuter, mais pas moi en tout cas. Jour et nuit, tout au long du procès, on m'a cassé les noix avec ça. Des lois, j'ai dû tellement en avaler qu'à la fin j'avais des livres à la place des couilles. C'est comme ça, nom de Dieu, pas autrement ! Un an plus tôt, j'aurais été exécuté, mais là, non. Votre père a plaidé deux circonstances atténuantes recevables à l'époque : d'abord, l'aveuglement, comme quoi j'étais blessé, je ne savais plus ce que je faisais. Ensuite, j'avais agi sous l'effet de l'alcool, j'étais à moitié ivre au moment du délit. En fait, pour me donner du cœur au ventre, je m'étais envoyé quelques verres et j'avais de l'alcool dans le sang ; encore fallait-il prouver que je ne l'avais pas fait exprès. Verdict, vingt ans : on ne savait pas si c'était moi ou mon complice en fuite qui avait tué l'agent de sécurité... Vingt ans, ce n'est pas rien non plus, surtout qu'à l'époque, si les détenus apprenaient que tu avais tué un gamin, ils te cho-paient à quatre et te défonçaient le cul. Mais j'ai distribué des billets et on m'a collé dans une cellule avec une fiotte, et c'est moi qui lui ai pété le cul. Enfin, pas tant que ça, il ne faut pas exagérer. Mais c'était horrible, je n'avais droit qu'à une heure de promenade dans la cour, et toujours seul. J'allais seul à la douche et aux chiottes. Vingt-trois heures sur vingt-quatre avec l'autre enculé et c'est tout, vous ne pouvez pas imaginer. L'année d'après, on m'a transféré ailleurs. Dans la nouvelle prison, moyennant récompense, j'ai obtenu qu'on efface les détails du délit dans mon dossier, donc personne n'était au cou-rant. Il n'était plus question que d'homicide. Et à partir de là, mon sort s'est plutôt amélioré.

Il écarta les bras, la bouche ouverte en un franc sourire, et ajouta :

— Ceux qui géraient alors la politique pénitentiaire étaient du genre idéaliste, voire angélique. On n'était plus considérés comme des droit-commun mais comme des prisonniers sociaux, c'était la faute de la société. Dans les cellules, tes co-détenus te violaient ou t'étranglaient, mais les directeurs n'en savaient rien. Et pour que les prisonniers se tiennent peinards, ils avaient inventé le « vis-à-vis », les visites intimes où on faisait venir qui on voulait pour finir. Pour être franc, l'avocat, je vous mentirais si je vous disais que j'en ai bavé. Entre les remises de peine, les grâces, les permissions et les vis-à-vis, le temps est passé plus vite que prévu. On finit par s'habituer à tout.

Comme si un autre eût parlé par sa bouche, Escolano murmura :

— Vous deviez avoir de l'argent.

— Oui.

— D'où est-ce qu'il sortait ?

— De la poche d'Omedes, mon collègue, il avait emporté le butin dans sa fuite. Avec un tel magot, on pouvait tenir toute une vie. Au début, pas longtemps, il m'a envoyé des virements par des intermédiaires pour montrer qu'il était en sûreté et qu'il n'allait pas me dénoncer, même si, moi, ça me faisait une belle jambe, qu'il me dénonce ou pas. Mais du jour au lendemain, cet enfoiré n'a plus rien envoyé.

— Il n'avait plus envie, j'imagine, dit l'avocat.

— Évidemment qu'il n'avait plus envie, cet enfoiré. Il voulait tout garder, mais c'est une autre histoire. Bref, cet argent m'a permis de faire face au début et de monter une première affaire, et le business, c'est la came dans les prisons. Ne me regardez pas comme ça, je vous rends service. Avec un peu de jugeote, on sait qu'il ne faut pas mentir à son avocat vu qu'après tout se complique, le gars ne sait plus où il en est. Quand même, vous n'êtes pas con à ce point-là, vous savez que la drogue circule en prison. Plus que dans la rue, même. Et, si vous l'ignorez, je vais vous faire une confidence : entre une mutinerie et la tranquillité assurée par la came, les autorités n'hésitent pas une seconde, elles ferment les yeux. Eh bien, pendant ces douze ans de prison, j'ai gagné un peu d'argent. Et aussi les années où j'ai vécu à l'étranger. Comme le disait une vieille pub à la télé : « Facile, n'est-ce pas ? »

Il ouvrit les bras pour exprimer, semblait-il, qu'il détenait toutes les vérités, aussi élémentaires fussent-elles, alors que ce jeune avocat ne paraissait en saisir aucune, aussi élémentaire fût-elle. Au fond, songea Escolano, il regrette déjà de m'avoir appelé. Mais il ne desserrait pas les lèvres dans sa stupeur, une stupeur sans honte car elle aurait aussi frappé son père, probablement, dans la même situation.

Des talons claquèrent derrière la porte close.

La chambre parut traversée par les pensées de la jeune femme : *Paie-moi, ordure.*

Erasmus poursuivit calmement :

— En résumé, l'avocat, j'ai deux choses à vous dire. D'abord, j'ai de l'argent et vous serez payé. Ensuite, vous n'êtes sans doute pas le meilleur avocat, mais aucun autre ne peut m'aider. Pourquoi ? Eh bien, sans les contacts et les archives de votre papa, je ne vois pas trop comment localiser le père de l'enfant mort, le type qui a sûrement tué Omedes pour se venger. Parce que le gosse avait un père, vous comprenez ? Non, toujours pas pigé ?

Il fit claquer sa langue comme s'il savourait un grand vin (ou la subtilité de son raisonnement) et enchaîna :

— Bien sûr, je peux aussi me renseigner auprès des flics, mais ils commenceraient par chier sur ma mère et me colleraient sur une liste au cas où notre homme aurait des ennuis. J'ai aboulé la thune pour qu'on ressorte ce vieux dossier du tribunal, mais le mec a bien déménagé une bonne douzaine de fois depuis le temps. Et s'il a chopé Omedes, il peut aussi m'attraper, donc je voudrais le retrouver. Vous commencez à comprendre, oui ou non ?

La voix était si ironique (avec en elle comme un pressenti-
ment obscur) que l'avocat répondit sur le ton du mépris :

— Faites plutôt appel à un détective. Ça vous coûtera moins
cher.

— Un détective ? J'en connais un, peut-être, qui soit fiable à
cent pour cent ? Et si le gars est une balance, comme la plupart
d'entre eux ? Vous, par contre, vous êtes tenu au secret professionnel, comme l'était votre père, et il n'est pas non plus question de commettre un délit. Vous devez m'aider discrètement à
retrouver un individu que j'aimerais avoir à l'œil au cas où il
voudrait me nuire. Et actuellement j'ai des affaires à Barcelone,
je n'ai pas intérêt à m'absenter. Alors ? On s'entend sur un
prix ? En fait, avec la fille aussi, je dois m'entendre sur un prix,
non ? Seulement, elle a un avantage sur vous : elle sait comment
s'y prendre quand elle met les pieds dans la chambre.

13

— Actuellement, m'sieur Méndez, je travaille à la radio, pour une émission du genre faits divers, vous voyez ? fit Amores d'une voix tremblante. C'est un intérim à la noix, complètement précaire, comme si je venais d'accoster en *patera**, ces rafiots d'immigrés, pour devenir rédacteur. Vous vous rendez compte, m'sieur Méndez, avec ma longue expérience et ma connaissance de l'actualité, des rues et des femmes de la ville ? Mais mon journal a mis la clé sous la porte. Manque de publicité, il paraît. Des journaux comme ça, on n'en fait plus au jour d'aujourd'hui, m'sieur Méndez, même pas dans les paroisses pour dire du mal de la pilule et du bien du Saint-Père. J'ai posé la question au Círculo de Economía, le club d'entrepreneurs de Barcelone, pour voir comment tout ça évoluerait, et d'après eux c'est dû à la concentration capitaliste, c'est-à-dire la fusion financière et cérébrale, et il faut donc s'attendre à ce qu'il y ait de moins en moins de journaux et de plus en plus de journalistes. Voilà pourquoi je bosse à la radio comme vacataire, m'sieur Méndez. Encore heureux qu'ils me gardent jusqu'à la prochaine fusion.

Méndez murmura :

— Putain, Amores, tu m'as encore l'air con comme une bite.

— Si encore j'étais bien outillé de ce côté-là, je pourrais me farcir une chanteuse esseulée, m'sieur Méndez, mais j'ai peur d'avoir passé l'âge, je n'ai plus mon corps d'athlète, même si j'ai

---

* Les *pateras* sont les embarcations de fortune qu'utilisent les immigrants pour rejoindre les côtes espagnoles. *(Toutes les notes sont du traducteur.)*

gardé toute ma tête. Je viens donc vous trouver parce qu'il me faut un sujet pour la prochaine émission, et comme je ne peux pas causer de la libération de la femme ni de l'émancipation ouvrière puisque c'est chose faite d'après le Gouvernement, dites-moi s'il y a du nouveau dans l'affaire du cadavre de l'immeuble promis à la démolition. Quelle vacherie, hein, Méndez ? Les vivants sont expulsés, et on y case un mort.

— Ce n'est pas moi qui mène l'enquête, Amores. Je file un coup de main aux vrais enquêteurs, c'est tout.

— Votre problème à vous, Méndez, c'est que vous ne vantez pas vos mérites, vous n'arriverez à rien dans la vie. Aujourd'hui, tout repose sur la promotion. Pour retrouver la voie du succès, vous devriez faire deux choses : premièrement, lire un de ces guides de développement personnel et, deuxièmement, compter sur moi qui suis la voix du peuple. Dans mes piges, je peux même raconter qu'on vous a nommé chef des *Mossos d'Esquadra*★, ou idéologue de la police municipale, ou même qu'on vous a confié la réforme de la réforme du Statut d'autonomie de la Catalogne, m'sieur Méndez. Il faut créer l'événement, m'sieur Méndez, croyez-moi.

— Je peux seulement te dire deux choses, Amores : d'abord, le mort était une ordure, il avait commis un hold-up sanglant il y a des années ; ensuite, il s'agit d'une vengeance.

— J'ai déjà entendu ça, m'sieur Méndez, et aussi que la police est sur une piste.

— En effet, Amores, on est sur une piste, mais je n'irai pas plus loin. J'ajouterai simplement qu'on est sans doute près du but... Et que ce type est mort dans un cadre qui lui était familier, un ancien bordel qu'il avait fréquenté assidûment dans sa jeunesse. Point final.

— Là, c'est juste un petit bout de vérité, m'sieur Méndez. Vous ne dites pas tout. Au nom de notre vieille amitié et des morts que j'ai découverts, parlez, je vous en prie, même si je ne

★ Police catalane.

l'ébruite pas sur les ondes. C'est juste pour avoir des infos en prévision du jour où on pourra tout dévoiler. Là, je présenterai une émission spéciale, ils devront surélever d'un étage le siège de la radio.

— Encore un détail, Amores, au nom de notre vieille amitié, et à condition que tu le gardes pour toi et que tu ne dises rien à personne avant de m'en parler. Le suspect – je tairai son nom – a un permis de port d'arme et il est donc en possession d'un revolver ou d'un pistolet enregistré. On a inventé un prétexte pour faire une révision générale sans crier gare. Or son arme n'est pas celle du crime. Autrement, il serait au bloc, mais avec les preuves dont on dispose, impossible de l'arrêter. Dernière chose, vraiment confidentielle : fais bien attention à tous les décès qui surviennent, même les accidents de voiture. Le tueur va remettre ça, j'en ai peur. Ou se faire buter. On est sûrement à ses trousses.

14

Le téléphone, qui n'avait pas sonné ce matin-là, retentit à nouveau.

— C'est monsieur Ramírez ou monsieur Escolano ?

— Escolano, monsieur Erasmus. Monsieur Ramírez nous a quittés, je vous l'ai déjà dit.

La voix, d'habitude impérieuse, exprima une vague ironie à l'autre bout du fil :

— Ah oui, ça me revient, vous m'avez fait part de ce triste décès. Eh bien, je vous appelle parce qu'on s'est vus il y a deux jours. Alors, est-ce qu'il y a du nouveau après vérification des documents ? D'ailleurs, vous pouvez effectuer des démarches à ma place, comme aller à la police.

— Eh bien, voilà, monsieur Erasmus : le père de l'enfant mort s'appelle Miralles et, actuellement, il est garde du corps privé. J'ai son adresse.

Son interlocuteur fit claquer sa langue, satisfait. Erasmus avait, à l'évidence, une langue, comment dire ? expressive.

— Magnifique. Mais garde du corps privé, ça m'étonne. On n'est quand même pas en Colombie.

— Cela n'a rien de surprenant, monsieur Erasmus. Les grandes entreprises européennes se sont implantées chez nous avec tout ce qui s'ensuit. Et un millionnaire, il faut lui couvrir les arrières. Et sa femme aussi, il faut la couvrir, au sens figuré j'entends, quand elle fait ses courses, comme sa petite fille sur le chemin de l'école ou encore sa maîtresse quand elle va au lit. Et les politiciens se préservent des terroristes en recourant à des gardes du corps privés car la police ne suffit pas, et ceux qui évoluent dans l'argent noir et la poudre blanche, on doit aussi les protéger. Alors imaginez un peu la demande. Ça vous dit, un emploi dans cette branche ?

Peu loquace d'habitude, Escolano avait débité son discours d'une traite, comme pressé d'affirmer qu'il n'avait plus foi en son pays.

Curieusement, ses paroles intimidèrent Erasmus.

— Je vais passer récupérer les documents à votre cabinet, fit-il.

Escolano frémit légèrement.

Les vieux meubles.

La salle d'attente où nul ne patientait.

La secrétaire vacataire qui ne travaillait pas ce matin-là.

Quand on n'a pas de quoi se vanter, autant laisser les autres parader.

— Je peux faire un saut jusqu'à votre hôtel, murmura-t-il. J'ai une course à faire.

— Parfait, mais je ne loge plus au même endroit. Je change d'adresse au moins deux fois par semaine. Bon : notez.

Le ton exigeant à nouveau. Comme s'il redemandait s'il avait affaire à Ramírez ou à Escolano. Ramírez ne ressusciterait pas, heureusement.

— Allez-y, je vous écoute.

L'hôtel présentait un luxe différent, plus noble et plus ancien. La suite, car Erasmus avait réélu domicile dans une suite, ouvrait sur la Gran Vía, ses blocs de bureaux, ses embouteillages, ses urgences et la statue d'un patricien dont Erasmus ignorait le nom, du reste il s'en fichait pas mal. Le patricien sur son piédestal était le seul qui parût vivre en paix. Il y avait là des meubles de couleur miel, un petit bureau, une salle de bains où trois couples auraient pu s'ébattre ainsi qu'une chambre à coucher.

Il ne manquait que la pute.

Erasmus avait dû lire dans ses pensées.

— Elle viendra tout à l'heure. J'ai demandé à l'agence de reculer le rendez-vous comme vous alliez passer. Elle doit rester discrète, elle est hôtesse de protocole. Peut-être même qu'elle sert une coupe au *conseller** quand il annonce des hausses d'impôt.

— Tant mieux, nous voici donc en tête à tête, dit Escolano sans cacher un agacement où palpitait peut-être une secrète jalousie.

Erasmus avait l'air encore plus agacé, bizarrement. Il était nerveux, dans l'expectative : ses yeux distillaient une lueur rougeâtre que l'avocat n'avait pas remarquée auparavant. En tout cas, il s'était habillé pour le recevoir.

— Asseyez-vous, ordonna-t-il sèchement.

— Je suis déjà assis. Je vous écoute, Erasmus.

— Je veux étudier les informations. Je dois savoir où vit le dénommé Miralles mais aussi s'il est seul ou accompagné, c'est-à-dire protégé. S'il est garde du corps, il a forcément une arme, en plus il a prouvé qu'il savait s'en servir. Bon, donnez-moi son adresse et tout ce que vous avez.

Les renseignements étaient fiables à défaut d'être nombreux. Escolano avait interrogé un policier qu'il connaissait, mais aussi consulté les archives judiciaires, les services du recensement et de la Sécurité sociale. Erasmus, après son séjour en prison, n'aurait pu effectuer ces démarches aisément. Et seul l'avocat avait agi au grand jour.

Les yeux du client s'étrécirent, formant deux petits points.

— Bien, dit-il, il faut dessiner un plan d'où il habite et le filer quelque temps. D'abord, mettons deux choses au clair, Escolano. Premièrement, je veux seulement me protéger.

— Oui, j'imagine.

— Maintenant, conduisez-vous comme un avocat respectable. Dites-moi qu'autrement vous n'auriez pas fait ces démarches.

— Non, autrement, je n'aurais pas fait ces démarches, marmonna Escolano.

* Membre du gouvernement autonome catalan.

— Eh bien, n'ayez pas peur, je vous le répète, je ne cherche qu'à me protéger. D'accord ? Un homme comme moi ne peut pas exprimer ses craintes à la police, d'autant moins que je n'ai reçu aucune menace. C'est comme ça, pas autrement, je dois régler le problème à ma façon.

— Bien sûr.

— À présent, imaginez une seconde qu'il arrive quelque chose au dénommé Miralles, par hasard, je dis bien. Vous ne parlerez pas de votre client, c'est un secret professionnel.

Escolano mordilla sa lèvre inférieure.

— Il s'agit bel et bien d'un secret professionnel, murmura-t-il.

— Je suis persuadé qu'à cet égard vous serez aussi digne que votre père.

— Qui n'avait pas voulu toucher un centime…

Erasmus ne releva pas son commentaire. Peut-être ne l'avait-il même pas entendu car il aimait les discussions à sens unique.

— Mais je vous ferai deux remarques au passage, dit le client, oui, deux. Primo, si vous parlez, cela ne servira à rien : s'il arrive quelque chose, je ne me salirai pas les mains. Deuxio, faillir à votre devoir éthique risque de vous nuire. Voyez-vous, aujourd'hui, je brasse un tas d'affaires et je suis justement revenu en Espagne à cause de ces affaires plus importantes que vous ne l'imaginez, j'y tiens beaucoup. Je les défendrai bec et ongles. S'il y a interférence ou extorsion, je ne resterai pas les bras croisés. Mais je vous dis cela avec le plus grand respect, maître. J'aime beaucoup les avocats.

Et, aussitôt, il demanda :

— À combien s'élève votre note d'honoraires ?

Escolano rougit. Il s'y attendait, mais il rougit quand même. Il faillit se relever du fauteuil.

Son diplôme. L'honneur. Son nom. Le respect de sa propre personne.

La toge.

Cela n'échappa pas à Erasmus, qui ajouta dans la foulée :

— Moi je dis qu'un diplôme sert à gagner sa vie, pas à être encadré. Et celui qui vous parle, les diplômes, il n'en a pas besoin pour gagner sa vie. Si vous vous sentez humilié, dites-vous qu'il est encore plus humiliant de ne pas pouvoir payer sa cotisation à l'ordre des avocats.

Escolano ferma les yeux.

Ainsi donc il était au courant. Erasmus était l'un de ces individus qui fourrent leur nez partout, qui savent tout. Ce n'était pas un hasard si son père, qui au moins n'était pas mort idiot, lui avait donné un pareil surnom.

Le client insista :

— Dites un chiffre. Ne me présentez pas la note, vous serez payé au noir, comme la fille.

Le téléphone sonna. C'était la réception.

Il reprit à voix basse :

— Une jeune femme qui m'apporte une lettre ? D'accord, je vais la recevoir puisque c'est important. Mais dites-lui d'attendre une minute au bar, c'est moi qui offre. J'en ai pour un instant.

Il raccrocha et regarda Escolano.

Celui-ci gardait les yeux clos.

Il annonça la somme.

— C'est cher, répondit l'autre aussitôt.

Escolano se releva tout doucement en serrant les poings, les yeux rivés sur Erasmus.

— Écoutez, je…

— Quoi donc ? Vous allez demander à l'ordre des avocats de défendre vos honoraires ? Bon, pour simplifier les choses, on va faire au plus vite. Je vous paie la même somme que pour la fille d'en bas plus dix pour cent. Vous n'avez pas à vous plaindre. Vous me donnez les tuyaux et je vous donne les billets. Voilà. Tout est réglo. En revanche, vous me signez un reçu, ça vous oblige à garder le secret.

L'avocat ne put que balbutier :

— Est-ce que vous croyez à la loi ?

Erasmus le regarda avec un vague sourire, la tête renversée en arrière.

Il murmura :

— Et vous ?

15

Inspecteur à deux doigts de la retraite, toujours vêtu de noir et des livres dans les poches en toute circonstance, Méndez, évidemment, ne pouvait le savoir bien qu'il se fût concentré, du moins à sa manière, sur cette affaire. En revanche, il savait certaines choses, et il tenta de faire le point en marchant dans les rues du vieux quartier.

Premièrement – l'autopsie l'avait attesté – Omedes avait été flingué juste avant le début de la soirée d'adieu organisée par les anciens locataires : on avait posé les nappes et des petites assiettes de chips, de noisettes turques, d'amandes et de charcuterie indigène ainsi que du vin de Falset. Ce qui dénotait une certaine confiance entre Omedes et la personne qui l'avait tué. L'assassin savait du moins où il mettait les pieds. Ce n'était pas non plus un endroit inconnu pour Omedes : il avait fréquenté l'établissement par le passé.

Naturellement, Miralles, tueur à l'abri de tout soupçon, pouvait connaître ces lieux et le terrain où il s'engageait.

Deuxièmement, Méndez savait que Miralles n'avait pas fait usage de son arme réglementaire. Rien d'étonnant là encore : un garde du corps ne peut être ingénu à ce point. La police non plus ne pouvait se montrer ingénue au point de l'arrêter sans preuve. Il valait mieux attendre qu'il commette un faux pas, sachant qu'il prévoyait de tuer un second type. Lequel, sans doute, espérait le buter pareillement.

Qui était cet homme ?

Méndez l'avait découvert en feuilletant le compte rendu du procès. Le braqueur qui avait tué l'enfant s'appelait Leónidas Pérez, il avait purgé sa peine et vivait certainement en Espagne, sous un nom d'emprunt. Comme il était « en règle » avec la justice, on ne pouvait pas l'importuner officiellement. Toutefois, Méndez avait une vieille photo du personnage qu'il comptait bien montrer à la moitié de Barcelone.

Autre détail encore : l'homme avait été tué dans un appartement ayant appartenu à une certaine madame Ruth, anciennement préposée au sexe dans le quartier. Cet immeuble méritait qu'on s'y intéresse : peut-être la victime avait-elle gardé des liens avec madame Ruth.

Méndez avait pris soin de vérifier certains détails concernant le tueur, ou plutôt le « tueur présumé » en vertu du droit. Miralles vivait séparé depuis de longues années et l'on avait perdu la trace de son épouse. Il s'agissait apparemment d'une femme qui rêvait de mener la grande vie, or Miralles était un gagne-petit ; elle lui avait collé le gamin dans les pattes pour s'en débarrasser et, paraît-il, on l'avait aperçue avec de riches clients alors qu'elle monnayait chaque centimètre de sa peau. Mais c'était une histoire ancienne d'hommes qui savaient baiser – ou qui s'en vantaient – et d'une femme qui avait su compter sans besoin d'en faire étalage. Les années les avaient engloutis, Barcelone les avait engloutis. Cette vieille histoire resterait oubliée à jamais.

Voilà où en était Méndez pour l'essentiel, et le point crucial de son enquête consistait à attendre que Miralles s'en prenne à quelqu'un ou qu'à l'inverse on s'en prenne à lui. Mais l'inspecteur ignorait que c'était sur le point d'arriver. C'était même en train de se dérouler.

L'homme avait reçu une photo, une adresse et un plan d'appartement détaillé.

L'homme avait reçu un billet d'avion pour fuir sitôt sa besogne accomplie.

L'homme avait empoché un acompte généreux.

L'homme s'était vu offrir une nana canon.

Telle avait été sa première exigence car, avait-il précisé, il faut être satisfait, relax pour bosser.

Cela ne s'était pas très bien passé avec la fille.

Il s'agissait d'une débutante, fraîchement débarquée, une esclave russe – c'est dingue quand on pense à la puissance de la Russie d'autrefois et aux grandes libertés dont elle jouit à présent – qui avait gueulé parce qu'elle croyait qu'on l'avait fait venir en Espagne pour exercer sa profession de violoniste. Et elle était peut-être douée pour le violon, allez savoir. C'est fou, tous les trucs inutiles que les gens apprennent, se disait parfois l'homme, en proie au doute face à l'avenir. Bref, il avait fini par coller deux beignes à la violoniste en la traitant de coco infiltrée puis avait quitté la chambre sans rien lâcher, il en avait donc plein les couilles.

Le boulot à présent. À dix-huit heures exactement car l'avion pour Lisbonne décollait à vingt et une heures.

Ça n'avait pas l'air compliqué. Plan de l'appart, double de la clé fourni par un spécialiste, pistolet muni d'un silencieux. Et le gus faisait toujours deux heures de sieste avant d'aller bosser dans la soirée, lui avait-on assuré.

Il prit un des bus empruntant le Paralelo pour éviter qu'un chauffeur de taxi ne donne son signalement. On a coutume de penser que les chauffeurs de taxi ne se souviennent de rien, mais ils enregistrent tout, ces enculés. Puis, discrètement, l'homme remonta la rue du Rosal, jusqu'aux abords de la Plaza del Surtidor (un quartier peuplé de vieux appartements et de bars républicains où l'on gardait une place pour les clients défunts), et inspecta l'immeuble.

Rien à signaler.

On ne lui prêtait pas attention.

La porte principale était fermée (de nos jours, il n'y a plus guère de concierges), mais on lui avait remis un double pour le hall d'entrée et une seconde clé pour l'appartement. Celui qui l'avait engagé – jamais il ne saurait son nom – savait comment mener ce genre d'opération.

Il entra sans problème.

Silence. L'escalier était sombre, assez étroit, et, depuis sa construction, il avait dû voir défiler les cercueils de tous les premiers habitants. L'homme ne sentit pas la fraîcheur de la rambarde en fer à travers ses gants. Au premier étage, il entendit une femme chanter une berceuse à son enfant, la même sans doute que lui chantait sa propre mère.

Encore quelques marches.

Porte gauche.

En avant.

Il savait ce qu'il allait trouver : comme dans chaque intérieur modeste du quartier, une salle à manger en entrant. Puis, à droite, une petite cuisine, et des toilettes à gauche. Peut-être occupées par la cible, ce qui constituait un danger, mais il fut rassuré par la porte entrebâillée et l'absence de lumière. D'après les indications des guetteurs, la cible devait se reposer dans l'une des deux chambres du fond. L'homme avança, le doigt sur la gâchette.

« N'oublie pas, c'est un pro, l'avait-on mis en garde, ne lui laisse aucune chance. Dès que tu l'as sous les yeux, crève-le à bout portant. Tu le vois et pan ! Ça doit être instantané. »

Il plongea un regard dans la première chambre par la porte entrouverte. Rien. Juste le lit défait, la table de nuit avec une radio et la lumière laiteuse de la fenêtre du patio. Et des portraits sur les murs : des photos encadrées d'un gamin qui joue au ballon, qui enfourche un vélo d'enfant et qui remue les mains en l'air. Sur une table, un ballon, le même que sur la photo. Tiens, tiens. Un ours en peluche, une boîte de billes colorées, le vélo du portrait dans un coin. Comme un musée pour un seul visiteur. C'est dingue, se dit l'homme, ce qu'on entasse dans ces vieux apparts.

Bon.

Maintenant il sait où est l'oiseau. Il ne reste qu'une porte, celle de la seconde chambre. On perçoit même une respiration régulière, ce qui prouve que l'oiseau roupille, comme prévu.

En avant, donc !

BLAM !

La porte.

Une lumière moins laiteuse provient d'une fenêtre côté rue. Une table de toilette, une lampe sur pied. Une table de nuit. Et le lit au bout du pistolet. Voici donc Miralles, Miralles, Miralles... Vas-y !

Mais l'homme frémit.

Il voit de longues jambes, nues et galbées.

Il voit des seins tout blancs.

C'est la meilleure.

Il voit un pubis tout noir.

Et non pas un oiseau, mais une oiselle. La meuf, la meuf, la meuf.

La meuf.

L'homme presse la détente.

16

Bon, se dit madame Ruth, la Mabel est donc avec moi.

Mabel s'occupe de tout, c'est elle ici qui fait la loi et qui dispose d'un capital que madame Ruth n'est plus en mesure de gérer. Car ce salopard de Solange – même si le terme « salopard » n'est pas gravé sur sa tombe – lui a certes légué le titre et la demeure, sauf qu'il a aussi donné pouvoir à Mabel de tout administrer, sans oublier le salaire qu'elle reçoit tous les mois, si bien qu'elle n'a de comptes à rendre à personne. Comment on appelle ça, déjà ? Exécutrice testamentaire ? Enfin, peu importe.

Jamais madame Ruth n'aurait imaginé, à l'époque, qu'elle serait un jour à la merci de la Mabel, qui déciderait du contenu de son assiette, mais aussi de ses heures de repos et même de la sueur à son front.

— Quelle chaleur insupportable ! Mets la clim', Mabel, tu veux bien ?

— Elle est allumée.

— On ne dirait pas.

— Elle est restée bloquée au minimum, on la sent à peine, quelqu'un doit venir la réparer.

— Ça fait des jours qu'elle ne marche pas.

— Et cela fait des jours que j'ai téléphoné. Dans cette ville, il y a des flopées d'avocats, d'ingénieurs, sans parler des psychologues, mais quand tu as besoin d'un technicien, mettons pour allumer ta gazinière, on te dit qu'il faut attendre un mois.

— Tire au moins les rideaux. Tu sais qu'il y a toujours du soleil à Barcelone, et moi je ne le supporte pas.

— Tu as essayé de les fermer toi-même ? Tu marches très bien quand tu veux.

— Je me traîne, tu veux dire. Ce n'est pas grave. Quand je ferme les rideaux, tu les ouvres, alors bon…

Ruth essuie avec un mouchoir les gouttes de sueur qui ont perlé à son front. Ce serait si simple de se reposer tranquillement, la douleur s'étant atténuée. À l'hôpital, on la laisserait crever tout pareil, mais au moins elle aurait une chambre climatisée, des repas à heure fixe et une sonnette pour appeler l'infirmière, alors qu'ici elle a chaud, on lui sert à manger n'importe quand et elle n'a ni sonnette ni infirmière. Dans la journée, Mabel est sa seule infirmière, et elle vient quand ça lui chante.

— Mabel, il fait trop chaud, je n'en peux plus.

— Un rien te dérange. Autrefois, il faisait bien plus chaud, l'été. Tu ne te souviens plus des chambres étouffantes, en plus avec un mec qui ne te laissait pas respirer.

— Tu ne me l'as jamais pardonné. Ni la chaleur ni les mecs. Mais n'oublie pas que je suis passée par là moi aussi.

Mabel eut un rire dédaigneux.

— Bien sûr, sauf que tu avais au moins vingt-cinq ans, et les hommes que tu as accueillis dans ton lit, tu peux les compter sur les doigts d'une main. Moi, je n'ai pas eu le choix, et à l'âge de quinze ans le marquis m'est passé sur le corps.

Et elle se tourna vers la porte comme si elle s'en allait, mais Ruth murmura :

— Mabel…

— Quoi ?

— Tu n'es pas vraiment à plaindre. Le marquis, c'est toi qu'il aimait, pas moi. Finalement, il m'a légué son titre et sa propriété, mais tu en hériteras à ma mort, j'en ai seulement l'usufruit. On dit comme ça, n'est-ce pas ? Tu administres la fortune et tu vis comme tu l'entends. Bien sûr, tu dépenses de l'argent pour moi, mais je ne suis qu'un poids mort. En revanche, tu as tous les privilèges.

— Et je devrais te remercier par-dessus le marché ? Bon, assez discuté. Je suis venue te dire que l'infirmière de nuit est une remplaçante et qu'elle aura une demi-heure de retard.

— Une remplaçante... Encore. Dès que je me prends d'affection pour une de ces filles, tu la renvoies.

Mabel a la main sur la poignée. Elle se retourne et sourit. Elle a un sourire juvénile, un sourire de fillette quand elle veut, la salope. Le même sourire que le jour où Solange l'a entraînée dans une chambre, songe Ruth, mais putain, aujourd'hui elle a la cinquantaine, et ce sourire pourrait rendre jalouse une gamine de quinze ans. Certes, derrière ses dents impeccables, il n'y a rien. Rien, rien du tout, se dit Ruth.

— Ne prends personne en affection, ça vaut mieux, Ruth, et il vaut mieux aussi qu'on ne te prenne pas en affection.

— Pourquoi ?

— Parce que tu vas mourir. Autant te dire les choses claire-ment.

Ruth a un sursaut et une goutte de sueur roule de son front jusqu'à sa bouche.

En effet, il règne une chaleur accablante dans la chambre close offerte au soleil du ponant. Mais tout ça, subitement, ne compte plus, seule importe la pointe de colère qui descend jusqu'à son estomac. Elle se dit constamment qu'elle va mourir mais ne supporte pas qu'on le lui rappelle. Elle se calme au prix d'un effort surhumain puisé on ne sait où.

— Mabel, Mabel... Parlons en toute franchise : tu as intérêt à ce que je meure. Tu te débarrasseras d'un fardeau et tout t'appartiendra. Je sais que tu me détestes et que tu aimes me voir souffrir, mais tout cela te coûte de l'argent. Fais preuve d'esprit pratique, tu n'en manques pas quand tu veux, et parle-moi de cet homme qui pourrait tout arranger. La médecine ne peut plus rien pour moi, alors parle-moi de cet homme.

— Je ne m'en souviens plus.

— Si, bien sûr que tu te souviens, Mabel, et puis, j'ai le droit de mourir, tu sais bien. Je n'ai pas demandé à venir au monde. On ne peut pas m'interdire de le quitter.

Mabel ne la regarde pas. Comme si la vieille était un objet parmi d'autres, perdu au fond de la chambre. On ne perçoit qu'un son étrange un bref instant : une gouttelette de sueur tombée par terre.

Ruth insiste à mi-voix :

— Mabel…

— Quoi ?

— Ne me dis pas que tu l'as oublié. Tu m'as parlé d'un homme qui avait tué quelqu'un. Au moins, évite de te moquer de moi.

— De me moquer de toi ? Tu crois ça, vraiment ? Non, ma chère, détrompe-toi. J'étais là, tu sais bien, quand tu as demandé au docteur de t'envoyer dans l'autre monde avec une bonne dose de calmants. Mais il n'a pas voulu. C'est un médecin de la vieille école : Dieu t'a donné la vie, lui seul peut la reprendre. En plus, pour se donner un semblant de bonne conscience, il a raconté aux flics que tu lui avais demandé une mort assistée et qu'il ne te fournirait plus de sédatifs puissants. S'il arrive quelque chose, le gars est blanc comme neige, c'est génial.

— Mabel… aide-moi. Je t'en prie.

— Si le médecin assure qu'il y a de l'espoir, il faut y croire. Surtout, ne te plains pas.

— Je n'ai pas le droit de me plaindre ? Que pourrait-il m'arriver de pire ?

— Un tas d'ennuis, ma chère, crois-moi… L'autre jour, on m'a raconté une histoire tellement atroce qu'elle en paraît incroyable. Il faut dire que la capacité de souffrance est infinie chez l'homme, et ceux qui croient en Dieu ont toute raison de croire qu'il a pris un congé sabbatique. Imagine un couple de vieillards qui vit seul, c'est-à-dire sans personne à côté. La femme est impotente et son époux doit même lui donner à manger, ce qu'il fait de bon cœur. Mais un jour le vieux meurt subitement. Imagine… Au bout d'une semaine où elle garde toute sa lucidité, la vieille meurt de faim à côté du cadavre de son mari. Un grand film qui pourtant n'est rien auprès des horreurs de la réalité. Justement, je me dis que ce serait terrible s'il m'arrivait quelque chose… L'infirmière de nuit est nouvelle et, n'ayant pas la clé, elle pourrait se dire qu'on est sorties… Enfin, oui, c'est vrai, je t'ai parlé de cet homme.

Mabel revient sur ses pas, s'appuie contre un mur et poursuit d'une voix sourde :

— Ce type pourrait s'arranger pour que tu ne souffres pas, et personne ne serait inculpé. Mais ce n'est pas si facile, non… À tel point que je ne vois pas comment m'y prendre. Et encore faut-il qu'il accepte.

Ruth, les yeux grands ouverts, redresse la tête comme si elle buvait ces paroles d'espoir. Mais aussitôt elle se demande si Mabel n'est pas en train de la faire marcher. Elle referme les paupières.

Une nouvelle goutte de sueur tombe au sol.

— Mabel, j'ai cru comprendre que cet homme compte pour toi, plus qu'une vague connaissance.

— On ne peut pas savoir si une connaissance va finalement compter ou non. Cela se fait par accident, le plus souvent.

— C'est le cas, non ?

— Oui, d'une certaine façon. Les choses arrivent parce qu'elles doivent arriver, il n'y a aucun calcul. C'était à la station Paseo de Gràcia.

— J'y allais souvent autrefois, dit Ruth dans un filet de voix. Je suis si vieille que je me rappelle lorsqu'elle était encore à ciel ouvert. Alors, que s'est-il passé ?

Ruth, qui vit depuis longtemps avec Mabel, la sent désireuse de se confier. Ce n'est pas une histoire sordide, non, sûrement pas. Mabel sera soulagée d'en parler.

— C'était il y a longtemps. Il y avait foule sur le quai, comme d'habitude. Même si c'est encore pire aujourd'hui, Barcelone est surpeuplée. Dans la foule, un gamin a glissé et est tombé sur la voie.

— Et alors ?

— Le métro arrivait. C'était si horrible et soudain que j'étais incapable de réfléchir, si je me rappelle bien. Les gens ont poussé des cris, mais cet homme-là a été le seul à réagir. Il a sauté sur la voie, je ne sais comment, à toute vitesse. Comme par miracle, il a saisi l'enfant sur les rails alors qu'on entendait l'horrible grincement des roues du métro qui n'avait pas le temps de freiner. Il a donc pris l'enfant et l'a vite balancé sur le quai aux pieds des usagers qui hurlaient sans arrêt... Mais il était toujours en bas, sous la menace des roues à son tour. Il a pris de l'élan, sauté comme il a pu, tendu un bras et attendu, la mort au fond des yeux, qu'on lui donne la main pour l'extraire de là. Je m'en souviens comme si c'était hier : c'était la première fois que je voyais un regard habité par la mort. Nous lui avons tendu la main, un autre gars et moi, et l'avons remonté. Il se trouvait sur le quai lorsque le train l'a percuté et l'a pratique-ment jeté sur la foule. Ses vêtements étaient tout déchirés, il n'a même pas crié.

Mabel a terminé. Avec une moue dédaigneuse qu'elle semble affectionner, elle ajoute :

— C'est tout.

— Non, ce n'est pas tout, Mabel, je suis ravie de t'avoir posé la question, dis-toi bien. Tu as beaucoup de souvenirs qui te font du mal, mais celui-ci te fait du bien. Et il ne te coûtera pas non plus de me dire qu'après cela vous êtes devenus amis.

— Oui, c'est là que tout a commencé.

— Donc tu lui as sauvé la vie, d'après ce que tu m'as dit.

— En fait, il s'est sauvé lui-même en s'élançant à temps. Et il y avait la main d'un autre homme qui lui a juste demandé s'il allait bien avant de s'engouffrer dans le métro qui venait d'arriver. Le père du gosse a foncé dans le wagon lui aussi, son enfant dans les bras, sans un remerciement. C'était comme si, tout à coup, l'homme et moi, on se retrouvait seuls sur le quai, les yeux dans les yeux. C'était un moment stupide, inutile. Mais j'ai trouvé ça merveilleux. Toi, Ruth, tu n'y as jamais réfléchi, mais les moments merveilleux sont toujours inutiles. Tu ne peux pas comprendre. J'ignore combien de temps on est restés comme ça, face à face, sourds aux bruits du métro et des gens. Et, d'un coup, tout s'est arrêté. Il a fondu en larmes.

Mabel se tait, accuse une grimace qui n'est plus sarcastique mais amère, et tourne le bouton de porte comme si elle s'en allait. Le soleil – ainsi qu'elle l'a prédit – est parti lui aussi... Il a fini sa journée, songe Ruth. Un nuage gris semble envahir la chambre, la rendant aussitôt plus accueillante, plus douce pour méditer, ne serait-ce que sur la mort.

— Je comprends. Mais toi, Mabel, peut-être que tu ne l'as pas compris sur le moment.

— Si, bien sûr. J'ai compris aussitôt que c'était un moment important dans ma vie. En me disant aussi que c'était dû à l'émotion de voir que cet homme devant moi et cet enfant inconnu n'étaient pas morts. Un peu plus tard, au bar de la station, où je lui avais proposé de prendre un remontant, je lui ai lancé qu'il s'était conduit en héros et que l'addition était pour moi. C'était une phrase en l'air, je n'avais pas d'argent sur moi. Il avait l'air honteux, pas flatté. Il m'a dit qu'il avait agi sans réfléchir et que ça n'avait rien d'héroïque.

— Pour moi, c'est bel et bien de l'héroïsme. La vérité de l'homme est dans ses actes irréfléchis.

— Je lui ai répondu la même chose. Mais il m'a dit qu'il y avait une raison à tout ça.

— Laquelle ?

— L'enfant tombé sur la voie avait le même âge que son fils lorsqu'il avait été tué par un braqueur de banque. Il a dit : « Je n'ai pensé à rien d'autre. Pour moi, c'était mon fils. » Et il s'est remis à pleurer. Il a sans doute pris conscience dans ce bar de passage que son fils de trois ans était parti pour de bon.

Mabel avait terminé son histoire, mais elle demeurait dans la chambre. Son visage exprimait de la peine, ou de la nostalgie, de l'autocompassion. Et comme hissant une ultime bannière de dignité, elle reprit haut et fort :

— Je vous déçois sans doute, madame, mais j'ai l'honneur de vous informer qu'on n'a pas baisé. Je suis une pute, mais pas toujours. Il voulait simplement discuter, et on a bavardé, on s'est tenu compagnie. Il ne voulait pas causer de lui, curieusement. Enfin, il a à peine parlé de lui. C'était autre chose.

— Comment cela ?

— Tu ne peux pas comprendre, Ruth.

— Ne désespère jamais, même les bêtes, des fois, elles comprennent.

— Je perds mon temps, mais je vais quand même te le dire : cet homme-là reconstruisait la vie de son enfant.

— Je ne comprends pas.

— Tu vois ?

— S'il te plaît… Ça m'a l'air un peu compliqué, comment est-ce qu'on peut reconstruire la vie d'un gamin de trois ans ? Cette vie n'a simplement pas d'existence. Mais toi, Mabel, tu sais me rendre les choses compréhensibles. Je finirai bien par comprendre.

— Tiens… Tu me flattes à présent ! Ne te fatigue pas, au fond, j'aime raconter cette histoire, peut-être le seul épisode de ma vie qui ne soit pas moche. Il m'a dit qu'en réalité son fils n'était pas mort, pour la simple raison qu'il ferait tout pour lui redonner vie. Son fils aurait ainsi quatre, cinq, six ans… Il irait à l'école. Lui, le père, connaîtrait cette école. Il irait dans sa classe, il parlerait à la maîtresse, rirait avec les autres gosses. Tu vois ? Il *deviendrait* son fils, et il ferait exactement ce que le petit aurait fait. Il le ferait revivre à travers lui.

— On ne m'avait jamais raconté une histoire aussi touchante, marmonna Ruth.

— Voilà.

— Et aussi inutile.

— Tu as raison. C'est une histoire inutile, promise au désespoir et après au silence. Mais, en même temps, c'est magnifique, vois tu, ce devait être un brave type. Et je le lui ai dit alors que les gens passaient à côté et s'éclipsaient comme si nous étions seuls au monde. « Tu es sûrement un brave type. » Il m'a répondu non, au contraire : le chagrin ne conduit pas à la bonté mais à la vengeance, il avait déjà tué quand on avait braqué sa banque, et il espérait bien recommencer. « Cette fois, m'a-t-il dit, les morts vont pleurer. » Cela me semblait difficile. À tous les coups, il se ferait buter avant. Voilà toute l'histoire, Ruth. Heureusement, tu m'as appris à parler, et j'ai pu te la raconter.

17

Plop !

Comme un bouchon qui saute, moins de bruit qu'une bouteille de mousseux débouchée dans une salle accueillant des
baptêmes et des noces. *Plop !* C'est tout. L'homme au pistolet
s'émerveille à nouveau des prodiges de la technique qui permet
aujourd'hui de tuer sans bruit et grâce à quoi, demain, on
pourra s'envoyer en l'air par le biais d'un portable. Il sourit, la
belle est restée immobile.

Pas de quoi s'inquiéter. Elle va bouger.

Comme ce n'était pas Miralles sur le lit, l'homme n'a pas tiré
pour tuer. C'est un pro, un expert, nom de Dieu, pas un naze
qui tire sur tout ce qui bouge. Elle représente un imprévu, mais
il n'y a pas de quoi faire gicler du sang sur les murs.

« Si l'ennemi n'est pas dans sa tanière, attends-le dans sa
tanière », avait-il appris tout jeune.

La balle a transpercé l'oreiller, près de la tête de l'inconnue,
figée comme un sphinx, les yeux grands ouverts. De nos jours,
les nanas sont tellement prêtes à tout qu'elles ne crient plus.
Et elles sont tellement chaudes, se dit-il, qu'elles se foutent
d'être à poil. En même temps, mettons-nous à sa place : ce n'est
pas forcément une salope, il fait peut-être une chaleur à crever
dans cet appart mal ventilé où même le canari veut passer sous
la douche. C'est peut-être une brave fille, on ne sait pas.

L'homme chuchote :

— Pas un geste, salope, ou la prochaine, c'est dans la tête.

Elle ne bouge pas, mais à voir son visage, il semblerait que la
menace n'ait aucun effet sur elle. Peut-être qu'elle a plus de
sang-froid qu'un ours polaire. Aussitôt, l'expérience aidant,

l'homme évalue son âge, à peine dix-huit ans, apprécie sa peau douce et blanche, ses longues jambes, ses courbes, ses lèvres intactes, son pubis intouché. C'est incroyable qu'il y ait encore des filles aussi classe dans les quartiers populaires où, bien sûr, on n'a pas recours aux instituts dermo-esthétiques ni aux massages à la bave de papillon.

Le type est impressionné.

Il n'a pas eu de chance d'un point de vue technique, quoique... « Si l'ennemi n'est pas dans sa tanière, attends-le... » Le Miralles de ses deux finira bien par rappliquer. Comme il tient la fille, ce sera même plus fastoche.

À la fin, bien sûr, elle devra y passer : il ne faut pas laisser de témoin. Dommage.

Mais pas tout de suite.

— Comment tu t'appelles ?

— Eva.

— Qu'est-ce que tu fous là ?

— J'habite ici.

— Avec ce connard de Miralles ?

— Je suis son assistante.

— Comment ça ?

— Je suis garde du corps.

Le type se met à siffler. Merde, il doit réfléchir, réfléchir, c'est un gars qui cogite. Il comprend tout à coup. Elle est entraînée au danger, voilà pourquoi elle ne bronche pas. Nom de Dieu, les temps changent, aujourd'hui il y a des gonzesses chez les paras qui se jettent dans le vide en se tripotant la chatte.

Eva – si tel est bien son nom – essaie de se couvrir avec le drap, mais il l'interrompt sèchement :

— Bouge pas. Dis-moi si t'es une proche de Miralles. Ou bien son associée ou encore sa nana.

— Je suis... une employée. Je ne suis pas sa copine ni une parente à lui... Il m'a recueillie quand j'étais jeune.

— Et il essaie de t'apprendre un métier.

— Oui.

— Tu vas mourir de faim, petite. Les gens comme toi ne servent à rien dans ce monde pacifique. Maintenant, dis-moi où il est. Il devrait être ici, normalement.

— Toi, on t'a renseigné…

— La ferme, réponds-moi, connasse. Où est Miralles ?

— On lui a confié un travail à la dernière minute. Il doit protéger la maîtresse d'un ministre.

— Je croyais ces gens-là sous protection officielle.

— Pas leur petite amie.

— Quand est-ce qu'il rentre ?

— Aucune idée. Dans ce genre de boulot, il n'y a pas d'horaires.

En plus, évidemment, pense-t-il, tu ne me diras rien. Si tu crois qu'après ça je m'en vais, tu te goures. Maintenant, tu m'as vu, alors tu es de trop ; tu pourrais avertir Miralles d'une façon ou d'une autre, alors tu es de trop ; tu pourrais sortir une arme, alors tu es de trop.

Mais tout compte fait, peut-être pas.

Il l'examine attentivement.

Il n'a jamais rien vu d'aussi mignon. Ni d'aussi discret. Il n'était pas tombé sur un tableau aussi intime depuis des lustres. Parce que les filles qu'il fréquente, elles ne reçoivent pas comme ça. Pour commencer, elles doivent ôter leur petit haut Zara, leur jupe (ou, pire encore, leur pantalon) du Corte Inglés, rayon soldes, leur soutif à un euro et leur slip dégotté dans un bazar chinois. Après ça, elles se lavent et te demandent de te désaper, histoire de gagner du temps. Et, immanquablement, elles s'assoient sur le lit puis éteignent leur portable.

« C'est au cas où mon mari appellerait », font-elles.

Mais celle-là, non, celle-là, elle se pointerait à poil devant une école de bonnes sœurs. Le type la mate sous tous les angles. Ça va être coton d'attendre l'autre oiseau dans ces conditions.

Mais il doit réfléchir, putain, réfléchir, c'est un gars qui cogite.

Le décor de la chambre est simple : un lit, une table de toi-lette équipée d'un miroir (où la petite se reluque), le portrait d'une fille qui fait de la gym (déjà moins bandante), une armoire et un fauteuil. Il n'y a pas non plus de quoi loger autre chose, non, rien. La pièce est tapissée, comme dans les vieux appartements (comme celle où, des années plus tôt, il giclait sur le papier peint en se tenant la bite). Il y a là comme une saveur intime de tunnel du temps ou de péché en famille.

Mais il doit réfléchir, réfléchir… Le monde appartient à ceux qui cogitent, comme lui. Et, bordel, il se creuse les méninges.

— Alors tu sais pas quand il vient, Miralles ?

— Non.

— Vous vivez seuls tous les deux.

— Oui.

Petite conne. Elle aurait dû me dire qu'on pouvait venir foutre la zone à tout instant. Même pas. Si elle est aussi conne, elle va pas assurer comme garde du corps. Elle me le sert sur un plateau et elle s'en rend pas compte.

Ça complique les choses un peu plus.

— Tu n'es pas d'ici, fait-elle.

Imbécile. Elle n'a pas reconnu ton accent kosovar (elle est pas si maligne, vieux), mais comme témoin, elle peut signaler un détail accablant pour ta pomme. Bon, ça fait rien. Tu as déjà décidé qu'elle y passerait.

— Aujourd'hui, plein de gens viennent travailler en Espagne. C'est un joli pays. Comme toi.

— Quoi ?

— Écoute, on doit attendre Miralles. Ça te gêne pas, hein ? On va devoir tuer le temps, et moi je dis que, je dis… Alors voilà ce que tu vas faire.

Eva ne répond pas, mais ses paupières frémissent. Brave gamine, on a dû lui foutre une de ces trouilles quand elle était gosse. Mais si elle s'imagine que tu vas la niquer, elle est encore plus bête qu'elle en a l'air. Tu serais pas dans la merde si tu la culbutais en tournant le dos à la porte, avec ton flingue comme qui dirait accroché à la lampe. Un mec dans cette posture, le Miralles n'en ferait qu'une bouchée. Non, non, il y a mieux à faire... Ainsi montre-t-il le fauteuil, juste en face de la porte.

— Regarde, Eva, Evita, je vais m'asseoir ici...

Nouveau frémissement des paupières, qui maintenant gagne ses lèvres.

— Je vais défaire ma braguette.

— Pourquoi?

— T'es pas maligne, poupée. T'as jamais vu ces films où on défonce des meufs, des pornos, quoi. Il faut réfléchir, Eva, réfléchir... Allez, devine la suite. Je suis assis là, mon bel attirail au vent, et toi t'es à genoux devant moi. Tu vas voir, c'est pas compliqué, et c'est le meilleur moyen de tuer le temps. Tu piges ou t'es vraiment trop conne? Moi, pendant ce temps-là, je braque mon arme sur la porte et ta tête. Alors, pas de bêtises, j'suis un gentil garçon mais je veux voir ta langue, pas ta cer-velle. Alors là, Miralles, il va en tomber sur le cul, crois-moi. C'est la première chose qu'il verra en entrant.

Il vise entre les yeux de la fille. Il a l'air de choisir calmement le point idéal où loger sa balle. Il n'a pas l'intention de le faire, mais il vaut mieux ne pas le pousser. Elle est terrorisée, et il le sent. Forcément, il faut être psychologue, réfléchir, y a pas à tortiller.

Elle obéit, naturellement. Si tu penses qu'après ça je te laisse la vie sauve, t'es vraiment une idiote, ma poupée. Pourtant tu y crois, comme tout le monde. Les gens obéissent toujours. Mais donne-lui un espoir. Allez, viens.

À genoux.

— C'est bien..., murmure l'homme, le regard chavire. Voilà, c'est bien...

— C'est bien, fait alors une voix à la porte.

La voix de Méndez.

18

Des milliers de délinquants piégés au pire instant (en un temps qui n'existait plus et des rues qui, hélas, avaient peut-être aussi disparu) s'étaient écriés à chaque fois :

— Merde alors, le Méndez !

Mais ce type n'avait pas crié. Le Kosovar, qui avait savamment dirigé la langue de la petite, s'aperçut que son flingue était sur le dossier (là, tu peux t'approcher, ma jolie) et qu'en revanche Méndez braquait le sien sur sa figure.

L'inspecteur ne portait pas son fameux Colt modèle 1912, avec lequel il aurait pu assassiner Canalejas*. Il avait opté pour la modernité : un énorme Colt Python. Une balle éjectée par cet outil peut abattre un homme tout en déplaçant une maison.

Méndez fit gentiment :

— Dis-moi quel œil je t'explose.

La fille se retourne. Eva se retourne comme une automate sans âme. Elle est effrayée, son corps ne lui obéit plus. Elle se meut sur ses genoux d'enfant sage, elle voit l'œil noir du pistolet de Méndez et le visage de pierre du policier, elle voit la face ébahie de l'agresseur, son membre (à présent ratatiné) et la tapisserie de la chambre si familière.

Méndez ordonne :

— Jette ton arme.

PLAC !

Ça y est. L'arme est par terre.

---

 * José Canalejas : président du Conseil des ministres assassiné à Madrid en 1912 par l'anarchiste Manuel Pardiñas Serrano.

Méndez a devant lui un homme qu'il peut descendre.

Sa digestion s'en trouverait facilitée.

D'une voix sourde, il ajoute :

— Debout.

Ça y est. Il s'est levé. Méndez essaie de se souvenir du règlement, mais rien à faire. Avec la vigueur d'antan, il balance son
pied droit dans les parties du mec, ou du moins ce qu'il en
reste. Il a des godasses à bas prix, genre inusable, équipées
d'énormes semelles. Le gars n'a même pas la force de crier. Il se
plie en avant, saisi d'effroi, la bouche ouverte, et reçoit un
second coup de savate dans la mâchoire.

Il s'écroule sur le fauteuil, le souffle coupé.

Méndez commence à réciter à voix haute ce qu'il inscrira
dans son rapport :

— … Le délinquant ayant sorti son membre viril, le représentant de la loi que je suis a veillé à ce qu'il le dissimule en faisant usage de la force réglementaire mais, l'individu ayant
résisté, cela lui a valu diverses éraflures ainsi que la rupture
accidentelle de vaisseaux sanguins…

Puis il ordonne :

— Debout !

L'autre obtempère, mais les mains sur les testicules. Méndez
en est presque ému : on dirait un défenseur en train de faire le
mur avant un coup franc. Il attend que le type respire à peu
près normalement. Il voit deux filets de sang à ses lèvres.

— Tu aurais dû voir que je surveillais l'immeuble, dit-il tout
bas. C'était facile à repérer.

— J'ai pas fait gaffe. Comment vous étiez déguisé ?

— En fils de pute, lui crache Méndez, comme ça je passe
inaperçu.

Et il s'écarte légèrement devant lui en montrant la porte de
son pistolet. Il dit à la fille qui reste sur le lit, hébétée, roulée en
boule :

— Appelle le 91, qu'on envoie sur le champ un véhicule de
patrouille rempli d'agents teigneux.

Il suit le Kosovar. Le canon sur le dos, au niveau du cœur, réglant le pas du type. « Si tu bouges, non seulement je te troue, mais en plus je défonce le mur. » Deux pas supplémentaires dans la salle à manger si exiguë qu'on la dirait conçue pour donner de l'alpiste à des petits oiseaux. « Tu vas me dire qui t'a payé pour ça, mon joli, et tu vas tout déballer, jusqu'au nom de la pute qui t'a mis au monde. » La porte du palier, que Méndez a laissée entrouverte. « Et je te jure, tu vas goûter à ma cuisine avant qu'un avocat ne vienne te conseiller de garder le silence... »

Les mains en l'air, le type se rebiffe.

— Vous aurez des problèmes en continuant comme ça. Même la fille, elle dira que vous m'avez pas lu mes droits.

— Cette fille-là va te la couper en rondelles dès qu'elle pourra. Allez, descends doucement, et garde les mains en l'air. Pose gentiment les pieds sur les marches. Je te crève si tu tombes.

L'escalier étroit se trouve plongé dans la pénombre. Aucun voisin n'est sorti mais, en réalité, ils ont été discrets. À cet instant, le prisonnier comprend deux choses. Premièrement, en deux sauts, il peut gagner la rue, même s'il faut pour cela enjamber la rambarde. Pendant leur transfert, plusieurs potes à lui ont mis les bouts de cette façon, profitant d'un bref moment d'inattention. Deuxièmement : Méndez ne peut pas sauter, il est trop vieux. Et la voiture de police n'est pas arrivée, impossible.

C'est parti !

Fort d'une pratique acquise lors du conflit yougoslave, le Kosovar effectue un bond à faire pâlir de jalousie un instructeur commando, et atterrit sur la volée de marches inférieures. Il sait que Méndez ne pourra pas le suivre. Il sait que Méndez ne le verra pas.

Mais il ignore que Méndez a pourchassé des voyous jusque dans les cloaques.

La détonation du Colt Python fait trembler tout l'immeuble, déplaçant l'escalier, dirait-on. Méndez n'a jamais fait usage

d'armes réglementaires, sans doute est-il allergique à tout règlement. Atteint à la jambe gauche, le fémur éclaté en deux
endroits, le fugitif se retrouve dans les airs, en chute libre, et
heurte le mur au tournant de l'escalier. Il lance alors un juron
dans une langue inconnue de Méndez (heureusement) et reste
au sol, recroquevillé.

Méndez aurait pu le tuer, il est fine gâchette, et déjà il
regrette de l'avoir épargné. Ce type coûtera plus cher à la Sécu
qu'il n'avait coûté à sa mère de le mettre au monde, et il se
pourrait même qu'on lui alloue une retraite.

La fille à l'étage peut s'estimer heureuse si elle échappe aux
questions insultantes d'une femme policier sortant d'une soirée
exécrable.

« Allez, signe ta plainte, on te tient au courant. »

Nul ne la tiendra au courant.

Cependant, plutôt que de tuer, Méndez préfère immobiliser
les gens. Donc il ne tire qu'une fois. Il s'approche de l'homme à
terre, toujours sous la menace de son Colt, lui montre l'escalier
et lui lance :

— La patrouille est arrivée. Nos agents vont te conduire à
l'hôpital, d'où tu chercheras sûrement à t'échapper, mais
comme j'ai tout mon temps, je vais te surveiller, déguisé en
infirmière. Il se pourrait même que tu me trouves à ton goût.
Allez, rampe, les mains dans le dos. Et dans moins de dix
minutes, tu vas me cracher le nom de ton commanditaire en
chialant.

Tout l'escalier tremble sous les pas des policiers qui montent. Méndez voit quatre choses : deux menottes, un pistolet,
un pantalon prêt à craquer et le derrière de la Loles. (Ils ne vont
donc jamais lui filer du galon ? Ou bien est-ce qu'on la garde
pour l'essor touristique de la ville ?) Méndez montre la femme
et grogne à l'adresse du Kosovar :

— C'est la maison qui régale.

La Loles, qui a sûrement passé une soirée exécrable – si tant
est qu'un effronté ait tenté de la lui pourrir – lui passe les

menottes comme si elle lui plantait des ciseaux dans les poignets, et grommelle :

— La maison qui régale, mon cul, Méndez ! Je vais devoir l'emmener à l'hôpital, j'ai l'impression.

19

— Je m'appelle Eva Expósito, j'ai dix-huit ans, je suis garde du corps, ou plutôt apprentie garde du corps, et mon histoire est si noire que vous allez en faire une série télé si je vous la raconte. Une vie pourrie, croyez-moi.

Monsieur M., commissaire principal, se renversa dans son fauteuil, admira malgré lui les courbes de la fille (je te confierais bien la garde de mon corps, moi, poupée), se sentit honteux de telles pensées, alluma un cigare canarien, non sans honte à nouveau car il eût préféré s'allumer un havane, dont les prix avaient grimpé deux fois en un mois.

Il grogna :

— Abandonner une jeune fille comme vous, c'est vraiment du plus mauvais goût, mademoiselle Expósito.

— De bon ou mauvais goût, je n'en sais rien, mais en tout cas je n'ai pas de parents. D'après les seuls papiers que je possède, on m'a abandonnée devant un immeuble de la Travessera de Gràcia, dans la partie chic, pas loin de la Diagonal. Fait chier, putain. C'est un agent municipal qui m'a trouvée là, et le corps de la police a voulu m'adopter, mais un juge a tapé du poing sur la table et décidé qu'on devait attendre au cas où mes vrais parents se manifesteraient. J'ai donc été confiée à un foyer pour mineurs.

Monsieur M. soupira.

— Ça m'étonne que personne ne vous ait adoptée, mademoiselle Eva. Les petites filles sont très prisées. On organise même des voyages avec l'aval des banques pour sauver les petites filles des commissaires politiques russes et les petites Chinoises qui risquent de se noyer dans le fleuve Jaune. Vous, par contre, vous étiez sur place. C'est bizarre que personne ne vous ait adoptée.

— Petite, j'étais superdésagréable. Je pleurais tout le temps et je tapais les gens qui me prenaient dans leurs bras. Comme je l'ai su plus tard, j'avais mal aux dents, mais personne n'a rien vu à l'époque. Et pour les parents adoptants, c'est compliqué. Si les parents génétiques refont surface, ils doivent renoncer à l'enfant. Et j'ajouterai ceci, monsieur le commissaire : quand on grandit et qu'on garde un sale caractère, on ne vous aime plus.

— Bon, ce n'est pas si dramatique. Lorsqu'on ressort de ces foyers, on a une formation et un métier.

— Ça dépend des centres. Je vous assure qu'il y a un tas de pédophiles dans la nature, les salauds ! C'est encore pire dans les foyers pour garçons. J'ai entendu des trucs horribles, monsieur le commissaire principal, et tout ça dans cette ville où rien n'est laissé au hasard, normalement. Comme j'ai fait le mur, je n'ai pas pu le vérifier.

Le cigare de monsieur M. s'éteignit. Rien d'étonnant à cela : parfois, même les havanes s'éteignaient à ses lèvres. Il griffonna quelques notes pour son rapport et murmura :

— Ça gâche tout, ce genre d'expérience.

— Carrément, surtout si vous rejoignez les seuls à vous accepter dans cette situation. Vous avez dû entendre parler des *meninos da rúa* au Brésil, monsieur le commissaire principal, mais vous pensez que dans cette douce Barcelone de restaurants, de demi-mondaines et de chauffeurs officiels, ça n'existe pas. Eh bien, si. On dormait dans des tunnels, on faisait la manche et on volait. On se débrouillait pour dormir, mais tout le reste était organisé. On ne risquait rien grâce à la loi sur les mineurs, à part se faire interner, mais on arrive toujours à s'échapper. Des bandes de professionnels le savent et elles vous exploitent.

Monsieur M. hocha la tête, connaissant bien ce drame, et, au terme d'une foule de conférences, de stages et autres séminaires, il était parvenu à une conclusion admirable : toute solu-

tion étant mauvaise, il valait mieux ne rien faire. Sur ces entrefaites, le cigare s'éteignit de nouveau et monsieur M. se mit à
chier sur les temps modernes, affirmant que même les objets
faits main étaient nuls aujourd'hui. Eva répondit qu'elle
connaissait du fait main haut de gamme. Monsieur M. pesta de
plus belle, cette fois dans une optique plus générale et profonde.

— Je me suis échappée deux fois, poursuivit la jeune femme.
J'étais une vraie chienne enragée, même si parfois je pleurais sur
mon triste sort. Je suis sûre que les chiennes perdues chialent
aussi par moments. J'ai découvert que Barcelone était en fait
une immense banlieue habitée par des gens qui n'habitent nulle
part. J'ai appris aussi qu'un mot aimable ne sert pas à grand-
chose, sauf que ça donne à réfléchir de temps en temps. Et
aussi loin que je m'en souvienne, on ne m'a jamais dit un mot
aimable. Si, une fois, une femme.

— Quelle femme ?

— Une célibataire, la cinquantaine, jolie et douce. Je l'ai rencontrée dans un dispensaire. Elle m'a acheté une robe, m'a
invitée à manger et m'a dit que j'étais charmante et que je méri-
tais un autre sort. J'ai compris ce qui m'attendait quand elle m'a
embrassée sur la bouche. Finalement, il m'arrive de penser que
j'aurais mieux fait de rester avec elle. Elle seule m'aurait donné
beaucoup en échange de pas grand-chose. Je l'ai traitée de
salope et je me suis tirée, alors elle m'a demandé pardon et s'est
mise à pleurer. Après, j'ai pleuré moi aussi dans la rue. La ville
ne m'avait jamais semblé aussi énorme et triste. Vous comprenez, monsieur le commissaire ?

Monsieur M., commissaire principal, laissa son regard de
fonctionnaire se perdre dans le vague. Son cigare s'était encore
éteint, mais désormais il s'en moquait.

— Désolé, dit-il.

— Oui. J'aurais peut-être dû retourner auprès d'elle. Elle
avait l'air gentille.

— Est-ce qu'on t'a arrêtée par la suite ?

— Non. Quand on connaît la ville comme sa poche, du moins certains quartiers, on n'est plus arrêté. J'ai rejoint un groupe de quatre mecs qui volaient des voitures pour des casses-béliers. J'ai beau être idiote, je voyais bien que c'était crétin. Souvent, ils explosaient une tire géniale. Pas pour dévaliser une bijouterie, mais pour voler une demi-douzaine de portables. Je leur ai dit un soir : « C'est le mal pour le mal. » Ils m'ont tabassée.

Songeant à des temps révolus, le commissaire principal soupira :

— J'aurais aimé les dérouiller : guérison totale assurée. Rien de tel qu'un bon impact dans les roustons pour éduquer les masses.

Elle ne l'avait pas entendue, semblait-il. Ce qui la sauvait à ce moment-là n'était pas d'entendre, mais d'être entendue. Elle reprit à voix basse :

— Ils ont décidé de me livrer à un trafiquant de chair humaine, de chair fraîche, évidemment. Mais attention, le genre bon marché. Comme il y a plein de merde à Barcelone, une fille sur le pavé peut être vendue à bas prix. Enfin, ça dépend. Si on tombe entre les mains d'une bande spécialisée dans ce trafic, on vous vend à un millionnaire qui vous invite à bouffer au Neichel avant de vous niquer sur un lit à baldaquin. Mais si on atterrit chez des pauvres types, ils vous vendent à un vieux du quartier qui empoche deux retraites ou à l'épicier du coin qui vient de céder son fonds de commerce et qui vous enfile par-derrière sur la commode héritée de sa mère. J'étais tombée chez des pauvres types : ils m'ont vendue à un vieux qui touchait une double pension. Le mec était assis dans son fauteuil. Pour commencer, il m'a dit : « Approche que je te palpe un peu, ta virginité, moi j'y crois pas beaucoup, petite. »

L'éminent monsieur M., commissaire principal, oublia son cigare, le bureau, la fenêtre qui distillait une lumière grise, concentré sur la fille qui distillait une lueur amère. La ville présentait mille couleurs (nettes, pour certaines), mais seule subsistait à cette heure la lumière happée par la robe de la fille comme s'il s'agissait d'un trou noir. La fille entrant dans une chambre dont la porte grinçait. La fille courbée sur une vieille commode ou sentant le doigt d'un vieillard lui sonder les entrailles. « Non, petite, j'y crois pas. » Maudite ville constellée de taches noires dont la presse ne parle jamais, une ville que l'éminent monsieur M. ne pourrait jamais nettoyer.

— J'ose espérer que le retraité et son doigt sont restés sur leur faim, dit-il.

— Parfaitement. J'ai senti tout à coup la puanteur de la chambre. J'ai compris qu'il y a des péchés qui sentent mauvais, ce sont de vrais péchés ; et des péchés qui sentent bon et donc qui n'en sont pas. Je lui ai balancé un coup de pied dans l'estomac et il a recraché tous les médicaments contre l'arthrose qu'il avait avalés. Après ça, il était guéri, faites-moi confiance.

— Tu ne parles pas comme une paumée ou une fille de la rue, fit monsieur M.

— J'ai eu un maître, il faut dire, soupira Eva, l'homme pour qui je travaille. Il m'a appris à penser et à parler.

— Le garde du corps avec qui tu travailles ?

— Oui.

— Miralles ?

— Oui.

— Je ne sais pas si tu es au courant, mais cet homme-là n'est pas un saint. Fais attention, tu vois ce qui peut arriver.

— Miralles a toujours été gentil avec moi. Il est dur mais gentil. Et puis, il m'a sauvée.

— Comment cela ?

— Les mecs de la bande ont trouvé que je ne rapportais pas assez et que je ne servais à rien. Pour me punir, ils comptaient me violer tous les quatre, à tour de rôle, et m'abandonner sur un terrain vague, en dehors de Barcelone. Ça m'apprendrait. Je leur ai proposé un marché tout simple puisque je ne pouvais pas leur échapper. Au moins, je gagnais du temps. J'ai une belle voix, et je connaissais les tubes à la radio. Je leur ai proposé de faire la manche, mais en leur reversant jusqu'au dernier centime.

— Personne ne s'enrichit de cette façon, dit le commissaire.

— Hum, ça dépend. Le truc, c'est que l'un d'eux devait m'amener dans une chaise roulante, comme une infirme, pendant qu'un autre surveillerait les environs. Ensuite, commissaire, vous prenez deux bons emplacements, mettons sur les Ramblas. Puis une jeune et jolie infirme que l'on promène en chaise roulante et qui chante bien, même sans musique. Les pièces pleuvaient dans la casquette à mes pieds. Certains jours, on gagnait plus qu'en dépouillant les gens, et c'était sans danger.

— C'est une industrie, dit le commissaire sans la regarder. Et il y a des centaines de gamins impliqués.

— Oui, sûrement, dit Eva, comme froide et détachée, mais pour moi, ça n'a duré qu'une semaine.

— Pourquoi ?

— Un jour, au moment du partage, j'ai gardé du blé qui n'était pas pour moi. Et il y avait l'histoire avec la Patri, la copine d'un gars de la bande. Comme elle me détestait, elle a dit qu'il ne fallait plus me traiter comme une espèce de sainte-nitouche. Elle a proposé à Tom, son copain, de me violer une bonne fois, elle comptait même l'aider. Le Tom était si content qu'on m'a emmenée au cimetière de Montjuich à la tombée du jour sous je ne sais quel prétexte. J'ai cru mourir, commissaire, mais ce genre de mort n'intéresse personne. Ça donne trois lignes au maximum dans les journaux, et le nom n'est même pas cité. Il n'y a que les initiales pour les mineures. Aucun détail ne m'avait échappé quand j'y repense. Il y avait une tombe sur laquelle on allait m'écarter les jambes, un cyprès aussi haut que la Sagrada Familia, un vase ébréché sans fleurs, un bout de ciel plus sombre que d'habitude, mais dégagé, tout propre, comme si la ville n'y envoyait même pas les cendres de ses morts, et il y avait ce truc vraiment curieux : sur une pierre tombale, au milieu d'autres inscriptions, était gravé le mot « SAVANT ».

Le silence se fit tout à coup dans la pièce.

Là aussi, l'air s'était assombri, mais il n'était pas propre : la ville y épandait l'haleine de ses vivants.

— La vie est vraiment absurde, conclut Eva dans un filet de voix. J'allais me faire violer devant une autre femme, à deux pas d'une tombe où un seul mot était lisible. Le mot « SAVANT ».

20

Il apparaît ainsi, récapitula Méndez dans son rapport, que le dénommé Miralles se recueillait fréquemment sur la tombe de son fils, détail que la Hiérarchie avait déjà deviné ou pressenti eu égard à la présence de fleurs fraîches. Il apparaît donc que le soir du délit, visitant le cimetière comme à son habitude, il avisa les individus impliqués dans l'affaire, à savoir : une fille allongée sur une tombe ; une autre s'efforçant d'écarter les jambes de la première (preuve de la dépravation de nos mœurs et de la progressive inutilité du mâle) ; enfin, un jeune homme vantant les proportions de sa verge dressée, pour s'encourager certainement, bref en phase d'autostimulation. Sur ces entrefaites, le dénommé Miralles, face à une probable infraction, en terre sainte qui plus est, entra en lice à l'aide de ses poings et d'un bloc de marbre funéraire, les conséquences étant détaillées ci-après :

Premièrement : déchirement et contraction soudaine du membre viril décrit plus haut, contraction jugée *post mortem* par le médecin de garde. Deuxièmement : fracture traumatique *in situ* du poignet gauche de celle, déjà mentionnée, qui écartait les jambes de l'autre fille, avec ouverture de la lèvre inférieure, perte de deux dents et déchirement vaginal dû à la chute de cette même personne sur le rebord d'une autre tombe, d'ailleurs celle d'un ancien combattant comptant parmi mes connaissances. Troisièmement : prompte libération de la femme agressée, qui a soutenu dans ses premières déclarations que l'inconnu l'avait sauvée et qu'elle lui en serait éternellement reconnaissante. Par ce rapport, rédigé sur la base d'archives policières, je soussigné, Ricardo Méndez, inspecteur de police, me propose d'éclairer la Hiérarchie quant à la relation entre Eva Expósito citée plus haut et le suspect David Miralles. Depuis, ils vivent ensemble (elle est son assistante) et il n'y a nulle raison de croire qu'ils entretiennent des rapports sexuels ou pour le moins sentimentaux, attendu que Miralles a parfois fréquenté d'autres femmes et qu'Eva se rend seule dans certains lieux d'agrément fréquentés par des gens de son âge. Il n'est nullement prouvé non plus que ces jeunes gens aient fait subir à Eva des attouchements, pénétrations et autres gestes autrefois interdits par la loi.

L'inspecteur soussigné, auteur du présent rapport, entend préciser à la Hiérarchie comment Eva Expósito et le suspect Miralles ont lié connaissance ainsi que leur mode de vie actuel. Au regard de tout ce qui précède, il apparaît que la prénommée Eva est une enfant abandonnée, de parents inconnus, et qu'elle s'est échappée d'une maison de correction pour se consacrer à des activités délictueuses jusqu'à ce que Miralles tombe sur elle alors qu'on l'agressait dans un cimetière, ce lieu saint auquel il est fait mention plus haut. Vous trouverez ci-joint les fiches de police et les examens médicaux concernant les faits survenus à l'époque, c'est-à-dire en 2004, dont ce rapport se fait l'écho.

En outre, je précise, concernant des événements plus récents, que l'inspecteur soussigné fait l'objet d'une instruction judiciaire pour avoir blessé un fugitif désarmé qui s'apprêtait à commettre un délit à l'encontre d'Eva Expósito au domicile du dénommé Miralles. Et que le soussigné présentera un mémoire en défense invoquant sa vue basse car il ne voulait pas toucher le fugitif à la jambe, qui est toujours utile, mais à l'entrejambe, lequel ne sert qu'épisodiquement.

Tels sont les faits rapportés, rédigés et signés par l'inspecteur précité, averti et faisant l'objet d'une instruction, à l'adresse de sa Hiérarchie, quant au passé de la dénommée Eva Expósito et à certains comportements délictueux observés sur plusieurs années. Fait dans la ville de Barcelone, date *ut supra*.

Méndez remit les deux feuillets tapés à la machine (la seule encore disponible au commissariat) et alla déjeuner au Foyer du Gourmet (le seul établissement qui n'avait pas subi de contrôle sanitaire). Il invita une de ses connaissances, la Montse, âgée de cinquante-cinq ans, seule jeunette à tapiner dans les parages. Elle n'avait rien avalé de la journée.

Le commissaire principal, monsieur M., dit à son adjoint :
— Nous savons maintenant quels liens unissent David Miralles, suspecté d'avoir liquidé Omedes, à Eva Expósito, son assistante. Nous savons également, pour être plus précis, que Miralles est garde du corps pour l'agence Protector – ce n'est pas aussi une marque de capotes ? – et qu'il est chargé de protéger des personnalités importantes pendant leur séjour en ville, telles que des banquiers, des diplomates, des femmes députées en mission informative et des dames qui s'apprêtent à livrer les détails de leur troisième divorce aux téléspectateurs. Il est bien payé mais vit modestement. Apparemment, il dépense son argent dans des conneries et il tient à résider dans un quartier ouvrier. Pendant une mission de protection contre le terrorisme, il a été blessé. Quant à Eva Expósito, il semblerait qu'elle opère en retrait afin de repérer une menace éventuelle. C'est Miralles lui-même qui lui verse un salaire. Ils déjeunent en ville, à des heures différentes à cause de leur boulot, et ils ne s'envoient pas en l'air à ce qu'on raconte. Bientôt, ces loisirs seront subventionnés par le gouvernement autonome puisque ce sont les seuls qui ne polluent pas l'atmosphère et qui ne portent pas atteinte à la nature.
Monsieur M. ajouta d'une voix inquiète :
— Je ne serais pas étonné que Miralles, que nous surveillons étroitement, ainsi qu'Eva Expósito subissent une nouvelle agression, car l'homme qui a braqué la banque avec Omedes est toujours en vie et il mettra tout en œuvre pour éviter que la vengeance ne le frappe à son tour. Par conséquent, nous allons pro-

céder à la recherche et à la surveillance d'un dénommé Leónidas Pérez, de nationalité vénézuélienne à l'heure actuelle :
c'est notre homme. Il a séjourné à l'hôtel Juan Carlos I et à
l'Avenida Palace, mais actuellement on a perdu sa trace. Il
traîne sûrement dans les parages. Retrouvez-le, suivez-le et
marquez-lui les fesses avec le tampon du commissariat, le tout à
ses frais. Prévenez Madrid, qu'on vérifie s'il a des comptes ban-
caires sur le territoire national. Vous disposerez des agents
Pérez et Lecuona et vous accrocherez cette affichette qu'on
nous a envoyée indiquant qu'il est interdit de fumer dans
l'enceinte du commissariat. Fait chier !

Le téléphone sonna une fois encore.
— Monsieur Ramírez ?
— Voyons, s'il vous plaît…
— Ah, pardon, j'ai affaire à monsieur Escolano.
— J'ai beaucoup de travail et peu de temps à vous accorder,
monsieur Erasmus.
— Vous êtes très occupé, d'accord, mais oubliez tout le reste
pour vous pencher sur mes affaires. Comme je sors peu, il faut
que vous passiez me voir. Notez ma nouvelle adresse.
— Quel hôtel ?
— Ce n'est pas un hôtel, mais un appartement avec des
prestations de grand standing. Je vais tout vous décrire, y compris la porte. Surtout, ne vous trompez pas de porte.
— Il y a un problème particulier.
— Surtout, ne vous trompez pas de porte, j'insiste.
Escolano, avocat sans client et fils d'un avocat ayant perdu sa
clientèle au fil des ans, obtempéra. Il alla frapper à la bonne
porte. L'appartement se trouvait sur les hauteurs de la ville,
dans la rue Valencia où rugissaient toutes les voitures qui
fuyaient la cité. Il découvrit des meubles modernes, des fleurs,
un rayon de soleil, un divan et un cadre où deux filles se trouvaient enlacées, toutes deux affublées d'une perruque et d'une

robe de marquise. Apparemment, songea-t-il, les combats pour la libération sexuelle ne datent pas d'hier. Puis Erasmus. Erasmus, élégant dans son costume anglais impeccable, avec une montre Cartier, comme de juste, serein et bien peigné, comme il se doit chez un type qui n'a pas touché de femelle depuis une bonne demi-heure.

Et la fille. La fille qui a moins de vingt ans – il semblerait qu'Erasmus les ait toutes libérées sexuellement – dans un déshabillé rococo, les cheveux arrangés à la hâte, mais avec des talons sur lesquels elle aurait grand-peine à atteindre la porte.

— Elle a commis une imprudence, dit Erasmus quand ils furent seuls dans le salon, je l'avais pourtant avertie.

— Quelle imprudence ?

— Je ne veux pas être vu, alors je n'ouvre pas la porte. C'est elle qui aurait dû vous accueillir comme une maîtresse de maison attentionnée au cas où il y aurait eu une visite surprise, mettons celle d'un de ses vieux clients, enfin un vieux client de la semaine dernière.

— Je vous sens un brin méprisant, Erasmus. Mais je n'ai pas tout compris.

— Pourtant, c'est très simple : vous avez deux fois moins d'imagination que votre père, je vois. Cette fille est une professionnelle qui prend des rendez-vous par téléphone et qui reçoit des clients ici même. Assez peu, en réalité. Assez peu car les professionnelles dans son genre visent le haut du panier. Nous avons conclu un accord : je la paie grassement, je réside ici, mais personne n'est au courant. Elle ne répond pas au téléphone et un message sur son répondeur dit qu'elle est partie en croisière. Comme ça on n'est pas dérangés, c'est parfait : elle encaisse l'argent (elle part peut-être en croisière après ça), moi j'ai une planque et une femme qui me déballe sa vie au lit. Vous n'imaginez pas tout ce qu'ont vécu les femmes, aujourd'hui, à vingt ans. C'est une idée géniale, Escolano, vous en conviendrez. Elle m'est venue à Valence, il y a des années, pendant une permission carcérale.

— À Valence ?

— Oui, bordel, Valence, les Fallas, les taureaux, les gens dans la rue sous une avalanche de pétards et pas une piaule de libre à cent kilomètres à la ronde. Quelle idée d'être venu ici en permission, je me suis dit. Là-dessus, une jeune putain s'est approchée. Je lui ai proposé le pactole : « Deux jours et deux nuits, ma beauté. » Elle a dit oui, comme ça elle n'avait plus à racoler. J'avais une chambre et une gonzesse. Aucun putain de code ne l'interdit, pas vrai ?

— Vous ne pouvez sans doute pas réserver une chambre d'hôtel à votre nom, murmura Escolano, dédaigneux.

— Non, mais mon avocat doit pouvoir me localiser.

— Je ne suis pas votre avocat, Erasmus.

— Si, j'en ai peur, et ce pour deux raisons : primo, pour vous, c'est une nécessité ; secundo, c'est dans votre intérêt. Vous allez gagner du pognon avec moi, et même pour les avocats fortunés comme vous, ce n'est pas négligeable. Et concernant votre intérêt, si vous n'êtes plus mon avocat, je vous rendrai responsable de tout ce qui pourrait m'arriver : ça veut dire que vous m'aurez balancé.

Escolano se mordit rageusement la lèvre, mais garda le silence.

Son père l'avait mis en garde : « Ce sont les clients qui salissent l'avocat, pas l'inverse. Mais attention : quand tu prends leur défense, tu es comme eux au bout de cinq minutes. »

Il aurait voulu filer.

Peut-être était-il déjà trop tard. Les cinq minutes avaient dû s'écouler.

Erasmus ajouta :

— Courage, voyons. Ma proposition n'est pas non plus si compliquée. C'est la routine, dans votre profession.

— Quelle routine ?

— Ben, défendre un client, putain, quoi d'autre ? Si vous êtes l'avocat d'office d'un enculé qui a tué sa fille, vous n'allez pas faire la fine bouche. Pas plus qu'un médecin qui doit soigner un truand blessé. Vous acceptez de défendre un salaud qui a laissé s'écrouler un immeuble avec dix familles à l'intérieur (des fois, le salaud en question, c'est la mairie), et vous ne bronchez pas. Alors pourquoi refuser d'assurer la défense d'un détenu injustement blessé à la jambe par un flic ?

— Soyez plus clair, Erasmus.

— Je connais une personne. Disons qu'il s'agit d'un ami. Il a diverses occupations. Disons que dérouiller des mecs est l'une de ses occupations. Il n'a pas de nationalité. Disons qu'il a bénéficié de l'hospitalité espagnole. Eh bien, on lui reproche deux ou trois bêtises.

— Lesquelles ?

— Violation de domicile, pour commencer. On va dire que je l'ai envoyé euh… donner un avertissement à un homme, oui, voilà, et il est tombé sur une femme seule. Eh bien, la nana seule était bien carrossée. Et il a voulu qu'elle lui fasse une ou deux gâteries. Rien de bien méchant. On parle entre adultes, n'est-ce pas ?

— Je suppose qu'il était armé…

— Oui.

Escolano lança, dégoûté :

— Viol, pour le moins tentative de viol s'il l'a menacée.

— Doucement, doucement, vous êtes avocat de la défense, pas procureur, bordel ! Vous autres, vous déraillez à force de bouquiner. C'est un boulot tout simple. La violation de domicile ne tient pas la route. Il avait une clé de l'appart, il a pu se gourer. Et on n'a pas la preuve qu'il ait menacé qui que ce soit avec le flingue, donc on oublie le viol, monsieur l'avocat : pas de viol. Et qui nous dit qu'elle remuait la langue sous la contrainte bien qu'à présent la garce jure qu'elle veut se faire nonne ? Ensuite, alors même qu'il était désarmé, un policier du nom de Méndez lui a tiré dessus, par-derrière, et lui a explosé la jambe. Il s'agira d'une double stratégie, monsieur Ramírez et Escolano : d'un côté, démontrer que mon pote n'a rien fait, à part frayer avec une saute-au-paf. Par ailleurs, poursuivre ce Méndez de mes deux et l'envoyer en taule si possible. C'est aussi simple que ça. Enfin, moi, si on me confie ce genre d'affaire, j'assure tellement qu'on va me nommer à la tête de la Généralité de Catalogne. Il me reste à vous donner le nom complet du Méndez et les coordonnées de... appelons-le mon ami, actuellement en détention provisoire. Bon, l'avocat, vous voyez bien : je suis un gars honnête qui ne laisse jamais tomber un pote.

Escolano murmura :

— Un ami que l'on aide est un ami qui reste muet.

— Arrêtez vos conneries. Cette phrase-là vient au moins du latin, à tous les coups. Vous allez toucher une avance pour ce boulot facile comme bonjour. N'essayez pas de me joindre. Votre client, c'est ce pauvre type en détention provisoire. C'est moi qui vous contacterai.

Escolano ferma les paupières.

Il sentit des billets lui tomber dans les mains, du liquide, des billets à chaque fois. Et il entendit Erasmus: « Allez, prenez, c'est un travail tout ce qu'il y a de plus normal. On aurait dû vous prévenir en fac de droit. C'est comme ça, pas autrement. »

Escolano n'avait pas rouvert les yeux.

Mais il sentit qu'Erasmus se relevait, mettant fin à la conversation. Et il sentit ses doigts trembler. Il sentit deux pensées en l'air, comme extérieures : d'abord, effectivement, on ne lui demandait rien d'extraordinaire. Ensuite, une femme inconnue (habile de sa langue) et un type connu (Miralles, l'homme cité dans un vieux dossier judiciaire) étaient en danger de mort.

Erasmus, comme toujours, déchiffra ses pensées.

Allons, mon vieux, fit-il, paternel, si la justice triomphe, il n'y aura aucun problème.

— Non, bien sûr...

— Maintenant, si vous voulez bien, allez-vous-en. La fille avec qui j'ai ce contrat d'hébergement, si je puis dire, m'attend sur ses talons.

Et il ajouta en riant :

— Je n'ai même pas à sortir un flingue.

21

— D'après les rumeurs, m'sieur Méndez, vous feriez l'objet d'une enquête, dit le patron de L'Anticipée en remplissant un verre de sa mixture bio, pour avoir tiré sur un fugitif en lui trouant la jambe au lieu de lui trouer la bite comme devrait faire tout honnête policier. On vous aurait confisqué votre pistolet réglementaire, m'sieur Méndez. Des journaux très sérieux ont publié l'information, notamment la presse de Sabadell.

— On ne m'a rien confisqué, je n'ai pas d'arme réglementaire, très cher Anticipé, rétorqua Méndez. D'habitude, mon équipement provient directement du musée de l'Artillerie de l'Otan. Mais c'est vrai, une enquête est ouverte, cela va m'empêcher de prendre du galon. Dommage, moi qui commençais à y croire.

Méndez n'avait jamais gravi aucun échelon.

Il but une gorgée de son breuvage écologique, sûrement recommandé par les ligues de veuves d'écolos.

— Enfin, on ne m'a pas viré pour de bon, reprit-il, mais j'ai été rétrogradé : surveillance des immigrés clandestins. Je n'espère pas remporter de francs succès en la matière : dans certains quartiers, les immigrés grouillent tellement que je n'arrive plus à les repérer. Si j'ai du mal à repérer un immigré, pour ce qui est d'un clandestin, je ne vous dis pas. N'importe comment, je fais toujours le nécessaire pour le bon ordre du service. Je garde aussi un œil sur Miralles et sur la fille qui vit chez lui.

— Il ne couche pas avec elle, s'empressa de préciser l'Anticipé. Miralles a tout l'air d'un homme pudique en matière de gaudriole. Il a peut-être eu son compte avec sa première femme. Il se contente de l'héberger, elle est son employée comme qui dirait. Une chose est sûre, Méndez.

— Quoi donc ?

— C'est du gâteau pour la police. Le type que vous avez blessé va donner sans tarder celui qui l'a payé pour s'introduire dans l'appartement.

— Cet homme est un professionnel, il n'avouera jamais, on ne peut rien en tirer. Et il n'a aucune crainte. On finira par l'expulser, sans condamnation, comme le réclame son avocat, un dénommé Escolano. Au passage, Escolano demande une jambe neuve et un massage de la biroute pour son client, le tout à mes frais.

— Pourquoi donc ?

— Il n'arrive plus à bander.

Le patron de L'Anticipée faillit verser une larme en songeant à cette tragédie, lui-même immergé à demi dans la douce langueur du néant. Il se demanda si Méndez, dans sa jeunesse, avait eu des érections et autres élans sauvages. Une profonde tristesse l'envahit.

Pourtant il décida de se remotiver et d'être utile à la patrie.

— Écoutez, Méndez, pour ce qui est de surveiller les clandestins à distance, j'en connais un rayon, il en arrive tous les jours par ici. Je peux vous conseiller si vous voulez. Voyez-vous, ces quartiers autrefois peuplés d'ouvriers se remplissent de Pakistanais, d'Arabes, de Dominicains et même de Chinois, sans parler des Noirs. Mais, bon, les Noirs se jettent sur le premier boulot venu, on ne les voit guère. Les Pakistanais, eux, ils ouvrent un taxiphone et on les voit beaucoup. Quant aux Arabes, il y en a deux sortes : les *Moros* et les *moritos*. Les premiers, on ne sait pas de quoi ils vivent, mais ils ont toujours cinq mouflets et une femme en djellaba. Les *moritos* se divisent à leur tour en deux sous-catégories : ceux qui niquent et ceux qui se font niquer. Les derniers vendent leur cul et ils me font pitié. Ça ne doit pas être marrant de se faire emmancher par un inconnu. Ceux qui niquent gagnent leur vie en enfilant des

dames insatisfaites. Ceux-là, je les envie, ça doit être sensass de
piner une inconnue. Un de ces étalons, qui entre ici de temps
en temps, est surnommé le Kilomètre par ces dames. Mais il y
en a un second qu'elles appellent le Mille, qui l'emporte donc
sur le premier, comme quoi la concurrence est rude quand on
monnaie sa queue. Et que dire des Dominicains et des Équato-
riens ? Ces malheureux, mâles ou femelles, s'occupent des
petits vieux qui se chient dessus. On en voit parfois qui les pro-
mènent sur une chaise roulante pour leur montrer qu'il y a
encore des petits oiseaux. Mais ceux qui me scient pour de bon,
inspecteur, c'est les Chinois. Il en débarque cent, je ne sais pas
comment, et ils vous montent un restaurant qu'ils baptisent à
chaque fois La Grande Muraille, Le Mandarin ou Le Fleuve
Jaune, mais c'est trop, cent Chinois, pour un seul restaurant, si
bien qu'il y en a plein qui disparaissent, hop ! Ils ne meurent
pas, non, même pas. Je suis prêt à parier que les proches récu-
pèrent les papiers et que les morceaux comestibles du cadavre
sont répartis entre tous les Fleuves Jaunes et les Mandarins du
pays. Ou alors ils les enterrent dans leurs caves, ou bien ils les
roulent dans des feuilles de mûrier pour nourrir ces cons de
vers à soie. Bref, le quartier n'est plus ce qu'il était, inspecteur,
le quartier est mort à petit feu. Dites-moi un peu, où est-ce
qu'elles sont passées, les vieilles familles de l'après-guerre qui
se connaissaient depuis toujours et qui discutaient peinardes
dans la rue les dimanches d'été ? On causait aussi bien du
patron à la con du mari que du brave fiancé de la petite. Et les
comités des fêtes de quartier qui en août, chaque année, inauguraient une soirée de ballons de baudruche, de guirlandes
lumineuses, de limonade, de paso doble et allons-y, Alonso ? Et
que sont devenus les trésoriers de ces comités qui arrivaient à
recueillir deux cents pesetas auprès des habitants de la rue, mais
qui parfois s'alliaient au capital d'une rue voisine dans une
espèce de fusion bancaire ? Alors, en dansant et en se tripotant
dans la cage d'escalier, on oubliait la faim, on oubliait qu'on
dormait à cinq dans la même pièce et que le Manolo de la tein-

turerie avait été mis en prison pour avoir osé dire que Franco était un nabot. C'est en travaillant tous les jours, dimanche inclus, qu'on a redressé ce pays où on avait tous mal à la même burne. Par contre, aujourd'hui, on ne vaut plus tripette à cinquante ans, ouste, va jouer aux cartes, l'Espagne est riche, elle ne craint rien, rentre chez toi, va voir ta femme, et à ta place on colle un jeune intérimaire qui rêvera lui aussi de retraite à cinquante ans, et le pays décolle, oui, Méndez, à tel point que, les multinationales, elles se taillent dans les contrées où la population compte bosser jusqu'à soixante-dix ans. Et le sale boulot, c'est pour les immigrés, ouais, même qu'il y a des ministres pour nous dire que les immigrés vont sauver le pays, mais s'ils le sauvent, ils réclameront leur part, et tout ça va partir en couilles.

Le patron se versa un cognac anticipé puis se tourna vers Méndez :

— Ici, dans le quartier, j'ai connu des gars durs au mal qui tenaient toute la journée avec un verre de gnôle avalé à six heures du matin. Le soir, de retour au bercail, les couilles traînant par terre, mais encore vigoureux pour la chose, ces mecs-là ouvraient leur braguette et, comme toute la famille pionçait dans la même chambre, ils culbutaient non pas Bobonne mais la belle-mère. C'est ça, le vrai peuple, Méndez, rien à voir avec les clients d'aujourd'hui qui vous commandent un *donut* à onze heures du matin. Mais vous êtes plutôt gnôle, vous, Méndez, et j'ai peur de vous ennuyer, vous connaissez la chanson.

— Du tout, mon ami. Vous avez raison d'évoquer ce passé : aucun livre d'histoire n'y fera allusion.

— Il vous reste beaucoup à apprendre, inspecteur, avant qu'on vous accorde une promotion. Le secteur de Pueblo Seco, autrefois sous le feu des canons de Montjuich, a toujours été marqué par la souffrance. On y trouvait des bouts de terrain, qui depuis ont été bâtis, où les marchands de charbon déversaient leur cargaison avant de l'arroser pour augmenter son poids et gagner plus de fric, puisqu'ils la vendaient au kilo. Si bien qu'un pauvre homme rechargeait les boulets mouillés à la pelle. Ce malheureux prolétaire gagnait moins, forcément, que la valeur du poids ajouté par la flotte, sinon ça n'aurait pas été rentable, et le capitaliste aurait peut-être bu la tasse, allez savoir. Aujourd'hui, on a tout oublié, comme l'enfant ignorant la douleur de sa mère à l'accouchement. Croyez-moi, nos quartiers changent et leur mémoire s'cfface. Il ne reste que trois ou quatre petits vieux qui ont tout vu et qui n'aspirent qu'à mourir dans leur rue, et trois ou quatre gamines qui n'ont rien vu et qui rêvent de foutre le camp.

Oui, pensa Méndez : les squelettes des immeubles, les femmes se souviennent peut-être de ce qui n'a pas existé (ce qui existait n'était pas réjouissant), un poète à l'étroit en train d'écrire à son balcon, une chanson dans la cour intérieure, un moineau s'évadant du château.

Allez, Méndez, oublie tout ça, reprends un verre de liqueur bio.

C'est ainsi que Méndez se retrouva tout seul, sous la menace d'une instruction et de la pollution, dans les rues du vieux quartier. Et il redécouvrit les balcons qui lui permirent de vérifier que le pays, décidément, allait de l'avant puisqu'une ménagère y avait installé un bac à fleurs dans un souci de reforestation; oui, on s'enrichissait de jour en jour : une autre exposait une cage où voletait son oiseau en villégiature. Il vit les petits commerces de toujours, les bistrots de toujours, les femmes sans illusion, donc les vieilles de toujours. Il vit deux gamines qui étrennaient leur petit cul, puis deux rockeurs étrennant leur gros paquet. Il vit un enterrement.

Merde alors, songea Méndez, toujours pieux.

Aujourd'hui, on ne meurt plus chez soi mais dans les hôpitaux géants de la Sécu, entouré d'infirmiers inconnus et d'un brancardier à qui l'on peut dicter ses dernières volontés. Bienheureux ceux qui peuvent dire au revoir à la photo de leurs enfants, le dernier souvenir qu'ils en gardent.

Un enterrement, donc.

Voyant l'immeuble d'où l'on sortait le corps et les initiales sur le cercueil, Méndez comprit que le vénérable défunt n'était autre que Julián Andrade, un flic d'un âge supérieur au sien, à l'état de momie pour tout dire, qui prenait congé des rues de son enfance. En effet, Julián Andrade avait toujours vécu là ; en outre, des années durant, il avait œuvré au tribunal tutélaire des mineurs, un boulot tranquille de prime abord, mais en vérité l'un des plus rudes pour la conscience humaine. Car Andrade avait dû voir des voleurs tout jeunes qui pleuraient quand on leur passait les menottes, des pères en érection devant leur gamine et des gamines défoncées dans des maisons clandestines, remuant encore la langue quand on les retrouvait.

Andrade en a vu de toutes les couleurs, pensa Méndez, il ne reposera pas en paix.

Bien sûr, il n'y avait pas foule à cet enterrement, ou plutôt ce cortège funèbre étant donné qu'à présent les morts sont transférés dans un funérarium où, de surcroît, l'hébergement est facturé. Aucune personne majeure n'a souvenir d'un vieux policier – toutes décédées ; ni non plus aucun mineur : tous en liberté conditionnelle au moment des obsèques. Certains, pourtant, ne l'avaient pas oublié.

Miralles, le garde du corps, ainsi qu'Eva, son assistante, escortaient le cercueil. Ils n'avaient aucun lien avec le macchabée, officiellement.

Dérouté, Méndez se demanda : Pourquoi ?

Pour le moins dix jurons destinés à y voir plus clair lui passèrent par la tête.

Mais il n'en proféra aucun.

22

Rien n'empêche un poulet dans le collimateur, avec une enquête au derrière, amateur de vins du terroir et soupçonné d'avoir ingéré à plusieurs reprises des calamars atteints d'hépatite C, de témoigner de l'intérêt à ses amis.

Rien n'empêchait Méndez de plonger un dernier regard dans l'appartement d'Andrade, flic à la retraite, le mieux informé sur les mineurs délinquants à Barcelone. Aux yeux de l'inspecteur, c'était comme un adieu au passé du défunt – à son propre passé, du même coup –, aussi alla-t-il trouver Comellas, naguère avocat d'Andrade pour un litige afférent au loyer de son appartement. Comellas avait été un jeune avocat de gauche, contestataire, donc avec de l'avenir. Il était devenu un vieil avocat conformiste et partisan de la paix entre les peuples, autant dire sans futur.

Comellas expliqua :

— Ma dernière intervention pour Andrade a été de lui contracter une assurance pour la transmission de son appartement. Au début, il était locataire mais, plus tard, il a acheté l'appartement. Pour finir, atteignant cette foutue vieillesse, il a mis son bien en viager. En d'autres termes, une banque ou une caisse verse une modeste pension tant qu'on reste en vie – avec la retraite, on n'a pas de quoi s'acheter des clopes – et, le jour où on clamse, elle récupère les murs. Le cercueil arrive donc en même temps que le banquier, quel luxe, n'est-ce pas ? Andrade m'avait donné un jeu de clés au cas où il lui serait arrivé quelque chose.

— Il n'avait pas une fille ?

— Elle est morte.

Méndez ferma légèrement les paupières.

Putain, encore la solitude.

Un intérieur millimétré, une fenêtre grise, un chat ramassé dans la rue et qui doit remplacer ta fille. Merde, songea Méndez.

— Prêtez-moi les clés une journée avant que la banque ne mure l'entrée. Je vous les rendrai.

Et Méndez qui visite l'appartement pour dire adieu au temps, Méndez qui a vu juste : les chambres millimétrées, les fenêtres grises et une chatte qui miaule et réclame une nuit de noces depuis des années.

Je vais devoir m'occuper d'elle, se dit-il. Il y a beaucoup de gens seuls, j'arriverai bien à lui dégotter un refuge.

Il voit les vieux meubles rongés par les ans, parsemés des empreintes digitales d'un vieillard qui ne croit plus au changement. Il voit les livres qui lui ont dicté ses dernières pensées, ce qui n'est même pas certain. Il voit la pile de chemises où Andrade a conservé en bon ordre tous les dossiers des mineurs pour lesquels il est intervenu au cours de sa carrière, à l'époque où l'on était mineur en vertu de la Sainte Trinité. Que de temps s'était écoulé, que de concepts avaient changé, que de mineurs étaient morts !

Bien. Le voici.

Le dossier d'Eva Expósito.

Méndez n'était pas sûr d'être venu pour cette unique raison, non plus pour autre chose. Les fiches évoquent la maison de correction, les rébellions, les fugues, de petits délits et des mandats d'arrêt, mais nulle part il n'est fait mention de sa vie sexuelle. Elle a peut-être pris la fuite avant de perdre sa virginité. Il avise également une note manuscrite d'Andrade, une note qui n'a pas de sens et qui dit : « Prévenir Miralles. »

Miralles ? Qu'est-ce que ça veut dire ?

Méndez laissa les documents comme il les avait trouvés – même s'il était certain qu'ils finiraient dans un conteneur – et son esprit s'embruma. Il ne comprenait rien, mais une chose était sûre, Eva Expósito vivait sous la protection de Miralles. Du moins façon de parler : il l'hébergeait dans son appartement exigu et la forçait à exercer une profession à haut risque où sa vie était mise en danger quotidiennement.

Il n'y avait rien d'autre dans ces papiers.

Après tout…

Méndez décida d'oublier cette affaire.

Mais il ne pouvait pas oublier Miralles, qui avait tué un des meurtriers de son fils – Omedes – et qui tuerait le second, le dénommé Leónidas Pérez. Même si tout laissait croire que ce Leónidas Pérez comptait l'éliminer d'abord.

Il résolut de suivre Miralles ou, plus exactement, de le suivre à nouveau.

D'abord, il appela la Loles au commissariat.

— Tu as du nouveau pour moi, Loles ?

— Rien, Méndez, mais j'ai lancé une collecte auprès des collègues. La moitié des fonds servira à payer un dîner d'adieu, l'autre moitié vos faire-part de décès.

— Tu es une mère pour moi, Loles.

— Je le deviendrais pour de bon si je cédais aux avances qu'on me fait çà et là.

— On aurait osé ? Mais, Loles, pour coucher avec toi, il faut au moins trois mois de préparation physique.

— Allez donc vous faire foutre, Méndez.

— Voyons, je suis inoffensif, je n'ai que deux mois d'entraînement.

— Allez vous faire foutre, j'ai dit. Et ne vous tuez pas au labeur.

L'inspecteur ne comptait toujours pas travailler.

Il savait Miralles en congé ce jour-là. Il se posta à l'affût, tel un félin, aux abords de son domicile (les bars de quartier conviennent idéalement à ces manœuvres de matou), pour l'épier et le suivre. Avant même d'avoir gagné son poste, sa longue pratique de limier aidant, il vit un autre individu qui surveillait aussi l'immeuble de Miralles.

Méndez le fixa du regard, immobile comme un serpent.

Il connaissait ce type, à nul autre pareil. Si Leónidas Pérez l'avait embauché comme remplaçant, il n'était pas franchement futé. Il aurait pu s'allouer les services d'un tueur plus discret, ou d'une femme. De nos jours, il est des tueuses aux allures d'humble ménagère, et parfois leur époux les dérouille sans savoir à qui ils ont affaire.

Mais ce gars-là, l'Óscar, ne passait pas inaperçu, tout du moins pour Méndez qui connaissait tous les détails de son casier. Óscar Ceballos avait d'abord exercé la fonction de « nègre ». Non pas celle consistant à être la plume d'un « écrivain » – voire d'une célébrité de la télé – mais celle qui se résume à corriger les filles séquestrées qui refusent de se prostituer. Dans le jargon du milieu, on désigne ainsi le type répugnant qui viole avec sadisme la femme indocile pour qu'elle soit plus coopérante et qu'elle n'oublie pas la leçon. Jamais les filles ne portent plainte, mais une fois Méndez avait serré un de ces « nègres ». Il l'avait solidement menotté puis, par mégarde – Méndez est distrait à ses heures –, il avait laissé entrer deux de ses victimes dans la cellule.

Óscar Ceballos semblait en forme; aucune femme, néanmoins, n'aurait envisagé de se donner à lui pour une nuit de folie. Il s'était empâté : il suffisait de voir son double menton et le bouton central de sa veste, prêt à exploser. Il offrait une certaine ressemblance avec ce « nègre » que Méndez avait livré, menotté, aux deux filles. À leur départ, le gars n'avait plus de veste et le bouton du milieu lui sortait par le trou du cul.

Il doit encore s'y trouver, pensa Méndez, partisan d'une justice populaire immédiate.

Il vit alors la fille, Eva Expósito, quitter l'immeuble. Eva Expósito, mauvaise graine du béton, avait les jambes solides, le corps souple et le cul éclatant de jeunesse, car le cul des femmes, songeait Méndez, est le dernier repli de la jeunesse allègre. Quand il s'affaisse, le visage est ridé et les espoirs se sont enfuis. Quels espoirs nourrissait Eva Expósito, délaissée par sa mère, poursuivie par Andrade, le flic des mineurs, léchée par les surveillantes, sous l'unique protection de Miralles, un homme dont les seuls biens se résumaient à une tombe et un flingue ?

Ceballos suivit la gamine.

Et Méndez suivit Ceballos.

Le gros la dévorait des yeux. Il rêvait sûrement de jouer le « nègre » à nouveau. Et Méndez rêvait de le voir menotté en prison, livré à deux furies, dont la Loles. Le bouton de sa veste ne ressortirait pas et resterait bien enfoncé.

Autrement dit, Méndez n'était pas foncièrement indulgent quant à certains délits.

Mais il garda son sang-froid. En descendant le Paralelo, derrière les deux autres, il vint à songer à l'avenir d'Eva Expósito après la mort de Miralles. Selon lui, Miralles allait forcément y passer.

Que deviendrait Eva, dont le casier remontait jusqu'à sa première communion ? Où serait-elle embauchée, malgré son jeune âge, alors que le travail ne courait pas les rues ? Où chercher, justement, compte tenu de son inexpérience ?

Méndez avait toujours foi dans les rues et ses femmes. Il en avait trop vu qui avaient eu un jour de la gaieté dans le regard puis les yeux morts quarante années durant.

En fait, songea-t-il, Miralles et la fille se protègent mutuellement. Chacun regarde où l'autre met les pieds, si bien qu'ils sont difficiles à éliminer. Ils commettent trop d'erreurs, néanmoins. Par exemple, le soir où le tueur à gages s'est introduit dans l'appartement alors qu'elle y était seule, endormie qui plus est. Maintenant, par exemple. Elle va sans doute faire ses courses, insouciante, sans repérer le type qui la file…

Le type, Óscar Ceballos, s'approcha d'elle dangereusement. Il vit qu'elle allait s'engager dans un supermarché. Méndez savait que cet établissement avait deux issues. Le gros entra dans le sillage d'Eva.

Et Méndez devina la suite.

Une allée flanquée de hauts rayons où il n'y a personne. Une allée flanquée de hauts rayons où personne ne te voit. Et un coup de couteau précis, un seul. La fille qui s'écroule sans un cri, sur un tas d'articles soldés avec un peu de malchance.

De ce fait, Miralles serait complètement abattu. Et tout seul, de surcroît. R.I.P.

Méndez entra et prit un panier. On aura tout vu. Te voilà en train de faire les courses, toi qui ne t'es jamais fait cuire un œuf : dans les gargotes où tu manges, c'est les œufs du patron qu'on te sert en friture. Tu fais les courses, toi qui ne connais que le prix du tabac à rouler et du café de Guinée.

Méndez se déplaçait discrètement cependant. Il avait de nouveau son regard de serpent.

Alors il vit la scène.

Voilà.

L'allée déserte, la fille occultée par des tas d'aliments de régime. « Minceur assurée avec nos promotions du mois. » La fille levant le bras gauche pour saisir un article, offrant son aisselle au coup de lame mortel. Et pire encore son cœur, garantissant une mort instantanée. Óscar a choisi un produit lui aussi pour gagner la sortie tranquillement, passer en caisse et s'en aller. À moins qu'il ne le repose pour filer illico par la sortie « sans achats ». Méndez aperçoit la lame froide qui brille en l'air. Il observe le dernier scintillement de la mort. Il a même l'impression de lire dans les pensées de Ceballos :

MAINTENANT !

23

Maintenant! songea aussi l'inspecteur.

Quand les serpents vieillissent, leur instinct s'aiguise, leur langue devient savante et effilée. Le Méndez des quartiers avait vu mourir nombre d'habitants des quartiers, et le Méndez des restaurants modestes avait vu moult convives rédiger leur testament après l'addition. Le Méndez des prisons avait connu un type, surnommé Cuvée-spéciale, dans la main duquel un litron devenait une arme fatale.

Méndez avait donc empoigné une bouteille de vin en entrant.

La bouteille, un chablis hors de prix, accomplit différents prodiges. D'abord, elle évolua en un clin d'œil à la façon d'un satellite. Ensuite, elle s'abattit sur le coude droit de l'Óscar, lequel serrait déjà sa lame. Puis elle se brisa contre une gondole. Enfin, elle prit l'aspect d'une massue hérissée de piquants imbibés d'alcool de marque. Pas de chance, pensa Méndez, c'était un cru exceptionnel.

Et les prodiges s'enchaînèrent. Cuvée-spéciale avait été, pour ainsi dire, le maître de Méndez. Les tessons atteignirent aussitôt le bas-ventre de l'Óscar, entièrement pris au dépourvu.

Droite-gauche-gauche, droite-gauche.

Comme si une foreuse avait cherché du pétrole dans les parties intimes de l'Óscar. Droite-gauche... Voilà! Le sang éclaboussa des pâtisseries pour enfants. Le cri abominable de l'Óscar fit trembler le supermarché.

Méndez avait fait son apprentissage au coin des rues et non dans les écoles. Et autrefois, au coin des rues, soit on retenait la leçon, soit on restait sur le carreau.

Dès lors, Méndez respecta scrupuleusement la loi.

Il n'était qu'un enfant des bas quartiers.

D'abord, le plus urgent : d'un geste, il rassura Eva, blanche comme un linge. Puis il lança : « Que personne ne touche au couteau. »

Après qu'il eut brandi sa plaque, il pressa le vigile d'appeler une ambulance. Enfin, il posa les restes de la bouteille de chablis, teintés de sang, près du couteau d'Óscar, qui présentait plus d'empreintes digitales que la monnaie en caisse.

Quand l'ambulance arriva, Óscar gigotait comme un diable en se tenant les parties, rongé d'angoisse. Dommage qu'il n'y ait pas de chômage dans ta branche, pensa Méndez, tu aurais pu prétendre à une allocation dès aujourd'hui. Dommage aussi qu'on ne puisse pas t'embaucher pour te trémousser en moule-bite dans les enterrements de vie de jeune fille.

— Pas un geste, Méndez !

Un Star, réglementaire pour le coup, était braqué sur lui. L'agent qui venait d'arriver ne le connaissait pas personnellement, mais savait qui il était. Il pointait un regard méfiant sur l'insigne de Méndez, qui saillait ostensiblement de la poche supérieure de sa veste.

— Tu vas m'accompagner. Tu as tué un homme.

— Pas de panique, il va s'en tirer.

— Il m'a sauvé la vie, geignit Eva, et c'est la deuxième fois.

— Heu… en vérité, la première fois, je ne t'ai pas sauvé la vie, dit Méndez. Le gars te préférait en vie.

Le flic armé du Star prit Eva par le cou.

— T'es qui, toi, putain ?

Telle est la règle d'or de la police ; tout inconnu est un suspect, donc on l'alpague.

Méndez écarta doucement sa main, renouant avec ses manières de matou.

— Cette jeune femme allait être agressée, murmura-t-il, et je lui ai sauvé la vie. À présent, si ça ne te fait rien, elle devient un témoin sous protection.

— Ah ouais ? Et qui est-ce qui va la protéger ?

— La garde de Franco.

Il emmena Eva Expósito. Elle restait blême, mais ses jambes retrouvaient leur vigueur. Ils furent conduits directement à la préfecture de police dans une autre voiture de flics arrivée peu après. Là ils eurent droit aux interrogatoires. La fille, d'abord :

— Ce type allait vraiment te poignarder ?

— Oui, vous trouverez ses empreintes sur le manche du couteau.

— On l'examinera plus tard. Tu le connaissais ?

— Non.

— Alors pourquoi voulait-il te planter ?

— Je ne sais pas.

— T'appartiens à un groupe qui passe de la came ? C'est une question, pas une accusation. T'as été victime de la traite des Blanches ? C'est une question, pas une accusation. T'as faussé compagnie à un réseau qui t'exploitait ? T'avais reçu des menaces ? Est-ce qu'un autre enfoiré t'a agressée auparavant ?

— Mon nom est cité dans une affaire. J'ai été attaquée récemment.

— On vérifiera. Allez, s'il te plaît, tu vas accompagner l'agent.

Elle sortit. Et ce fut au tour de Méndez.

On apporta aussi divers documents. Puis apparut une fonctionnaire avec une petite tresse. Ainsi que le policier en rogne qui avait découvert Méndez après son numéro façon Cuvée-spéciale.

— À vos ordres, commissaire. Vérole, quelle matinée !

Le commissaire examina les documents. Puis Méndez.

— Vous n'êtes pas le bienvenu ici, Méndez.

— Mince alors. On m'avait pourtant promis la médaille d'or de la Cité.

— Vous avez du bol, le mec va s'en tirer. J'ai le rapport du toubib sous les yeux. Le pubis est tout charcuté et son pénis pourrait intéresser le musée de la Science. Vous avez appelé les secours à temps, heureusement. Un témoin oculaire, une femme qui se trouvait au bout de l'allée, affirme aussi que vous avez sauvé la fille, confortant ainsi sa déposition. Voyons voir... Eva Expósito. À la brigade des mineurs, elle possède un casier plus long que le testament d'Onassis. Ah, voici la fiche du type, aussi fournie en détails que celle de Jack l'Éventreur, mais il n'était plus sous surveillance.

— Ben voyons... Un citoyen au-dessus de tout soupçon.

— Putain, Méndez, on ne va pas coller un agent derrière tous les mecs à la mine patibulaire. C'est vous qu'il faudrait filocher en priorité. Voyons voir... Notre homme, cet Óscar Ceballos, a d'abord donné dans la traite des mineures. Il travaillait dans un bar à hôtesses. Il a été proxo. Il a envoyé deux femmes à l'hôpital, mais elles n'ont pas voulu porter plainte. Il y en a quand même une qui l'a accusé de viol, mais on a décidé de surseoir aux poursuites. Tu parles d'un bonhomme. Il ne lui manque plus que la bite de travers.

— C'est chose faite, reprit Méndez.

— Pourquoi voulait-il tuer la fille, à votre avis ?

— Eh bien, voilà...

Méndez lui fit un rapport détaillé comme l'exigeait son devoir. La première agression à l'encontre d'Eva, fortuite en vérité car le type recherchait Miralles. Pourquoi est-ce qu'il le recherchait ? Eh bien, celui-ci était soupçonné d'avoir liquidé Omedes, un des tueurs de son fils au cours d'un hold-up... À cet égard, il y avait une instruction en cours où Méndez essuyait plus de reproches que le pape Borgia.

— J'ai le document sous les yeux, fit le commissaire. Mais si Omedes est mort, qui veut buter Miralles ? Et pourquoi n'a-t-on pas arrêté Miralles ?

— Monterde, le commissaire chargé de l'enquête, veut l'utiliser comme appât pour choper l'autre homme. Il y a deux responsables du meurtre de l'enfant, et le second, celui qui est toujours en vie, l'est davantage que le premier. Il craint que

Miralles ne se venge maintenant qu'il est revenu à Barcelone, c'est pourquoi il veut l'éliminer. Il a déjà envoyé deux pros, mais le premier est tombé sous le charme de la fille. En revanche, le second, le mec d'aujourd'hui, il voulait la planter pour que Miralles se retrouve seul. Miralles est garde du corps, autrement dit il est futé. Néanmoins, par définition, il ne protège pas ses arrières mais celles des autres. Or la fille le couvre. Elle est son assistante.

— Et c'est tout ?

— Oui, je pense. Lui, c'est un obsessionnel, et les femmes le laissent froid, d'après moi. Elle, c'est une fille aigrie, les hommes la laissent froide à mon avis.

— Vous savez déjà qui cherche à tuer Miralles, j'imagine, Méndez. Épargnez-moi la lecture de ces fiches.

— Oui. Il s'appelle Leónidas Pérez, un ancien taulard. Ses papiers sont en règle, la justice n'a rien à lui reprocher. Logiquement, il devrait être sous surveillance, mais il a disparu.

— Vous avez tout fouillé ? Les hôtels, les pensions, les planques, les tripots ?

— Il a été repéré dans des hôtels de luxe, mais on a perdu sa trace.

— Il est peut-être à l'étranger.

— Ça m'étonnerait, j'ai ouï dire qu'il avait des affaires à Barcelone et peut-être à Madrid, mais ce n'est pas sûr. Ce Leónidas Pérez est un véritable entrepreneur, enfin, le genre de bonhomme qui sait faire de l'argent, bref une gloire nationale, en somme la fierté du pays. S'il a pu faire du business en prison, dehors il en fait aussi à coup sûr, mais à plus grande échelle. S'il estime qu'il n'a pas intérêt à quitter la ville, il va forcément y rester.

— D'accord, mais où est-il, bordel ?

— Au départ, n'ayant rien à se reprocher, il est descendu dans des hôtels de luxe pour s'offrir de bons plats de luxe et des minettes de luxe. Mais, ses méfaits accomplis, il ne pouvait plus se loger à l'hôtel ni dans aucune pension, si bien qu'il a dû se trouver une cachette, moins sûre évidemment puisque la fille pourrait parler.

— Quelle fille ?

— Ne vous fiez pas à mon flair de policier, répondit Méndez, mais à mon flair de clebs. Il est sûrement avec une de ces *call-girls* indépendantes. Laissez-moi un peu de temps et je vais ratisser les petites annonces de charme de la ville, et il y en a partout à l'exception du Bulletin officiel de la province, qui, lui, ne nécessite aucune publicité. Quoique... si un jour il en avait besoin... Mon petit doigt me dit que cette inconnue ne racolera plus dans la presse tant qu'il restera auprès d'elle. Donc laissez-moi fouiner dans les annonces périmées et les numéros de téléphone qui ont disparu. C'est une tâche colossale, commissaire, mais je suis désœuvré, heureusement.

— Nom de Dieu, Méndez, cette occupation à temps plein risque fort de vous émoustiller.

— En ce cas, j'aurai droit aux félicitations du maire, rétorqua Méndez.

— J'espère qu'il l'annoncera en séance plénière... Nous pouvons vous aider dans vos investigations, proposa gentiment le commissaire, l'informatique accomplit des miracles. Prenez l'ordinateur des Impôts : en 1922, vous avez gagné une pésette, eh bien, il est capable de nous restituer cette information.

— Je vous en sais gré, très cher supérieur, car dès que je tripote un ordinateur, il tombe en panne... Laissez-moi tripatouiller cet engin des Impôts et il va recracher tous les comptes publics. On ne verra que l'argent noir et la moitié des entreprises nationales feront faillite, tout comme un certain nombre de communautés autonomes.

— Dieu nous garde d'un tel désastre national, Méndez, préservons plutôt la probité parlementaire. Quoi qu'il en soit, je ferai tout mon possible pour vous aider.

— Alors vous n'avez qu'à répondre à mes questions, très cher supérieur.

— Lesquelles ?

— Va-t-on me remettre en examen ?

— Le dossier qui sera transmis à la hiérarchie et au juge semblerait attester que vous avez sauvé la vie d'une femme, donc vous êtes à l'abri. Une enquête au derrière, cela ne vous suffit pas ?

— Détrompez-vous. Je n'ai plus peur. Le simple fait de mentionner la hiérarchie m'a rassuré.

— Une autre question ?

— La fille, qu'est-ce qu'elle devient ?

— Rien, normalement, mais elle jouira d'une protection en qualité de témoin.

— On verra qui protège qui. Et Óscar Ceballos, l'homme au couteau ?

— Nous lui demanderons qui l'a payé, mais il ne lâchera pas le morceau. Il est protégé par la Constitution. On le plantera devant un juge, mais il ne passera toujours pas à table. Son avocat prétendra qu'il s'agissait d'une simple rixe entre Eva et lui, et qu'il a perdu les pédales. Ce n'est pas un délit de faire ses courses avec un poignard. On ne va pas installer des portiques de sécurité à côté de la bouffe diététique. Et il sera prouvé qu'il n'a pas été l'agresseur mais la victime : le malheureux ne peut même plus donner son sperme. Bref, il va être hospitalisé avec ou sans condamnation, et il s'échappera, point final. Le seul résultat positif, c'est qu'il ne sévira plus en Espagne en qualité de professionnel.

— Dernière question : puis-je m'en aller ?

— Oui, mais dites-moi où.

— Primo, je vais aller trouver une fonctionnaire de police prénommée Loles pour qu'elle me déniche des infos sur les petites annonces érotiques à l'aide d'un ordinateur, ce qu'elle fera si on ne l'a pas embauchée pour un défilé de mode XXL ou un boulot d'hôtesse dans des aéroplanes à couloirs extra-larges. Deuxio, je vais moi-même éplucher la presse, même si je risque de me gourer en lisant la rubrique des obsèques. Tertio, je lancerai une attaque par le flanc. J'aimerais m'entretenir avec une demoiselle, naguère dans le métier, et qui connaît peut-être encore toutes les filles de la ville, outre qu'elle a été en relation avec Miralles. Laissez-moi un peu de temps, nul ne résistera à mon bagout, commissaire : Leónidas tombera et ladite demoiselle entrera à l'Opus Dei.

24

— Amores, Amores, j'ai besoin d'aide. Étonnant, pas vrai ? lança Méndez, puisque tu es le roi de la poisse, le responsable de tous nos malheurs nationaux, des grèves générales de 1917 à aujourd'hui. Je sais bien, ça va merder quand tu t'en mêleras, seulement voilà, en Espagne tu es l'expert numéro un en matière de putains, d'hôtels de passe, d'annonces de charme et d'érections simultanées. Aide-moi, s'il te plaît.

— C'est trop d'honneur, m'sieur Méndez, mais je serai franc avec vous : les hôtels de passe, je n'y comprends plus rien, je suis tricard partout. Les putes, ce n'est plus trop mon rayon, j'ai été placé sous contrôle matrimonial. Et je ne lis plus les annonces de charme depuis qu'une amie traductrice y a vu son nom sous la désignation d'experte en langues. Enfin, la dernière érection simultanée à laquelle j'ai assisté, c'est quand Franco est mort. Mais je ne veux pas trahir votre confiance, m'sieur Méndez, et je ferai tout ce que vous voudrez en attendant qu'on me propose un boulot fixe, ne serait-ce qu'une rubrique « orgasme » dans une émission érotique à la télé.

— En fait, Amores, j'ai déjà une collègue du commissariat sur le coup : sur son ordinateur, elle recherche les annonces de charme qui ont cessé de paraître ces derniers jours : il y a sûrement une fille qui planque un fugitif et qui ne racole plus dans la presse… Mais, d'ici dix minutes, ma collègue va m'envoyer paître. Je me renseigne de mon côté, et ce serait épatant si tu me filais un coup de main.

— Comptez sur moi, m'sieur Méndez, mais je préfère vous prévenir : mes vieilles copines qui publiaient des petites annonces ont passé l'arme à gauche.

— Courage, Amores : tu n'enquêteras pas dans ce milieu, mais du côté des putes de luxe.

— Génial, dit Amores. Je n'ai rien touché depuis deux mois, ça pourrait me ragaillardir.

Puis il raccrocha.

Et Méndez reposa lentement le combiné. Il ne savait où la trouver, mais là, au fond des choses, une piste apparaîtrait peut-être.

Il en existait d'autres, celle de Ruth notamment, l'ancienne maquerelle, mais Ruth était à l'agonie. En revanche, Mabel, celle qui prenait soin d'elle, était vivante et bien vivante. Toujours résolu à ne pas travailler, Méndez s'efforça de la retrouver. Il finit par la dénicher.

Oui, ma poupée, il se pourrait que tu aies l'air d'avoir tiré des coups sur un plumard à baldaquin, comme les femmes d'autrefois. Tu en connais, des subtilités. S'il existait un guide de la baise distinguée, comme on en trouve sur les hôtels, les croisières de luxe et la cuisine tendance, tu en aurais publié un, sans l'ombre d'un doute. Enfin, le temps s'est sans doute insinué peu à peu dans tes paupières et ta peau, en attendant d'éclore ailleurs, mais tu as toujours de la classe. Il est des femmes qui, à l'aide d'un massage, veulent abolir les ans. Toi, il te suffit d'un regard.

Toi, tu t'appelles Mabel ou, plus exactement, María Isabel Lizcano Riera comme il est spécifié dans les documents officiels où j'ai fourré mon nez avant de partir à ta recherche. Mais ne marche pas si vite, mes jambes ne sont plus aptes à de telles filatures et, à ce rythme-là, je vais devoir me poser sur un banc et t'interroger sur mon téléphone mobile.

Observateur avisé de la culture nationale, Méndez s'aperçut que Mabel avait encore le mollet ferme et joliment galbé et qu'en outre elle savait évoluer sur des chaussures à talons hauts, un art ancien et propre aux classes conservatrices.

Elle avait sûrement la cuisse solennelle, pensa Méndez, bien qu'il n'eût pas contemplé de cuisse authentique depuis fort longtemps, la télé ne montrant que des jambes de labora-toire.

Et il se décida. Désolé, Mabel, mais on doit faire un brin de causette tous les deux, là, tout de suite, nom de nom, autre-ment, à ce train-là, encore deux pâtés de maisons et j'appelle les secours. Allez, petite, je t'en prie, avant que les feux passent au rouge, laisse la griffe de la loi t'effleurer, tourne-toi.

— Mille excuses, mademoiselle, mais c'est pour votre bien. Encore dix pas et vous deviez me pratiquer le bouche-à-bouche. Je suis de la police, ou je l'ai été, et mon nom est Méndez.

Le café était fonctionnel, comme tous ceux que l'on ouvre aujourd'hui dans les quartiers de gens pressés : espace réduit, tables à touche-touche, un comptoir flanqué de tabourets où poser sept culs, une rangée de bouteilles espagnoles, deux ver-mouths italiens, une serveuse colombienne. Au fond, les portes des toilettes, chacune avec sa plaque : l'une à l'effigie de madame Pompadour et l'autre à celle de lord Byron.

C'était un lieu malsain pour Méndez, accoutumé aux bis-trots perdus dans le temps, où personne n'avait jamais consulté sa montre et où certains clients, avant leur dernier souffle, cau-saient encore de la révolution d'Octobre.

— Votre présence, Mabel, est bien le seul attrait de cet éta-blissement. Mais partez, si vous le désirez. Je n'ai pas le droit de vous retenir.

— Je sais, mais j'ai déjà été tellement patiente avec la police, alors un peu plus, un peu moins… Enfin, n'exagérez pas tout de même.

— Loin de moi cette idée, surtout avec une femme comme vous ; je ne veux qu'échanger une ou deux impressions. Qu'allez-vous boire ?

— À cette heure, un café serré.

— Moi un *orujo* à l'ancienne, à condition qu'ils en aient. Regardez ça, je vous prie.

La première photo, jaunie et typiquement policière, est une pièce de casier judiciaire. Un type décoiffé, de face et de profil. Un fond blanc qui sent encore le détergent, semblerait-il. Un faciès de salopard où l'on perçoit quand même un peu d'intelligence, de la ruse et même une certaine élégance.

Mabel l'examine du coin de l'œil.

— Qui est-ce ?

— Leónidas Pérez, un braqueur de banque qui a été condamné ; il a purgé sa peine en jouissant de nombreux bénéfices pénitentiaires et a été remis en liberté. Il ne peut pas être jugé deux fois pour le même délit et tout ce que vous direz ne pourra lui porter préjudice. Est-ce que vous avez déjà croisé cet homme ?

— Et pourquoi je l'aurais croisé ?

— Sans vouloir vous offenser, vous avez eu l'occasion de croiser un tas de gens.

— Tout ça est terminé. Et si vous comptez m'insulter, vous pouvez vous lever tout de suite, après avoir payé la note, évidemment.

— Je n'insulterais jamais une femme comme vous, Mabel. Tout bien considéré, vous avez fait partie de la souffrance du peuple, et plus tard de son quotidien. Je veux dire simplement que vous avez connu pas mal de monde. Maintenant, regardez cette seconde photo, s'il vous plaît.

Un autre visage de face et de profil. Encore un fond blanc et, tout en haut, comme un numéro de loterie. Autre faciès de salopard où ne transparaît aucune trace de culture ni aucun soupçon d'élégance, il va de soi.

— Et lui, qui est-ce ?

— Il s'appelle ou plutôt il s'appelait Sebastián Omedes. Avec Leónidas il a braqué une banque. Un vigile et un enfant sont morts au cours de ce hold-up. Il n'a pas été arrêté, ni condamné bien sûr, mais il avait un casier gros comme ce pâté de maisons. Il a été millionnaire pendant des années, ayant pu s'enfuir avec le butin, et pour finir, on l'a assassiné. L'affaire n'est toujours pas résolue. Si vous affectionnez la délicatesse, je peux vous montrer sa photo prise à la morgue.

— Inutile.

Le regard de Mabel exprimait du dégoût et un certain trouble.

Méndez murmura :

— Quand vous étiez jeune, vous fréquentiez l'établissement de madame Ruth, n'est-ce pas ?

— Oui.

— Je ne vous interrogerai plus là-dessus.

— Ça vaut mieux.

— Si je me suis tourné vers vous, Mabel, c'est parce que je suis rongé par l'incertitude. À la différence de mes collègues, eux pleins d'assurance. Et plus encore des politiciens.

— C'est vrai, dit-elle avant une gorgée de café. Ils croient toujours détenir la vérité.

— Bien sûr : ce sont eux qui nourrissent le plus de certitudes. Quand le peuple les perd, ils savent leur en fourguer. Il en est même qui sont persuadés de savoir en quoi consistent la liberté et la justice. Il n'est pas étonnant qu'ils le sachent, ils n'ont que ces mots-là à la bouche. Mais, voyez-vous, il en est d'autres encore plus dangereux, ceux qui croient savoir ce qu'est la patrie.

— Je suis entièrement d'accord, Méndez, mais dites-moi en quoi je peux vous être utile avant que ce café ne m'empoisonne pour de bon. J'en ai rarement bu d'aussi dégueulasse.

— Soit. Regardez cette photo, prise par un amateur mais digne d'un professionnel au regard de sa qualité. L'amateur l'a vendue à un journal, et le préposé aux archives de ce journal, un dénommé Amores, m'en a fourni une copie. Elle a été prise à la station Paseo de Gràcia, un jour où une personne au moins a bien failli mourir. On vous voit, là. Vous aidez un homme qui cherche à s'extraire de la voie après avoir sorti un gamin de la fosse.

Les yeux gris de Mabel devinrent encore plus gris en se posant sur la photo. Elle en ignorait l'existence. Ses lèvres, sèches à l'accoutumée, s'arrondirent, exprimant non pas de l'étonnement, mais comme une ébauche de bonheur.

Elle garda le silence.

Moi, Mabel, je ne te répondrai pas, Méndez, vieux flic, tu ne comprendrais pas, tu n'as pas d'enfants. Je n'en ai pas non plus, donc je ne me comprends pas moi-même. Mais les années m'ont appris une chose : elles m'ont appris à ne pas penser avec mon cœur jamais fiable, non plus avec la tête puisqu'il y a toujours des têtes plus malignes que la mienne. J'ai appris à penser avec mon ventre, le ventre ne ment pas, et puis il m'appartient.

Méndez vida son verre, et elle sa tasse.

Il gardait les yeux rivés sur elle.

Et Mabel poursuivit ses réflexions, mais à haute voix.

— Vous, Méndez, je ne sais pas comment vous ressentez les choses, et peu importe, vous ne pourrez pas comprendre. C'est absurde, vous ne comprendrez jamais comment j'ai pu sentir qu'un enfant de trois ans était à moi alors que je ne l'avais jamais vu, comme s'il n'avait pas existé. Pourtant je l'ai vu dans le visage d'un homme, c'est à n'y rien comprendre, n'est-ce pas ? Le visage de cet homme reflétait la mort quand il a sauvé un gamin qui allait être écrasé par le métro. Oui, derrière ses traits on devinait l'autre enfant qui n'était plus. Vous ne pouvez pas imaginer ce que j'ai éprouvé quand, plus tard, j'ai vu cet homme pleurer. Les hommes n'avaient jamais pleuré devant moi, d'habitude ils éjaculaient. Et, toujours aussi étonnant, j'ai voulu que cet homme reprenne goût à la vie, or c'était inutile : pour lui, la vie reposait dans une niche. Vous vous dites sans doute que je voulais l'égayer à ma façon puisque les femmes comme moi pensent avec le ventre, même si ça n'allait rien changer. Eh bien non, je me suis contentée de le regarder et de lui serrer la main, et cela a produit son effet. David Miralles a découvert qu'on voulait lui tenir compagnie.

Méndez commanda un second marc à la serveuse colombienne, malgré la saveur exécrable du premier. Il s'agissait bien d'un *orujo* à l'ancienne, mais distillé à Bogotá.

— Et vous voyez toujours David Miralles ? demanda-t-il.

— Oui.

— Vous êtes devenus amants ?

— La question est déplacée, mais je vous répondrai non.

— Puis-je vous demander si vous l'aimez ? Je vous dis ça parce que c'est une question à laquelle on n'échappe pas, même à la télé.

— Je vous répondrai oui.

— Cet aveu vous soulage, on dirait.

— Cet aveu me réconcilie avec la vie. C'est d'ailleurs étonnant car je n'ai jamais eu ce genre de sentiment.

— Si vous l'aimez, vous savez sans doute qu'il vit avec une autre femme, laquelle est jeune et ravissante.

— Vous ne faites pas dans la délicatesse, Méndez.

— Pas vraiment.

— Je sais qu'il vit avec elle, il me l'a expliqué. N'importe comment, j'aurais fini par l'apprendre : les femmes finissent par tout savoir. Cette fille, Eva Expósito, il l'a recueillie quand elle était au fond du trou. Enfin... pas exactement. Le fond du trou, moi je l'ai sans doute connu, mais elle, elle était descendue plus bas. Quand Miralles l'a vue la première fois, elle était exploitée par des salopards. Elle chantait, assez bien d'ailleurs, en jouant les infirmes sur une chaise roulante.

— Ouais.

— Elle lui a alors été recommandée par un vieux policier qui s'occupait depuis toujours des mineurs en difficulté.

— Andrade ?

Elle lui jeta un regard étonné.

— Vous le connaissez ?

— Un peu.

— Eh bien, Andrade lui a parlé d'elle. David Miralles éprouve de la compassion pour tous les jeunes, si bien qu'il a décidé de protéger Eva d'une certaine façon. Il ne savait trop comment ni si elle voudrait de son aide. Ce n'était pas gagné. Mais il est tombé sur elle alors qu'un gars de sa bande s'apprêtait à la violer. Ses anciens compagnons en avaient assez d'elle car elle était du genre rebelle, ils couraient trop de risques avec elle.

— Je sais, murmura Méndez. Il y a tellement de fiches à son nom qu'on pourrait encercler tous nos tribunaux si on les mettait bout à bout. Et si elle agissait ainsi alors qu'elle dépendait encore de la brigade des mineurs, on peut imaginer qu'elle a continué en traînant avec ces ordures.

— Donc Miralles les a trouvés, et alors tous ses doutes à l'égard d'Eva se sont dissipés. Les événements se sont précipités quand il a eu recours à l'« action directe », comme disaient les vieux révolutionnaires de mon quartier.

Méndez prit un air de sacristain.

— Je ne vois pas de quoi il s'agit, dit-il.

— Vous pensez que tout ça est le fruit du hasard, eh bien non. Il y a mille façons d'accéder au cimetière de Montjuich qui entoure la montagne. Donc ces types ont entraîné Eva dans ce cadre qui a dû leur sembler magnifique à la tombée du jour. Ce n'est pas un hasard si la tombe du petit Miralles est là-bas.

— Vous parliez d'action directe…, dit Méndez en gardant son air de sacristain.

— Absolument. Mais il a compris également qu'il devait offrir un domicile fixe à Eva Expósito. Alors il l'a emmenée avec lui.

— Miralles vous a tout raconté, semble-t-il.

— En effet, pourquoi pas ?

— Parce qu'Eva pourrait bien devenir votre rivale.

— La délicatesse n'est toujours pas votre attrait principal, Méndez.

— Je n'ai jamais appris ça, dans la rue, j'en ai peur. Je me suis permis cette remarque parce que vous m'avez dit être amoureuse de Miralles sans avoir couché avec lui.

— L'amour ne se passe pas toujours au lit, Méndez.

— C'est vrai : souvent ça reste en l'air.

— Et les lits, j'en ai soupé.

— Je comprends.

— Je ne suis pas jalouse de cette fille, même si elle vit avec lui. D'abord, je dirais qu'elle le respecte mais qu'elle ne l'aime pas, et si elle ne l'aime pas, elle n'ira pas au lit avec lui. Eva Expósito est une rebelle. David Miralles n'abusera jamais de la situation, c'est un gentleman.

— Les gentlemen ne rendent jamais les femmes heureuses. Ils finissent par les ennuyer, fit Méndez, prouvant encore qu'il était homme de peu de foi.

Mabel eut une moue d'enfant dubitative, rajeunissant du même coup.

— Je ne crois pas qu'Eva s'ennuie, dit-elle. Elle a une profession à risque, elle est toujours sur le qui-vive. Je ne pense pas non plus qu'elle soit heureuse.

— Pourquoi ?

— D'après ce que j'ai appris sur Miralles, il est très dur, impitoyable. Le meurtre de son fils l'a profondément marqué. Il estime qu'il n'a pas le droit à l'erreur, même chose pour Eva, son assistante. Donc le travail à ses côtés doit être extrêmement pénible. Vous avez dû connaître des policiers enragés qui ne pensent pas à la loi, mais seulement à leur pistolet.

— Oui, quelques-uns. Nul n'est à l'abri d'une telle maladie. Il faut dire qu'au cinéma les flics enragés finissent par l'emporter en général.

La femme qui s'était allongée sa vie durant – sous des enragés, probablement – haussa un sourcil.

Elle gardait son air juvénile. Elle expliqua tout bas :

— Je veux dire que David Miralles n'est vraiment pas la personne idéale pour manier un revolver ou un pistolet : dans une situation périlleuse, il cherchera à tuer. Ce n'est pas non plus le type idéal pour donner du bonheur à la femme partageant sa vie. Eva Expósito se sent enfin protégée, mais elle n'est pas heureuse avec lui. À présent, Méndez, allons droit au but.

— N'étions-nous pas en train de le faire ?

— Mon cul. Pardonnez-moi cette expression de ma jeunesse, mais je n'en peux plus. Vous n'avez que faire de moi, et mon bonheur vous est bien égal, en admettant qu'un jour ça m'arrive. Eva aussi, vous vous en fichez. Vous attendez seulement que je vous parle de Miralles.

— À dire vrai, je comptais vous entretenir des tableaux exposés au musée du Prado, dit Méndez en avalant les dernières gouttes de tord-boyaux, mais si vous préférez que l'on discute de Miralles, je n'y vois pas d'inconvénient...

— David Miralles n'est pas idiot.

— Bien sûr que non.

— Il faudrait qu'il soit sacrément nigaud pour ne pas voir qu'on le soupçonne et qu'on surveille son domicile. Vous pensez qu'il a tué Omedes par vengeance, d'accord, c'est légitime. Mais lui sait qu'on ne l'a pas arrêté par manque de preuves.

— Ni vous ni Miralles, mademoiselle, ne savez de quelles preuves on dispose, lança Méndez sur le ton du méchant flic.

— Vous croyez ? Écoutez, Méndez, je vous ai dit que Miralles est un malin. Il travaille comme garde du corps pour des gens haut placés et il a pu joindre un avocat sans problème, lequel est allé trouver de gros pontes de la police. Cet avocat a eu accès à certains détails du dossier. Il a eu le rapport de balistique entre les mains. Et ce rapport conclut qu'Omedes n'a pas été tué par une arme ayant appartenu à Miralles.

Méndez haussa lui aussi un sourcil et joignit les mains comme s'il allait prier.

— Comme j'envie ces illustres avocats, mademoiselle Mabel. Moi, voyez-vous, je n'ai pas de contact dans les hautes sphères de la police.

— Non, sûrement pas.

— Je ne suis qu'un chat de gouttière, admit Méndez, il n'est pas inutile de me le rappeler de temps en temps.

— C'est pour ça qu'on n'a pas arrêté Miralles.

— Et vous, Mabel, vous êtes contente.

— Évidemment.

— À l'âge qui est le mien, je découvre avec étonnement que l'amour est le plus merveilleux des sentiments.

— Arrêtez vos foutaises. Moi, je ne sais pas ce qu'est l'amour mais, depuis l'âge de quinze ans, je sais à quoi ça ne ressemble pas.

— Je vous admire, Mabel. Un autre petit café ?

— Pas question. Je n'aimerais pas mourir en état d'innocence.

— Dans ce cas, moi qui suis constamment en état d'innocence, j'ai une question à vous poser, vous n'êtes pas obligée de me répondre.

— Si ce n'est pas trop long, allez-y.

— Miralles vous a-t-il dit un jour qu'il avait liquidé Omedes ?

Mabel eut un soudain éclat de rire, plutôt allègre. Le premier depuis sa plus tendre jeunesse ?

— Vous me prenez pour une débile ? J'ignore si au bon vieux temps on répondait à ces questions, mais plus aujourd'hui en tout cas. Aujourd'hui on vous envoie vous faire foutre illico. Mais comme je suis sans doute un peu débile – toute ma vie je me suis trompée –, je vais quand même vous répondre : je le lui ai demandé un jour, on parle beaucoup tous les deux, et il m'a dit que non. Je suis sûre qu'il ne mentait pas, même s'il a précisé la chose suivante : il savait qu'Omedes était à Barcelone, et il l'a cherché pour le tuer. Mais chercher quelqu'un pour la lui mettre bien profond, ce n'est pas comme la lui mettre pour de bon. J'ignore si mon langage est de bon ton et s'il est clair, mais j'aime bien m'exprimer ainsi.

— Je vois, Mabel.

— Eh bien, voilà.

Il fit un geste pour s'excuser.

— Bien sûr, j'arrête de vous importuner, murmura-t-il, avec mes questions de séminariste. Je m'en vais et vous laisse en paix. Mais, par pure urbanité, j'aimerais savoir comme se porte la dame avec qui vous habitez.

— Elle n'a rien d'une dame.

— Appelez-la comme vous voudrez.

— Ruth va bientôt mourir, mais elle ne souffre pas trop pour l'instant. Elle sait très bien ce qui l'attend et elle cherche une personne qui veuille bien la tuer.

— Miralles ?

— À vrai dire, j'y ai pensé. Nous en avons même discuté.

— Qu'est-ce qu'il en dit ?

— Il ne veut pas.

— Elle cherche toujours un volontaire ?

— Oui, mais, seule dans sa chambre, elle ne trouvera personne. Et je ne l'aiderai pas.

— Si Ruth était une femme célèbre, elle pourrait monnayer l'exclusivité de sa mort à la télé, fit un Méndez amer. Vous verrez, bientôt certaines n'hésiteront pas.

Il appela la serveuse colombienne, qui, dans un souci d'intégration, lisait une revue évoquant des grossesses non désirées au sein de la noblesse espagnole, et régla l'addition plutôt salée. En vérité, c'était bien un *orujo* galicien, mais d'importation.

— Merci pour votre collaboration, Mabel, dit-il, vous m'avez beaucoup aidé. À mon tour de collaborer en cherchant celui qui veut tuer Miralles et qui n'hésitera pas à faire le ménage en dessoudant Eva au préalable. Pour dénicher ce type, je dois trouver une *call-girl* ayant cessé de publier des petites annonces du jour au lendemain. J'ignore si vous lisez ce genre de messages et si un détail a attiré votre attention. On ne sait jamais.

Mabel se leva à son tour, l'air dédaigneux.

— Je n'en lis pas, ça n'attire pas mon attention et je n'ai pas l'intention de vous aider, Méndez. Vous non plus, vous ne m'aidez pas ni n'aiderez Ruth à mettre fin à ses jours.

— Si, voyons, murmura Méndez, les yeux brillants. Il me suffit de l'inviter à déjeuner une semaine dans les restaurants où j'ai mes habitudes. Vous verrez, elle y passera en huit jours sans même s'en rendre compte.

25

— MÉEENDEEEZ! cria monsieur M., commissaire principal énergique, pour mander l'énergique inspecteur.

Mais au lieu de Méndez, ce fut Loles qui rappliqua, non sans avoir jaugé la largeur de la porte d'un coup d'œil.

— Méndez n'est pas là, monsieur le commissaire.

— Putain, où est-ce qu'il est?

— Il a dit qu'il menait des recherches. Lesquelles, aucune idée. Et vous ne lui filez pas de boulot, alors il râlait.

— J'ai besoin de lui, il faudrait qu'il aille à un enterrement, la seule occupation dans ses cordes. Il s'agit des obsèques d'une directrice générale qui s'est foutue en l'air dans sa voiture officielle en conduisant son fils à l'école.

— L'enseignement traverse une mauvaise passe, chef. Plus personne ne va à pied à l'école. Je l'appelle?

— Il marche, son portable?

— Un jour, il a même réussi à s'en servir.

— Essayez toujours.

La Loles, appliquée, composa le numéro de Méndez, mais cela sonnait occupé.

Quelques secondes plus tôt, une voix avait tonné :

— M'sieur Méndez!

L'inspecteur avait pu décrocher. C'était Amores, le journaliste.

— Dieu soit loué, m'sieur Méndez. Avec ce que j'ai à vous dire, la chance vous sourira, sûr et certain.

— Il n'est jamais trop tard, même à l'article de la mort. De quoi s'agit-il, Amores?

— J'ai effectué les recherches qui s'imposaient, je crois bien.

— Lesquelles ?

— Celles que vous m'aviez dites. En ce moment, je bosse comme correcteur dans une agence de pub, et la plupart des petites annonces émanent de dames très dignes désireuses de nouer connaissance avec des gars très riches. Eh bien, il y en a trois qui ne faisaient jamais faux bond et qui ne passent plus aucune annonce depuis quelques jours, elles sont aux abonnées absentes pour la presse locale. J'ai retrouvé leur numéro en fouillant dans les archives. Il y en a deux qui ne répondent pas. J'ai tapé dans le mille, peut-être bien, m'sieur Méndez. Mu par mon zèle professionnel de reporter à l'ancienne, j'ai déniché les deux adresses.

— T'es un as, Amores. Des gars comme toi, on n'en fait plus. Tu finiras rédacteur pour les publications de la Caixa ou chez Gas Natural pour leurs dossiers d'OPA.

— J'espère bien, m'sieur Méndez, et vous m'appuierez, j'en suis sûr. Bon, si vous êtes d'accord, on peut aller jeter un œil à ces deux adresses.

— Avec plaisir, Amores. Où est-ce qu'on se retrouve ?

— Ben… par exemple au bar où vous déjeunez d'habitude.

— Fort bien, Amores, mais ne bois même pas un verre d'eau. Tu n'es pas vacciné comme moi.

Peu après, il retrouva Amores accoudé au comptoir, écoutant le patron qui vantait la qualité de ses menus tout en se lamentant sur l'avenir gastronomique du pays. « Putain, con, je n'y comprends rien : à la télé, on n'a jamais vu autant d'émissions culinaires, et pourtant plus personne ne cuisine, tout le monde bouffe dehors, et n'importe quoi. »

Amores ne courait nul danger pour le moment : il n'avait rien avalé.

— Ce monsieur a raison. Dans les cuisines de la nouvelle Espagne, préservée à jamais du péril marxiste, on n'utilise que le micro-ondes pour réchauffer des conserves achetées en grande surface. Par contre, on voit tout le monde noter les recettes de salade au bonbon à la menthe. Ah, m'sieur Méndez, dites-moi en quel pays sont les dames du temps jadis, qui n'avaient pas le temps de tromper leur bonhomme vu qu'elles étaient aux fourneaux toute la journée ?

Amores montrait parfois qu'il avait des lettres.

— Vous avez sacrément raison, fit le patron. Faut dire qu'aujourd'hui les gens n'ont pas le temps de cuisiner ; même le chat, ils l'ont mis au boulot, et leur pauvre temps libre, ils le passent devant la télé à mater des recettes de cuisine. C'est encore et toujours la publicité orchestrée par le Gouvernement, monsieur Méndez, pour qu'on n'ait pas à réfléchir et qu'on ait l'impression de bien manger par-dessus le marché. Tout ça, c'est la pub des grandes multinationales de la gastronomie qui délocalisent la production à Marrakech du jour au lendemain car le couscous revient moins cher là-bas. Mais nous, ici, on compte pour du beurre : avant, le syndicat de l'hôtellerie était à la botte de la cuisine française, mais aujourd'hui il s'écrase devant la cuisine basque. On ne parle jamais des créations de par chez nous : moi-même, j'ai inventé une recette de moules à l'encre du tonnerre de Dieu. Eh ben, rien, pas un commentaire...

— Putain, objecta Méndez, je croyais que les moules ne produisaient pas d'encre, conformément aux directives européennes.

— J'ajoute des calamars, en fait, précisa le restaurateur. C'est un plat international : « *La Méditerranée en plein air**. » Mais goûtez donc, je l'ai inclus dans mes tapas.

Méndez aurait pu avoir cette audace, mais Amores s'était enfui.

Tous deux se présentèrent à la première des deux adresses ayant cessé de promouvoir la concorde des sexes dans la presse. C'étaient des micro-entreprises, peut-être unipersonnelles. Une des filles se présentait toujours comme une hôtesse de l'air, et l'autre évoquait le jardin d'Allah, rien que ça.

' En français dans le texte.

Ils commencèrent par le jardin précité, auquel une foule d'individus ceinturés d'explosifs a voulu accéder.

Une jeune Maghrébine ouvrit la porte.

— Vous êtes deux ? Désolée, je suis toute seule. Ma collègue est partie. Je peux vous proposer une « combinaison du paradis », la spécialité de la maison.

On lisait la peur dans son regard.

Tu parles d'un foutu paradis, songea Méndez, ah, il est beau, ce monde plus juste que tu as découvert dans cette Europe dont tu rêvais. Autrefois, tu étais enlevée par les colons : maintenant, tu viens toute seule, en plus tu paies les frais.

— On vient pour la petite annonce, fit Amores.

— Quelle petite annonce ?

— Celle qui dit que le jardin d'Allah est peuplé de vierges.

— Je l'ai retirée depuis que je suis toute seule, expliqua la jeune femme, apeurée, ça revenait trop cher.

— Excusez le dérangement. On s'en va, dit Méndez. Une demi-femme, ça m'impressionne.

Et il déposa dix euros dans sa main. À bien y réfléchir, lui-même ne pouvait s'acheter qu'un demi-livre avec ce billet.

Ils se rendirent aussitôt chez l'hôtesse de l'air, qui devait être en uniforme en train d'essayer un gilet de sauvetage.

Tout se présentait sous un jour favorable. Un immeuble dans un quartier sélect.

Un concierge.

Un parterre végétal et, au fond, un aquarium où nageait un seul poisson, donc un célibataire.

Du luxe.

L'hôtesse de l'air ne portait ni uniforme ni gilet de sauvetage, mais c'était une employée de luxe elle aussi, et non celle d'une compagnie à bas coût. Elle avait connu Amores du temps où elle œuvrait dans une maison réputée.

— Je me suis mise à mon compte, déclara-t-elle. Là-bas, la patronne gardait tout l'argent pour elle. Les petites annonces, j'ai arrêté, c'était trop cher.

Fiasco intégral, se dit Méndez. Ils n'étaient pas près de retrouver Leónidas à ce train-là. Il allait prendre congé poliment lorsqu'elle avoua à Amores qu'il avait été une de ses grandes passions, avant d'ajouter :

— La Gilda aussi, elle s'est mise à son compte, elle n'empochait que la moitié des bénéfices, elle en avait assez. Elle a fait ses calculs et opté pour l'artisanat, qui n'est ni plus ni moins qu'une autre espèce de lutte ouvrière. Elle travaille comme moi, sur rendez-vous, et parfois on se met d'accord pour être à deux avec un client. Mais je ne sais pas ce qui lui arrive ces derniers temps.

— Que voulez-vous dire ? demanda Méndez.

— Je l'ai appelée deux fois, et elle ne répond pas. Toutes les deux, on aurait pu gagner un beau paquet.

Méndez était certain encore de faire chou blanc, mais il interrogea à tout hasard :

— Où est-ce qu'elle habite ?

— Ça vous regarde, peut-être ? Je ne donne les adresses qu'à mes amis. Tout bien réfléchi… monsieur Amores est un ami, et il la connaît. Mais d'abord jurez-moi que ça ne lui attirera pas d'ennuis parce que vous, là, vous êtes flic.

Elle dévisageait Méndez. Il marqua une hésitation.

— À quoi voyez-vous ça ?

— Vous avez la tête d'un gars pas commode qui bouffe des saloperies.

— Je veux seulement l'aider, croyez-moi. Je vais aller chez elle et, avec un peu de chance, elle m'invitera à déjeuner.

De sorte que Méndez et son assistant, l'inlassable et chanceux journaliste, se rendirent à l'adresse indiquée.

Un concierge à nouveau.

Du luxe.

Encore des parterres fleuris, mais pas d'aquarium, juste un chat.

— Mademoiselle Gilda ne sort plus depuis quelques jours, dit le concierge en découvrant la plaque de Méndez. Elle doit être malade, enfin, pas trop vu qu'un restaurant lui livre à manger et qu'elle sort sa poubelle tous les soirs. Peut-être qu'elle ne vit plus seule.

Une lueur traversa le regard de Méndez. Peut-être n'avaient-ils pas perdu leur temps, finalement.

Ils montèrent.

Un coup de sonnette. Silence.

Nouveau coup de sonnette. Toujours rien.

Méndez sortit un de ses rossignols. Avec le savoir acquis à l'école supérieure de la rue, il aurait pu gagner sa vie comme serrurier. La Loles ne cessait de lui dire que c'eût été beaucoup mieux pour lui-même et la patrie. Le battant céda en claquant à la seconde tentative. Nouveau silence. Et Amores et l'inspecteur de se glisser à l'intérieur en toute illégalité.

L'appartement est luxueux mais sent le renfermé. Ainsi que le linge souillé par différents fluides corporels. Il y a aussi comme une odeur de sang qui stagne. Et de nourriture avariée.

Guidé par ces relents, Méndez dirigea ses pas vers une des chambres.

— Il fallait s'y attendre, cria-t-il à l'adresse d'Amores. Enfoiré, fils de pute !

Il n'avait pas tort. Avec Amores, le risque était grand de tomber sur un macchabée.

La fille était mignonne. Du moins, elle l'avait été. Elle était bien habillée et portait même des talons hauts, des chaussures de courtisane distinguée, de jeune femme qui assiste aux réceptions du maire, de dame élégante qui s'affiche aux collectes contre le cancer. Mais ses chaussures ne la mettaient guère en valeur, elle n'en avait plus qu'une. Sa robe non plus : elle était toute déchirée et elle sentait mauvais. Pas plus que son visage tout violet avec ses yeux morts et le bâillon sur sa bouche.

Elle était solidement attachée au lit. Une athlète n'aurait pu se défaire de ces liens.

Amores faillit en tomber à genoux. Il balbutia :

— Mon Dieu... Il y a au moins deux jours qu'elle est morte.

Quiconque en la voyant aurait pensé de même, or Méndez n'avait pas l'air de penser, les yeux perçants. Et il s'aperçut que la femme était littéralement brisée et meurtrie, après avoir été frappée sauvagement, mais que le rictus à ses lèvres n'était pas celui d'un cadavre. Il crut y percevoir un tremblement insignifiant, une fugace palpitation d'air qui circule. Et puis ce n'était pas une puanteur de mort, mais celle d'une femme ligotée, contrainte de faire sous elle. En l'effleurant des doigts, il sentit un soupçon de chaleur.

— Amores, appelle une ambulance. Appelle aussi la patrouille, mais pas moi, d'accord ? Amores, nom de Dieu, tu vas bouger ton cul ?

D'évidence, l'agresseur l'avait laissée pour morte, espérant qu'elle se décomposerait sur le lit, mais la jeune femme avait une résistance qu'elle s'était peut-être forgée au contact de ses clients. Méndez alla pour la détacher puis se ravisa : ses collègues devaient la découvrir ainsi et le personnel de santé la traiterait plus délicatement. Et Amores, sur les genoux, était prêt aussi à tomber dans les pommes.

Il n'arrivait même pas à tenir son portable.

Méndez songea rapidement que si on lui livrait à manger tous les jours, alors la veille elle devait être encore en bonne santé, comme, plus encore, l'homme avec elle. Ils auraient très bien pu arriver à temps. Cela signifiait aussi qu'ils avaient trouvé la planque de Leónidas Pérez.

— Enfoiré, fils de pute ! reprit Méndez.

Peut-être avait-elle nourri des soupçons. Peut-être qu'elle ne supportait plus cette réclusion. Elle avait peut-être deviné, tout à coup, qu'elle ne ressortirait de là qu'en sale état, sans un centime, et elle s'en était prise à Leónidas Pérez, lequel ne connaissait qu'un seul remède à ces tracas.

À cette heure, il avait dû louer un appartement en ville, un parmi des milliers. Ou l'un des multiples logements sur la côte. À moins qu'il n'ait trouvé une autre fille avide de réussite.

Les ambulanciers furent les premiers arrivés, accompagnés d'un jeune médecin, sans doute un interne qui commençait son stage pratique. Belle entrée en matière. Il la détacha, l'ausculta puis examina brièvement ses blessures en murmurant différentes phrases sans invoquer le Saint-Esprit.

— Elle vivra, dit-il pour l'essentiel. Mais pas question de l'interroger avant au moins une semaine.

Une semaine, pensa Méndez. Impossible de coincer Leónidas Pérez dans ces conditions. Il allait engager un nouveau tueur à gages. Miralles comme sa jeune assistante avaient donc un pied dans la tombe.

Néanmoins l'inspecteur décida qu'il se démènerait vingt-quatre heures sur vingt-quatre. Le désœuvrement a de bons côtés, quelquefois.

26

Miralles, bien habillé, passait inaperçu dans cette cage d'escalier luxueuse, loin de son quartier. Le holster n'était pas détectable sous sa veste de coupe soignée. Son arme était chargée, avec une balle dans la chambre, mais le cran de sûreté était enclenché.

Du hall de l'immeuble, il tourna d'abord les yeux vers la Diagonal envahie d'automobiles. Impossible à première vue de contrôler une telle avenue, mais ses yeux photographiaient tous les véhicules bloqués aux feux et qui passeraient sous peu devant lui.

Les habitacles occupés par le seul conducteur n'attiraient guère son attention, à plus forte raison si la vitre du copilote était fermée. En conduisant, il était pratiquement impossible, lorsqu'on longeait un immeuble, de baisser la vitre côté droit, de se pencher et d'ajuster le tir de ce côté, sans parler d'activer un engin explosif. Et la voiture s'engluerait aussitôt dans un emboutcillage.

Il se concentrait sur les modèles avec au moins deux occupants : l'un d'eux pouvait tenir le volant, les autres perpétrer l'attentat. Mais il gardait les yeux rivés sur eux sitôt qu'ils attendaient aux feux.

Et les motos.

Le pire, c'était les motos avec un passager.

Si un motard seul freinait devant Miralles et qu'il esquissait un geste anormal, un canon de pistolet se braquerait sur lui aussitôt. Mais s'ils étaient deux, le second aurait le temps d'agir. Une moto pour deux était le plus sûr moyen de commettre un attentat, d'après lui.

C'est pourquoi il les surveillait, les muscles tendus, attentif au moindre détail.

Mais l'instant critique n'était pas arrivé. Miralles prenait simplement position. Celui qui voudrait attenter à la vie de son protégé annulerait sans doute l'opération à le voir ainsi en faction.

Il consulta sa montre. Neuf heures dix précises.

L'heure du départ.

Loscertales, le chef de la mission financière qu'il était censé escorter, devait sortir à cette heure ce matin-là. Ses horaires étaient modifiés tous les jours, mais cette fois c'était neuf heures dix. Loscertales ne résidait pas à l'hôtel – par exemple au Président, tout proche – car il est impossible de contrôler un tel établissement. En revanche, un appartement particulier sur le côté droit de la Diagonal s'avérait beaucoup plus sûr.

Miralles ne songeait ni au risque ni à l'argent. C'était son métier. Et il n'eut qu'une pensée fugace pour Loscertales, le type qu'il avait mission de protéger. « Tu dois risquer ta peau pour le défendre, lui avait-on dit. Oui, ta peau. »

Loscertales représentait les intérêts d'un puissant holding financier. Sa coopération – sa vie par conséquent – était vitale pour des entreprises catalanes qui, peut-être, dans quelques mois, ne pourraient plus payer leurs employés. Un garde du corps trucidé n'est rien auprès d'un capitaliste en vie.

Loscertales était sous la menace des terroristes islamistes.

Les terroristes islamistes peuvent opérer n'importe où.

Neuf heures onze.

À cet instant, le deuxième garde du corps, qui surveillait l'ascenseur, avait déjà dû gagner le dernier étage et ouvrir la porte à Loscertales. Il allait redescendre avec lui et avec l'employée de sécurité restée en faction dans l'appartement la nuit entière. Cette jeune femme, rétribuée non par la compagnie mais par Miralles en personne, n'était autre qu'Eva Expósito.

Ils sortirent tous les deux avant Loscertales pour le couvrir. Comme prévu. Tout aussi exacte fut la Mercedes 500, entièrement blindée, qui bifurqua au coin de la rue et s'arrêta devant la porte. Être ponctuel en voiture est presque impossible à Barcelone, ce chauffeur y était parvenu néanmoins. Il adressa un clin d'œil à Miralles.

Ce dernier leva la main.

Prêts.

Loscertales sortit du hall sous bonne escorte alors que Miralles ouvrait la portière en faisant écran pour un tireur éventuellement posté de l'autre côté de la chaussée. Toutefois, il ne pouvait pas le protéger si on tirait du coin de la rue ou d'une position en surplomb. Le bruit de bouchon du fusil équipé d'un silencieux fut à peine audible, étouffé par le vacarme de la rue. Tout s'était figé dans l'embouteillage, mais la mort fusa en quelques millièmes de seconde.

PLOP !

Miralles pressentit le danger par instinct animal. Un instinct de tigre ou de serpent en péril. Il frappa Loscertales légèrement, déviant sa figure.

Le projectile caressa la cible ainsi que la main de Miralles, qui accusa un spasme, transformée en griffe une poignée de secondes.

Puis le silence. Soudain, plus rien, pas même le vrombissement des voitures qui s'élancent au feu vert. Les gens ne marchent plus, les motos sont figées, comme suspendues. Le monde entier se trouve englobé dans une bulle de silence.

Une seconde. Deux. La bulle éclate.

Il ne s'est rien passé, personne n'a rien vu. Le monde se remet à tourner, tout comme l'esprit de Miralles, en proie aussitôt à trois réflexions. D'abord, le tireur ne doit pas être excellent, sinon il n'aurait pas manqué la cible. Ensuite, inutile de le pourchasser, ce n'est pas dans sa mission. Enfin, la protection aussi a échoué.

Il y a eu une erreur de placement, l'endroit d'où est venue la balle aurait dû être couvert par Eva. Trop en retrait, d'un demi-pas, elle laissait la tête du financier à découvert.

Miralles pousse le crâne du client vers l'intérieur du véhicule.

— Ça ira ?

Loscertales ne desserre pas les lèvres. Miralles saute près de lui et l'auto blindée fonce, dissuasive. D'abord, elle manque de renverser un motard contraint de monter sur le trottoir pour l'esquiver et qui insulte la maman du chauffeur, celle du maire et toutes celles de la dynastie Benz. Au coin, les feux de détresse allumés, les attend un second véhicule qui va fermer la marche. Tout va bien hormis les multiples jurons du motard. O. K. La rue indifférente reste celle d'une Barcelone qui vit et s'affaire, celle d'une ville au riche passé qui, pour l'essentiel, n'a besoin que de financiers en bonne forme. Qui l'eût cru ? songe Miralles.

Mais autre chose le tracasse : cette foutue erreur d'Eva, son mauvais placement qui a failli tout saboter. Il faut le lui dire.

— Eva…

Le petit appartement d'un quartier qui n'a jamais eu besoin de financiers, ce qui ne l'a pas aidé. La chambre d'enfant où tout est resté en l'état, le couloir où parfois ils se croisent et où, maintenant, ils se regardent fixement.

— Eva, j'avais dessiné un plan exact, je t'avais placée au bon endroit comme un mannequin, sans aucune marge d'erreur. On avait mesuré chaque centimètre, du hall à la voiture. Tu aurais dû avancer d'un demi-pas, tu sais bien, mais tu ne l'as pas fait.

À quoi bon continuer ? Eva Expósito n'est qu'une gamine ou presque. Il s'agit d'un travail au noir, et c'est lui qui la paie. Il sait qu'il est dans son tort, on ne devrait pas mettre ainsi en danger la vie d'une jeune femme. Il est d'autant plus nerveux qu'il a tort et se dit que tout ça n'a servi à rien.

— Je prends des risques, Eva. Ça m'étonne encore que la compagnie ait bien voulu que je t'emploie comme assistante. Moi je veux qu'avant tes vingt ans tu aies un boulot pour lequel tu seras payée et respectée, et où personne ne saura dans quel foutu monde tu vivais avant. Je veux que tu te spécialises dans une branche où il n'y aura jamais de chômage si tu bosses comme il faut.

Eva, la tête basse, avec un air d'enfant craintive qu'elle n'avait pas montré jusque-là, se laisse tomber sur une des chaises de la petite salle à manger. Elle ne s'en rend pas compte, mais c'est la seule où personne ne s'assoit d'habitude.

— Lève-toi, Eva.

— Pardon, je n'avais pas fait attention.

Elle le sait à présent, mais elle ne le dit pas.

C'était la chaise du gamin avant sa mort. Elle s'assoit de l'autre côté de la table, toujours le front baissé.

— Écoute, Eva, je veux que tu sois irréprochable.

— Comme l'aurait été ton fils ?

Les phalanges craquent, les poings se ferment. Le visage de David Miralles devient un masque sans respiration, il y a soudain comme une odeur de renfermé, et une pluie fine tambourine sur le carreau. Un moineau immigré se pose sur le rebord de la fenêtre, comme s'il les regardait depuis une nature éternelle qui aura toujours raison et où eux deux ne comptent pas.

Les petits yeux du moineau, tourné vers l'avenir, sont beaucoup plus humains que les yeux de David Miralles, tourné vers le passé.

— Ne dis plus jamais ça, Eva.

— J'ai toujours cherché la liberté, et maintenant un tas de choses me sont interdites.

— C'est pour ton bien, Eva.

Sa respiration est plus régulière, ses mains se sont ouvertes. On dirait que la pluie fait barrière autour d'eux en tapant de plus en plus fort sur les carreaux.

— Je t'ai demandé pardon.

— Il est trop tard une fois qu'on s'est trompé. Cet homme se savait sous la menace d'un attentat et il a fait appel à nous. Et il s'est montré généreux. Un garde du corps, troisième, toute la nuit dans l'appartement ; un homme à l'entrée près de l'ascenseur pour monter jusqu'à l'appartement et redescendre à mon signal avec le client; et moi-même qui étais dans la rue; une voiture blindée et un second véhicule en couverture. Toute une armée déployée, et toi, tu n'es même pas fichue d'avancer de cinquante centimètres comme prévu. Juste un demi-pas. Tout était millimétré.

— Millimétré, dit-elle.

— Bien sûr.

— Si je m'étais avancée de cinquante centimètres, monsieur David Miralles, on m'aurait éclaté la cervelle.

À nouveau le silence des cours intérieures, un silence de matrones et de chats, de jeunes filles comptant leurs rêves, de vieux comptant leurs heures, seulement troublé par les rafales de pluie. La pluie est différente dans les quartiers pauvres, s'est dit plusieurs fois Miralles : dans ces rues, c'est la seule touche de poésie.

— Ce sont les risques du métier, Eva.

— Les risques du métier, d'accord... Mais là, il s'agit de se sacrifier à la place d'un autre. Dis-moi une chose, David : tu aurais exposé la tête de ton fils à la place de la mienne ?

— Ne...

— Quoi ?

— Pas un mot là-dessus, Eva, tu m'entends ?

— Je n'ai pas le droit de parler de ton fils ni de m'asseoir à sa place. Je n'ai jamais pu m'approcher du lit qu'il occupait autrefois... Tu m'interdis de l'imaginer à mon âge, suivant le glorieux exemple de son père. Tu m'interdis de penser à ma propre mort, oui, la mienne, parce que je ne peux pas évoquer la sienne.

David Miralles lève subitement la main en fermant les yeux comme s'il venait de recevoir un coup de fouet. Eva ne tremble pas. Si cet homme aguerri, ce professionnel, la frappe sauvagement, il lui cassera peut-être la cloison nasale, ou une de ses belles dents, ou peut-être lui crèvera-t-il un œil, un œil qui n'a pas le droit d'examiner tous les recoins de l'appartement.

Mais non, rien.

Miralles baisse la main peu à peu alors qu'elle reprend :

— C'est un métier dégueulasse.

— Pourquoi ?

— Tu risques ta vie pour quelqu'un qui ne le mérite pas. Qui est ce Loscertales ? Un puissant capitaliste, très bien. L'un des plus puissants au monde. Et un tas d'entreprises de notre beau pays attendent son pognon pour rester à flot. On fait quoi ? Monsieur Loscertales n'a pas le droit de mourir : n'importe qui peut mourir, mais pas lui. Moi, je n'ai rien investi dans l'industrie, toi non plus. On ne vaut rien. Si on reçoit la balle destinée à ce connard de Juif, personne ne versera une larme. Si tu repères ce connard d'Arabe qui cherche à le descendre et que tu l'élimines, personne ne va pleurer non plus. Lui-même ne saura pas pourquoi il a été tué. On lui a fait un lavage de cerveau en lui promettant un paradis qui n'existe pas. Toi aussi, on t'a fait un lavage de cerveau, mais seulement en échange d'un bout de pain.

Miralles prononça tout bas :

— Au moins, ce bout de pain existe.

— Oui…, fit-elle, le regard dans le vague. Ce bout de pain existe.

— Je ne vois pas comment gagner ma croûte autrement, Eva… Loscertales, lui, a sûrement d'autres cordes à son arc, pas moi. C'est tout ce que je sais faire, je ne suis qu'un instrument. La plupart des hommes et des femmes autour de nous sont aussi des instruments, et chaque matin, en se levant, ils remercient le ciel qu'il en soit ainsi. Je devrais peut-être les imiter car je sais faire en sorte que personne ne soit tué, sous mes yeux en tout cas.

— C'est sans doute le but que tu t'étais fixé, David. Tu venges ton fils en quelque sorte.

— Évite le sujet, d'accord ?

— C'est insultant d'y faire allusion ? Qu'est-ce que ça veut dire ? Un mort vaut plus que tous les vivants ? J'ai dit une énormité ? Est-ce qu'on ne défend pas un monde de plus en plus injuste, tous les deux ? Toi et moi, on appartient à un monde où on n'est que des instruments et des consommateurs. En tant qu'êtres humains, on n'est pas utiles : on ne fait que consommer ce que d'autres fabriquent et fabriquer ce que d'autres consomment. Dans les deux cas, il faut du capital, et ceux qui le détiennent ont besoin de protection. Toi et moi, on est pires que les autres. On est des instruments d'instruments.

— Tu as beaucoup lu, on dirait, pendant qu'on essayait de te violer, dit-il avec mépris. Tu as demandé la permission de finir ton chapitre ?

Elle leva le poing à son tour. Ses dents grincèrent. On eût dit que la pièce exiguë basculait sur elle-même : la fenêtre grise, la porte de la cuisine, la lampe ancienne qui avait peut-être éclairé les morts. Un œil d'Eva, un seul, tourna dans son orbite, comme prêt à jaillir.

Eva était jeune, pleine de fureur. Elle pouvait frapper dur, et son poing ébranler ce visage de pierre.

Mais elle retint son bras.

Elle reconnut son humiliation en baissant la tête.

— C'est bon, dit-elle. Tu m'as sauvée au bout du compte. Un simple lecteur ne l'aurait pas fait.

Elle lui tourna le dos, fuyant son regard. Ses épaules de femme saine et dure qui a toujours dû se défendre. Ses fesses puissantes. Sa nuque qui, tout à coup, a l'air minuscule et fragile.

— Eva...

— Pas besoin de commentaires, j'ai compris la leçon.

— Eva... je voulais dire que bien des gens sont morts dans ce quartier en pensant comme toi. Ils sont morts en rêvant d'un monde meilleur qui n'existe pas. Mais le marché, lui, il existe. Je veux juste te dire qu'on ne va pas changer les choses, mais qu'on doit travailler dans ce monde.

— Tu as beaucoup lu toi aussi, dit-elle avec mépris, toujours le dos tourné.

— Tout ce que j'ai pu.

— Tu devais bouquiner quand ton gamin a été tué.

Elle ouvrit rageusement la porte pour fuir l'appartement. Elle l'aurait senti passer, autrement.

27

Les enfants, ça te chamboule la vie, songeait Méndez, qui n'avait jamais procréé. Ils t'ouvrent les yeux sur des clartés auxquelles tu n'avais pas pensé. J'imagine qu'en ayant un gamin tu cesses d'être toi-même pour devenir l'enfant. Ça rend plus futé, bizarrement. C'est l'un des rares trucs que j'ai appris dans ma chienne de vie.

Certains après-midi, alors que les ombres enveloppaient la cité, il estimait que sa chienne de vie n'avait servi à rien.

L'honorable commissaire principal lui fit la même réflexion :

— Méndez, vous ne m'avez rien appris depuis deux jours. Vous n'êtes qu'un bon à rien.

— Je recherche activement Leónidas Pérez, se défendit le policier. Par moments, je désespère, la ville est immense, n'importe qui peut louer un appartement sans difficulté à condition de payer d'avance, et, au nord comme au sud, il y a une bonne douzaine de plages à touristes où les pistes se brouillent. Ça fait chier : en été, pour un Espagnol, on a un sans-papiers et deux touristes non identifiés. Notre homme peut se trouver n'importe où. En même temps, je me dis qu'il va sortir de sa tanière tôt ou tard. C'est obligé.

— Et pourquoi ?

— J'ai appris qu'il brassait des affaires juteuses à Barcelone. Mes indics sont des donneurs de bas étage, mais une balance de haut vol m'a confirmé que Leónidas Pérez était monté en grade, après avoir longuement dealé de faibles quantités. Il est malin et il arnaque ceux qui sont au bas de l'échelle, pas les gros poissons. Aujourd'hui, il finance des importations de came. Il réceptionne la marchandise et la revend. Il ne peut pas disparaître très longtemps. Dès qu'il pointe son nez, je l'alpague, à condition que Miralles ne l'ait pas chopé avant moi. Miralles a eu la peau d'Omedes après toutes ces années, et il pourrait bien coincer son complice.

— Omedes n'a pas été tué avec le pistolet de David Miralles, pensa tout haut le commissaire. Son pistolet est enregistré, et la balle provenait d'une autre arme.

— Je finirai par la dénicher.

— Eh bien, dépêchez-vous, Méndez, vous êtes toujours sous le coup d'une instruction. Un de ces jours, je vais devoir vous suspendre. De quoi vivrez-vous si vous ne touchez plus votre salaire ?

— J'irai taper Leónidas. Il croule sous le pognon.

— La brigade financière fait une enquête auprès des banques, mais elle n'a rien trouvé. Plutôt si, elle a découvert qu'il touche le chômage.

— Salopard !

— Ne braillez pas si fort, Méndez, bientôt vous serez peut-être au chômage, vous aussi. Dites-moi plutôt ce que vos indics vous ont révélé en faisant la manche sur les Ramblas. À leur façon, ils font aussi du blanchiment.

— Ce n'est pas parce que vous ne pouvez pas vous moquer des vrais capitalistes qu'il faut vous moquer des pauvres gens, chef. Leónidas Pérez rend service à des types haut placés au Parlement, dans un sous-secrétariat ou une direction générale, des types qui contribuent à la grandeur du pays. Moi, je le regarde au ras du sol, il ne m'impressionne pas. Il est sans doute derrière une compagnie barcelonaise qui brasse un paquet de fonds secrets, et cette lourde tâche va l'obliger à sortir de son trou. Dans ce pays, il y a de hauts dirigeants au service du peuple qui empochent des fortunes, et ces fortunes, il faut bien les placer quelque part. C'est alors qu'entrent en jeu les petits malins comme Leónidas.

Et Méndez ajouta à mi-voix :

— Un jour, on vous ordonnera d'arrêter les poursuites, chef.

— Ça va pas la tête, Méndez !

— S'il n'y avait que la tête…

— Je ne vois pas comment on m'empêcherait de poursuivre une enquête.

— Primo, pour la simple raison qu'on vous l'a déjà ordonné plus d'une fois. Deuxio, ça paralyse tout, ces procédures sur des années. Tertio, il suffit à ce Leónidas de mes deux d'aller n'importe où en Europe, à l'étranger : les traités internationaux ne seront pas appliqués. Quarto, si un jour on applique les traités européens, il trouvera refuge en Afrique du Nord, par exemple à Tanger, et tout le monde oubliera Leónidas. Ce que je cherche à démontrer par ce brillant laïus ? Simplement que je dois l'arrêter avant qu'il ait mis fin à son négoce à Barcelone ou avant que je sois mis à pied une fois l'enquête bouclée. Hélas, je ne sais vraiment pas où il se planque.

Méndez était sincère.

Nul ne savait à cette heure où se terrait un millionnaire du nom de Leónidas Pérez.

La réponse se trouvait dans un cabinet d'avocat déserté par les clients, à part ceux qui cherchaient une combine pour ne plus verser de loyer.

Le téléphone sonna et l'on décrocha. Une voix demanda :

— Vous êtes monsieur Ramírez ou monsieur Escolano ?

28

Ce sont les clients qui salissent l'avocat, tu les écoutes cinq minutes et déjà ils t'ont souillé, se rappelait Escolano. Or, lui, ça faisait vingt minutes.

Mais, grâce à Erasmus, il avait pu rembourser la plupart de ses dettes, de petites sommes au demeurant. Notamment sa modeste cotisation à l'ordre des avocats. Et il avait versé deux mensualités en retard à son ex, qui elle aussi était petite, excepté sous la couette.

— Belle demeure, fit Erasmus. Et c'est classe. Pour être sociétaire, c'est très cher, j'imagine.

Non. Être membre du Cercle équestre n'était pas si onéreux une fois qu'on s'était acquitté d'un droit d'entrée exorbitant. Mais ce détail avait été réglé par le père d'Escolano, le vieil avocat qui s'était enrichi à un moment donné et qui avait trouvé nombre de ses clients dans ce club, au sein des grandes familles du pays. Quant au fils, il ne prospectait plus.

Mais en tant que membre héritier, il pouvait y accueillir des visiteurs plutôt que de les recevoir dans son bureau désert. Là (pourquoi pas, après tout ?), Escolano était libre aussi de rêver. Le grand salon qui aurait pu susciter la jalousie d'un club anglais, la fenêtre ovale, unique à Barcelone, d'où l'on dominait le plus noble secteur de la Diagonal, l'énorme escalier de pierre qui livrait accès à l'étage supérieur, à l'argent, pour le moins à l'idée qu'il s'en faisait. C'était le seul endroit où il croyait percevoir le doux murmure des conversations, pareil au bruissement des billets. Là, il se sentait important, n'ayant pas conscience que ses seuls biens, les rêves, le rendaient encore plus minable.

— Je regrette, Erasmus, vous ne seriez pas admis dans ce club.

— Ça n'est pas dans mes intentions.

— La police vous recherche, vous êtes au courant ?

— Mais pas ici, mon cher. Je ne sais pas si vous l'avez constaté, monsieur Ramírez et Escolano, mais sachez que les bois nobles, les grands noms, les fauteuils d'antiquaire et l'arôme des meilleurs tabacs de Cuba sont incompatibles avec la police. On me cherche partout sauf ici. Vous ne l'avez peut-être pas remarqué – et c'est impardonnable pour un bon avocat –, mais la police n'ose pas fourrer ses pattes dans un endroit pareil.

— Ne restez pas trop longtemps dans ce fauteuil, on ne sait jamais.

— Rassurez-vous.

— Où habitez-vous depuis votre dernière disparition ? Vous avez trouvé une autre fille ?

Les yeux perçants d'Erasmus, pleins de malice, s'étrécirent et sa bouche esquissa un sourire sardonique.

— Je sens comme du dégoût dans vos intonations, monsieur Ramírez et Escolano, mais je ne vous en tiens pas rigueur. C'est sûrement l'influence de feu monsieur Ramírez. Et maintenant, je vous réponds : j'ai fréquenté certains lieux qui vous paraî-traient incroyables. Jamais la police n'y mettrait son nez. Les gens qui en ont marre du béton et de la pollution se jettent sur les dernières contrées sauvages. Et celui qui ne peut pas y aller, il s'achète un 4x4, et il se dit qu'un jour il ira s'y balader. Vous n'imaginez pas combien c'est écolo de conduire son 4x4 au milieu d'un embouteillage sur le Paseo de Gràcia, ni le senti-ment de liberté que ça procure. Bref, c'est pourquoi les gîtes ruraux sont à la mode. Autrefois, à l'époque où je n'étais rien, celui qui séjournait dans un gîte rural, c'est-à-dire une maison à la campagne, il dormait avec le cheval grosso modo, mais depuis les choses ont beaucoup évolué. Il n'y a plus de chevaux. Maintenant, les paysans, ils ont des tracteurs avec la clim' et la radio, pourtant les gars de la ville, dans leur 4x4, ils paieraient cher pour voir un canasson et lui flatter les naseaux dans l'espoir de raconter ça à leurs gosses. Au jour d'aujourd'hui, les gîtes ruraux sont plus chic que le Ritz ; en prime, par la fenêtre, on voit un oiseau pour de vrai. À croire que le piaf a été embauché par le propriétaire.

— Ne me dites pas que vous avez fait la tournée des gîtes ruraux, Erasmus.

— Eh bien, si, en prenant soin de louer une voiture différente tous les jours, évidemment au nom de la fille qui m'accompagnait. Le monde a beaucoup évolué : maintenant, les gagneuses, elles sont titulaires d'un permis. Le problème, c'est qu'elles s'ennuyaient au bout de deux jours à mater la même vache et le même oiseau, elles voulaient se tirer avec leur fric. Oh, ce n'était pas compliqué pour les remplacer : les croisements des routes secondaires se sont modernisés eux aussi. On y trouve des clubs remplis d'étrangères qui ont peut-être eu un jour un drapeau et un père médaillé, mais qui ne possèdent plus que leur peau, une peau cotée dans l'Europe du capital. Enfin, si elle n'est pas trop défraîchie. Vous qui êtes un homme à courte vue, vous n'avez pas idée du progrès social que ça implique, l'ouverture de ces nouveaux marchés. Je ne vais pas non plus m'étendre sur la question. Comme je disais donc, j'ai fréquenté plusieurs de ces gîtes, paumés dans la nature. C'est marrant, parfois. Enfin, ça dépend : j'ai vu des types partir en vacances avec un bouquin au lieu d'emmener une nana.

— Quelle horreur, se moqua Escolano.

— Bien, mon ami, j'ai répondu à toutes les questions qu'un bon avocat tel que vous doit poser. Les bons avocats comme vous se réjouissent que leurs clients n'aient pas été arrêtés par les flics, n'est-ce pas ? Vous devez être prêt au cas où je subirais un interrogatoire. Pour le coup, j'aurais vraiment besoin de vos services. Mais pour l'instant, j'ai une chose toute simple à vous demander.

— Laquelle ?

— Regardez ce contrat. C'est un document imprimé du genre prérempli, à prendre ou à laisser. Bref, comme ceux des grandes entreprises du service public. Il s'agit, vous allez le voir, du contrat type d'une agence de protection des personnes. J'aimerais savoir s'il est correct et si, à votre avis, c'est un contrat sérieux, réglo.

Escolano le parcourut du regard. C'était un contrat imprimé avec le seul nom de la compagnie qui l'avait rédigé, et l'accord lui paraissait correct, eu égard à ce domaine spécifique. Mais l'étonnement se lut sur son visage quand il interrogea :

— Vous allez solliciter une protection, Erasmus ?

— Non, voyons ! Mais une dame avec qui j'ai traité va débarquer de Rome avec un lot de bijoux. Je dois l'aider à les vendre sur Barcelone. C'est l'une des affaires qu'il me faut gérer ces jours-ci, voilà pourquoi je suis resté dans les parages. J'ai peur qu'on l'ait attirée ici pour la dévaliser.

— Assurez les bijoux.

— L'assurance ne protégerait pas cette personne. Ne vous méprenez pas, mon cher. D'ailleurs, on aurait du mal à contracter une assurance pour ces objets délicats, personnels et fragiles.

L'avocat déglutit à grand-peine.

— Des bijoux volés, murmura-t-il.

— Eh bien... disons que le ministre des Finances n'a pas besoin de savoir à quel prix ils sont monnayés. C'est affreux, les impôts sur les bénéfices.

— Inutile de me faire un dessin, Erasmus. Les bijoux sont dérobés dans un pays et revendus à l'étranger. C'est facile à transporter et à réassembler au besoin. C'est donc un des moyens qui vous permettent de passer d'agréables séjours à la campagne, loin des chevaux et près des femmes, je suis ravi de l'apprendre.

— Des femmes, voilà ce qu'il vous faut, mon ami. Bien sûr. Se priver si longtemps de leur compagnie, ça déboussole n'importe qui, et ce sont les médecins qui l'affirment, pas moi.

Tout le monde est d'accord sur ce point, sauf le pape. Ne cédez pas à la mauvaise humeur et ne portez pas de jugement sur les affaires de vos semblables. Si à votre âge vous ignorez que quatre-vingt-dix pour cent des bijoux sont vendus sous le manteau, ça veut dire que, le droit, vous l'avez étudié à l'école paroissiale. Mais je ne suis pas là pour vous insulter, cher Escolano. Moi, je n'insulte pas les gens, surtout pas dans ces sanctuaires de la bourgeoisie. Dites-moi seulement s'il s'agit là d'un bon contrat de protection et si cette femme, en conséquence, ne courra aucun danger pendant son séjour en Espagne.

— Il garantit qu'elle sera protégée au péril de la vie du ou des gardes du corps. Il en faudra plus d'un, et avec le port d'arme, évidemment.

— Bien entendu.

— Maintenant, répondez-moi : pourquoi m'avoir consulté ? On n'a pas besoin d'avocat pour examiner un contrat ordinaire comme celui-ci.

— D'abord, vous gagnez de l'argent, monsieur Ramírez et Escolano.

— Vous n'avez pas coutume d'insulter les gens, je croyais.

— Je n'insulte personne, mon ami, non, personne. Parler d'argent, c'est insultant ? Parler des honoraires d'un avocat, c'est insultant ? Au fait, je me rends compte qu'on n'a même pas causé d'argent ni d'honoraires. Enfin, j'insiste : les médecins vous prescriraient une femme. Dites-moi combien je vous dois pour l'étude de ce contrat.

— Rien.

Escolano avait les lèvres pincées.

— Rien, redit-il sèchement.

— Vous avez tort. Vous vivez de votre labeur. J'estime que c'est du travail de se pencher sur ces bijoux qui ont besoin de protection.

— D'accord, mais je préfère ne rien toucher.

— Si je comprends bien, monsieur Ramírez et Escolano, à l'avenir je ne pourrai plus vous consulter. C'est une façon un peu brusque de m'annoncer que vous ne souhaitez plus être mon avocat.

— À dire vrai, je ne l'ai jamais été. Vous m'avez juste demandé des informations sur les vieilles archives de mon père.

Erasmus haussa les épaules. Il prit un air méchant, comme s'il disait : *Tant pis pour vous.* Et, aussitôt, il eut un petit rire satisfait, regardant au loin l'escalier de pierre sur lequel bien des hommes avaient rêvé que Barcelone leur appartenait un peu plus. Ça leur avait au moins permis, se disait Erasmus, de faire un joli rêve, sans que la ville en ait conscience, bien entendu.

— Cela pourrait me nuire, dit-il. Maintenant, comment savoir si vous respecterez le secret professionnel ?

— Je ne vous dénoncerai à personne, si cela peut vous rassurer. Je ne vous accuserai d'aucun délit, mais si l'on me pose des questions vous concernant, j'y répondrai.

— C'est un bon compromis, même si personne ne vous interrogera.

— Ça nous arrangerait bien.

Erasmus l'examina d'un regard vif – et lumineux, d'une certaine façon – tel un zoologiste étudiant une espèce menacée d'extinction.

— Votre échelle de valeurs est assez limitée, mon ami, et laissez-moi vous dire, très poliment, qu'à première vue ça ne vous a pas rendu service. Vous semblez tenir votre métier en haute estime, pour autant les clients ne se bousculent pas dans votre salle d'attente. Les clients veulent qu'on résolve leurs problèmes, pas qu'on leur fasse la morale. Vous avez aussi beaucoup d'estime pour les femmes, mais vous n'avez pas pu retenir la vôtre. Non, ne le prenez pas mal... (très vite, il lui tendit la main, conciliant) j'essaie de vous expliquer la vie puisque vous avez à cœur de m'expliquer la réalité des lois. Et il y a des lois du marché que vous devriez prendre en considération, d'autant plus que le marché se développe constamment, créant et rémunérant de nouveaux services tous les jours. Même la morale des masses, la morale révolutionnaire, comme on dit parfois, est illusoire. Les masses, elles meurent pour rien.

Escolano parut mal à l'aise, comme sur le point de se lever.

— Je me fous des masses, grogna-t-il. Et puis ici, au Cercle équestre, les masses ne sont pas trop envahissantes.

— Justement, ici, on peut les analyser, mon ami. Que voulez-vous analyser dans la rue ? J'ose m'exprimer ainsi parce que ça m'attriste de voir une intelligence égarée, égarée par son propriétaire, vous-même en l'occurrence. Comme je disais donc, les masses meurent pour des clopinettes, même si leur mort, je vous l'accorde, les propulse dans cette dimension esthétique que l'histoire peut offrir. Regardez ces milliers de gens qui sont morts à Barcelone pour défendre la République. Qu'ont-ils obtenu ? Une monarchie, ce qui est tout de même une belle victoire après quarante ans de dictature. Sauf que cette monarchie, pleine de bon sens, ne les aide même pas à retrouver leurs morts. En revanche, elle a contribué à ce que les masses remportent une seconde victoire : la gauche au pouvoir. Mais voilà, mon ami, le premier gouvernement de gauche a compris lui aussi qu'il y avait un marché – plus fort que lui, évidemment – et il a enfreint la norme sacrée de la sécurité de l'emploi pour préserver le marché. Le deuxième gouvernement de gauche, esclave des multinationales, a réduit le coût du licenciement. Putain, dites-moi, les morts, qu'ont-ils gagné au juste ? Les seuls qui ont raison, ce sont les pragmatiques, comme moi. Par exemple, un jour, il y a longtemps, je me suis dit qu'un deuxième meurtre, ça ne me coûterait rien, et ça ne m'a rien coûté, d'ailleurs. D'autre part, je ne vois pas quelles libertés individuelles ont été conquises par les masses. Leurs libertés individuelles, c'est rien, zéro.

Escolano l'observait, interloqué.

— Non, ne me regardez pas comme ça, et pensez à tout ce que vous avez perdu. Vous avez obtenu quelques victoires, comme le mariage homosexuel, mais je ne crois pas que vous ayez l'intention d'épouser un mec après votre séparation. Vous avez perdu le droit de fumer. Le droit de fumer, bordel ! Vous n'avez plus le droit de parler à une pute dans la rue, même pour lui demander l'heure. Et ne parlons pas de cette pauvre putain, fille du peuple émancipé : elle va devoir communiquer en morse avec ses clients. En tant que citoyen pacifique, vous serez soumis à toutes sortes de contraintes que la dictature elle-même ne vous avait pas imposées. Les vrais dictateurs sont ceux qui établissent les règlements, croyez-moi, mais on ne fait pas de révolution contre ces gens-là. Au contraire, parfois on les acclame, et bien sûr on les paie.

Erasmus se leva, rangeant soigneusement la copie du contrat. Il sourit à Escolano.

— Merci de m'avoir accueilli dans ce temple du capitalisme, et gratuitement.

— Vous êtes le type le plus cynique que je connaisse, Erasmus.

— Votre père était du même avis, et lui non plus ne voulait pas être payé, drôle de hasard, pas vrai ? Mais c'était un brave homme.

Erasmus s'en alla avec plus d'assurance que jamais.

Escolano eut froid dans le dos, certain que cette consultation n'était pas anodine. Il y avait quelque chose au-delà de la belle fenêtre qui ouvrait sur la Diagonal. Le gris de l'après-midi avait la couleur de la mort, oui, la couleur de la mort, sans qu'il sût pourquoi.

29

L'honorable directeur publicitaire (expert en campagnes électorales, leur financement inclus) détestait les couleurs évoquant la mort à ses yeux. La mort, se disait-il, n'est pas uniquement dans le noir du deuil, mais aussi dans le gris du crépuscule et le gris du petit matin, entre chien et loup. Dans son bureau, il avait exposé un tableau de Modest Urgell puis l'avait revendu pour cette raison. Et, bon sang, personne ne passe commande d'une campagne électorale devant une toile montrant un cimetière. Naguère, la gauche avait cette manie de faire campagne en exhibant des affiches avec, en arrière-plan, des croix ou des ouvriers qui cassaient leur pipe ; d'où ses déboires.

L'honorable directeur publicitaire (qui, la plupart du temps, discutait avec les banquiers et non avec les affichistes) avait dans son bureau plusieurs reproductions de Miró (voilà un peintre gai !) et des originaux de peinture naïve car la peinture naïve est meilleur marché ; en outre, elle recèle des vestiges d'une innocence universelle dont il subsistera toujours quelque chose puisque les électeurs la renouvellent tous les quatre ans. Monsieur le directeur entretenait un climat où tout était allègre et plein d'espoir. La politique d'un pays vit d'espoir, il est vrai.

La secrétaire montra le téléphone et lui annonça :

— Monsieur Leónidas.

La secrétaire, qui avait vingt-deux ans et foi dans l'avenir, lui rendait différents services, pas toujours liés au téléphone. Avec elle, le directeur avait créé une atmosphère de haute intimité, mêlée de culture et d'argent. Il est très difficile d'obtenir cette intimité supérieure, lui avait dit un jour Leónidas en personne, car pour cela il faut s'élever bien au-dessus du niveau de la plèbe, où les règlements font loi. Le peuple, toujours épris de justice et de liberté, vit sous l'emprise des règlements. Ainsi, il se tient à carreau.

Tu gardes ta liberté, avait-il dit à sa secrétaire, et, si tu le souhaites, tu la partages en créant une atmosphère intime, mais ça n'est pas donné à tout le monde.

L'honorable publicitaire (qui, non sans mal, avait tissé ce climat privilégié) n'appréciait guère Leónidas, même s'il ne savait pas grand-chose sur lui, sauf que c'était un homme intelligent avec la subtilité requise pour croire en toute circonstance à ce qu'il est utile de croire. L'illustre directeur publicitaire lançait toujours des campagnes empreintes d'authenticité, sachant que la pub en était exempte.

— Bonjour, monsieur Cots.

La voix de Leónidas, à l'autre bout du fil, douce, suggestive, insupportait aussi monsieur Cots : dès que Leónidas lui parlait avec ce miel, il avait l'impression qu'il lui proposait une fellation. Mais il passait outre : les hommes tels que Leónidas étaient utiles dans les cloaques du pouvoir. Lui, Cots, était utile pour les grandes assemblées, les banquets du parti, les foules dans les arènes – où jamais ne manquait le maître torero –, les discours promis à l'éternité, les slogans, les affiches et les petites phrases à la télé grâce auxquelles le peuple comprenait enfin quel était son destin. En revanche, Leónidas œuvrait dans les cloaques.

— L'argent des biens fonciers a été transféré, l'informa Leónidas. Il se trouve à Genève et on pourra puiser dedans dès que la campagne électorale sera lancée. J'espère que ça n'arrivera pas trop tôt. J'aime autant qu'il n'y ait pas d'élections anticipées. Vous aussi, n'est-ce pas, mon cher ? On serait à sec, le cul à l'air.

L'honorable monsieur Cots ne goûtait guère certaines expressions de Leónidas – qu'il n'aurait pas supportées dans la bouche de son concierge – mais ne le montrait pas.

— Non, il n'y aura pas d'élections anticipées et aucune campagne n'est prévue pour l'instant. Mais pourquoi ça ?

— L'argent n'est disponible que dans six mois. De cette façon, les intérêts sont plus élevés.

— Je vois.

— J'ai des frais importants, n'oubliez pas. Je dois payer les prête-noms ainsi que le transfert. À côté, mes bénéfices sont bien chiches.

— Pour l'heure, mon cher, il n'est pas question de bénéfices. Bon, je pense que le débat est clos.

— Fort bien, monsieur Cots. Vous voyez, j'ai tenu parole, je ne vous ai pas rendu visite.

— Ça vaut mieux. Vous m'appelez d'une cabine, je suppose.

— Bien sûr.

— Je vous rappelle sur votre portable dès que j'ai du nouveau ou une rentrée d'argent. Ne gardez aucune trace de tout cela.

— Évidemment. Je m'étonne que vous doutiez encore de mon bon sens, monsieur Cots.

— Tout devient de plus en plus incertain, vous le savez mieux que moi. Vous avez sûrement eu vent du dernier débat sur le financement des partis et vous savez qu'une plainte formelle a été déposée au Parlement. Bien entendu, pour faire pression, mes clients n'appuieront pas la politique du plaignant.

L'honorable monsieur Cots voulait raccrocher. Ses conversations avec Leónidas – somme toute, un messager de l'ombre – n'avaient jamais excédé une dizaine de mots, or, cette fois, la discussion se prolongeait. Les téléphones sont indiscrets, les secrétaires aussi quelquefois, même si leur avenir est en jeu. Et puis les mots sont superflus pour ceux qui savent ce qu'est la vie et qui œuvrent pour que les autres n'en connaissent qu'une portion, pas plus.

— Monsieur Cots…, implora la voix sinueuse, j'ai un petit service à vous demander.

— Vous pouvez compter sur moi s'il n'est pas question d'argent ni de nuire à quiconque.

— Non… Il s'agit d'une simple recommandation. Vous avez déjà eu besoin de gardes du corps, comme beaucoup de vos clients.

— Bien sûr que j'ai besoin de protection de temps en temps. À notre époque, il faut se montrer prudent, surtout en période électorale. Mais je n'en ai pas besoin en permanence. Pourquoi ?

— Pour rien, comme ça. C'est un petit service que vous pourriez me rendre et qui pourrait sauver la vie d'une tierce personne. Vous faites toujours appel à la même agence, on m'a dit. Celle que dirige Rodrigo Abalate.

— Absolument. C'est la plus discrète et la plus efficace.

— Ils ont un employé excellent qui s'appelle David Miralles. J'ai appris récemment qu'il avait sauvé un banquier du nom de Loscertales, c'est leur meilleur élément au sein de l'agence. Une de mes clientes doit venir à Barcelone pour une transaction commerciale engageant de grosses sommes.

— Je ne veux rien savoir de vos affaires privées, Leónidas.

— Je n'ai pas d'affaires privées, je n'ai que des amis, hommes ou femmes. Voilà : ma cliente a besoin d'une bonne protection pendant deux jours, et il serait épatant qu'un homme tel que Miralles s'en occupe. Je ne peux pas l'exiger à l'agence, je ne suis pas un client habituel. Vous, par contre, ils ne pourront pas vous le refuser.

— Et vous souhaitez que ce travail soit confié à Miralles.

— Vous voyez, monsieur Cots, ce n'est pas bien méchant.

— Bon, d'accord… C'est possible, je crois, s'il n'effectue pas de mission spéciale. Je les appelle pour qu'on s'occupe de vous. Ensuite, vous réglerez les détails avec monsieur Abalate en ce qui concerne les horaires, les tarifs, etc. Laissez-moi une demi-heure. Bon, eh bien, au revoir, Leónidas. Ravi de vous avoir eu au téléphone.

Il reposa le combiné.

Heureusement, Leónidas ne lui avait pas proposé une fellation de sa voix mielleuse. S'il lui en avait laissé le temps, l'autre n'aurait pas hésité.

Ainsi, dès le lendemain, David Miralles pénétrait dans les bureaux de la rue Alfonso XII, dans le vieux quartier de San Gervasio où, récemment encore, le poète Joan Maragall dédiait ses vers à la cité lointaine. Depuis, la cité lointaine avait tout englouti, tout envahi, sans conserver ne fût-ce que les cendres des arbres. Des constructions récentes étranglaient des rues étroites où des autos mammifères procréaient sans relâche. L'immeuble de verre et d'acier où s'engagea Miralles était occupé par des bureaux, mais certains avaient été réaménagés en appartements loués à la semaine ou seulement deux ou trois jours, en fonction de l'entrain des couples ou de la durée d'une foire ou d'un colloque. Les vitres étaient opaques à l'extérieur. Du parking, on avait un accès direct aux étages, et le concierge, équipé de lunettes 8 dioptries, avait tout l'air d'un passionné de mots croisés. Pendant ses trois heures de pause-déjeuner, les locataires devaient entrer avec leur clef.

Miralles n'avait jamais opéré dans un bâtiment aussi difficile à surveiller.

Mais le boulot serait vite expédié, en outre il était bien payé. Maintenant, il devait inspecter l'endroit où séjournait la dame.

En avant.

La dame avait la quarantaine.

On aurait dit une hôtesse de luxe. Tailleur gris moulant, bas noirs, chaussures à talons hauts, et, au cou, un foulard de soie offrant toutes les couleurs du paradis terrestre. La dame s'assit, croisa les jambes, prouvant élégamment que les jupes des hôtesses sont immanquablement conçues par des experts.

— Je m'appelle Denise.

Elle avait un accent français mais une bonne maîtrise du castillan. Si elle avait parlé un catalan fluide, là, c'eût été un luxe.

Sur une table basse, Miralles découvrit une mallette en croco-
dile avec laquelle cent Africains auraient pu se payer une traversée en *patera*. Elle la lui montra.

— Voilà, principalement, ce qu'il faut protéger.

— Plus que votre personne ?

— L'une ne va pas sans l'autre : je ne vais pas me séparer de
la mallette.

— Qu'est-ce qu'elle renferme ?

— Des bijoux. Il s'agit d'une vente rapide.

— Quand ?

— D'ici demain. D'ici dix heures environ, vous aurez bouclé
ce travail, quand j'aurai conclu la vente et encaissé l'argent. Je
ne bouge pas d'ici, évidemment. Je n'ai pas l'intention de me
promener bêtement avec la marchandise. Autre chose : j'occuperai la chambre à côté. Vous monterez la garde ici même.

— D'accord, mais laissez-moi vous dire que cet espace est
difficile à protéger.

— L'immeuble, je veux bien, mais pas l'appartement. Il est
petit, facile à surveiller, et les fenêtres sont blindées. La porte
également. Puisque vous y faites allusion, sachez qu'il a un
avantage pour moi : l'acheteur tient à passer inaperçu, et, en
général, les lieux les plus fréquentés sont les plus discrets.

— Je suis d'accord, madame Denise. Maintenant, je n'ai plus
besoin d'explications, mais laissez-moi jeter un œil dans toutes
les pièces.

— Il y a juste ce salon, un débarras, la chambre et une salle
de bains. C'est facile à surveiller, vous voyez bien. Suivez-moi.

Miralles vit la chambre.

Ou pas. En effet, il n'observait que les détails en lien avec la
sécurité. Il ne s'interrogea pas sur la largeur du lit, où deux
couples auraient pu s'ébattre. Ni sur le mur vitré qui réfléchis-
sait toute la chambre. Ni sur le miroir au plafond. Il n'inspecta
que la fenêtre, d'où l'on voyait l'autre côté de la rue, mais, de
l'autre côté de la rue, on ne pouvait pas savoir ce qui se tramait
à l'intérieur. L'endroit avait l'air sûr.

— Seul l'acheteur viendra ici, j'imagine, dit-il.

— Oui.

— Accompagné ?

— Il se peut qu'il ait un garde du corps. Ensuite, vous viendrez avec moi quand j'irai déposer l'argent. Et terminé.

— Normal. Allons voir ce débarras.

Elle le guida. Si sa robe avait été conçue par un expert, ses jambes avaient été dessinées par un onaniste de dernière génération. Cependant, Miralles observa que la dame n'évoluait pas naturellement, mais à la façon d'une gymnaste, telle une danseuse en habit de SS.

— Le débarras.

Rien. Juste un trou d'aération trop étroit pour un être humain. Deux étagères. Des oreillers pour le lit. Sensation de vide. Au mur, une glace avec le reflet de madame Denise, grande, autoritaire et seule.

— Il ne reste que la salle de bains, l'endroit le plus sûr, il va de soi.

— Bien.

— Par ici. Naturellement, vous pouvez en faire usage, mais le moins longtemps possible, il faut rester vigilant.

— Ne vous inquiétez pas, j'ai l'habitude.

— Et voilà.

Elle ouvre la porte brusquement puis s'efface, laissant Miralles à découvert.

Et le type à l'intérieur.

Et le revolver.

Et les yeux qui ont l'air de flotter dans l'espace.

Et la détonation. Et la flamme.

Deux, trois flammes. Deux ou trois tirs qui résonnent et qu'on a du mal à compter : on dirait qu'ils n'en forment qu'un seul. L'air civilisé vicié par une odeur de poudre. Miralles heurte le mur au premier impact.

Le seul.

Il l'a senti à son épaule gauche (juste une poussée suivie d'un souffle rouge). Il a tourné sur lui-même et s'est jeté contre le mur derrière lui. La deuxième balle décroche un cadre, là où se tenait Miralles une fraction de seconde auparavant. Il tend légèrement le bras droit.

Et un coup de feu sort de sa manche.

Il n'était pas censé y avoir dissimulé une arme.

Pourtant elle y était.

Le petit pistolet de tripot – crosse de nacre, canon aux ornements d'argent – a jailli de sa cachette avec le mouvement du bras.

Dans la Californie dorée d'antan, à des tables qui n'existaient plus, des joueurs professionnels, eux aussi disparus, avaient eu recours à ce truc. La balle de petit calibre, comme une pilule, était suffisante à cette distance minime prévue non pour les balles, mais pour les langues. Un trou écarlate apparut au beau milieu du front de l'homme à l'affût dans la salle de bains. Il s'écroula comme une masse sur le bac de douche, sans même un tremblement.

Miralles n'avait songé qu'à deux choses, deux choses qui s'étaient imposées à son regard et non à son esprit. Tout était allé trop vite.

La chaussure noire.

Telle avait été sa première pensée, absurde.

Il avait aperçu une chaussure noire quand Denise avait ouvert la porte.

La mort.

Telle était sa seconde pensée, logique.

La balle avait dû s'incruster au milieu du cerveau de l'homme à la chaussure noire.

Et le temps. Le temps s'était arrêté. Miralles n'était pas conscient d'avoir sauté dès qu'il avait entrevu la chaussure. Il ne ressentait aucune douleur au milieu d'un tel silence, un silence peuplé de moquettes, de lits sans murmure, de miroirs sans silhouette. De fenêtres où la ville se tenait à l'affût sans rien voir.

Il regarda Denise.

Ses lèvres tremblaient. Sa robe de séductrice était méconnaissable. Elle ne servait plus à séduire mais à porter le deuil. Ce n'était plus un habit d'hôtesse, mais celui d'une employée des pompes funèbres.

— Un voleur, bredouilla-t-elle à grand-peine.

— Ou un piège, reprit Miralles à mi-voix.

— Prouvez-le.

La réponse avait été dure, précise, exacte. Un silence implacable concentré dans les yeux de la femme. Et Miralles qui sent couler son propre sang et grogne de douleur. Imperceptible au départ, et à présent comme une lacération. Denise remue les jambes et révèle un genou dont aurait pu rêver un onaniste.

— Un joli plan, ma belle, murmura-t-il avec de l'admiration dans la voix. J'ai été recruté pour te protéger en toute légalité, mais il se trouve qu'un voleur était planqué sur place. Il me tue, emporte le butin, et toi tu préviens la police. Comme la camelote a disparu, personne ne saura que les bijoux étaient des faux. Vous vouliez me piéger.

La femme a peur mais s'efforce de garder une parfaite sérénité. Elle sait qu'elle a échoué, que tout l'accable : une mallette qui la compromet, un ami mort et un ennemi en vie. Elle n'essaie pas de prendre la fuite, là encore ce serait inutile. D'ailleurs, à cet instant, on frappe à la porte.

Et la femme qui est perdue se dirige vers le battant de bois en murmurant :

— Je ne suis pas foutue, détrompe-toi.

30

Non, elle n'était pas foutue.

En vérité, la situation s'arrangea grâce à des avocats – tous importants, sauf un – et en vertu des droits de l'homme. En vérité, Méndez ne pouvait pas contenir son admiration. Méndez, homme de la rue, fut ébloui par la clémence maternelle des lois, les cernes aux yeux des juges, les diplômes aux murs des bureaux.

— Tout ça est clair, dit-il au commissaire principal, qui omettait d'allumer un havane offert à l'occasion d'un cinquantième anniversaire, et pour les deux parties. Premièrement : Miralles est une redoutable gâchette qui peut tuer sans la moindre hésitation.

— On est au courant. On sait également qu'il a liquidé Omedes, même si aucune preuve ne l'accable.

— Miralles connaît toutes les combines, y compris ce ressort dans la manche. Bien entendu, il avait eu soin d'enregistrer ce flingue de poche à son nom.

— J'ai lu ça à l'instant dans le premier rapport de nos agents, Méndez. Si vous avez terminé le premier point, annoncez la suite, nom de Dieu !

Méndez alluma une cigarette, malgré l'interdiction de fumer, ou à cause d'elle, précisément.

— Deuxièmement : Leónidas Pérez sait qu'il a l'autre aux fesses, et il veut le prendre de court. Il a déjà tenté le coup à deux reprises, sans résultat. Cette fois, il était sûr d'arriver à ses fins. Miralles a été recruté pour finir dans un trou.

— Et c'est là qu'intervient la loi, fit le commissaire principal.

— Quelle loi, bordel ?

— C'est tout simple. Si le contrat avait été signé par Leónidas Pérez, actuellement, il aurait tous les flics au derrière, y compris les contractuels de la zone bleue. Mais ce n'est pas lui qui l'a paraphé.

— Qui, alors ?

— Une dame prénommée Denise. Elle était dans son droit, aucune charge ne peut être retenue contre elle. Évidemment, on s'est renseigné : elle est agent commercial à Paris et elle vend mille choses, des voitures comme des bijoux, à condition d'empocher une belle commission. Elle exerce légalement sa profession, elle a un domicile fixe et elle paie ses impôts. Il y a quelques années, quand elle était plus jeune, elle a eu un ministre pour amant. Ah, elles vous plairaient, les jambes de la Denise, ne serait-ce que pour les épier par un trou de serrure. Imaginez un peu comment elle était roulée quand le ministre se la tapait.

Méndez préféra ne rien imaginer.

— Il suffit de creuser un peu, grogna-t-il : elle n'est que la partie visible du traquenard. À tous les coups, Leónidas l'a envoyée à l'agence où bossait Miralles. C'était la première étape.

— Non, Méndez. Ç'aurait été trop simple, trop direct. Ça s'est déroulé autrement, hélas. Elle était recommandée par Cots, un célèbre publicitaire qui dirige parfois des campagnes électorales, il lui est même arrivé d'avancer du pognon en échange de prébendes. Ce gars-là est très influent. Il n'est pas né, celui qui lui mettra des bâtons dans les roues. De surcroît, il s'est présenté de son plein gré avec Puigarnau, son avocat, pour répondre à nos questions. Ce n'est pas du menu fretin. Il n'est pas né non plus, celui qui mettra des bâtons dans les roues de Puigarnau. En tout cas, vous, Méndez, vous n'en avez pas l'étoffe.

— On ne sait jamais. Après un bon dîner rue du Tigre, j'en aurais peut-être le cran. Mais il y a une question que vous avez dû lui poser, cher commissaire. Il a demandé à l'agence de confier cette mission à Miralles, d'accord, mais qui a bien pu le lui souffler ?

— Cots assure que cette requête émanait de Denise. Il n'en démordait pas, surtout qu'il était conforté par son avocat, qui écartait toutes les questions embarrassantes. C'est sûrement Leónidas qui l'a voulu ainsi, mais impossible de le prouver. Aucun indice ne permet d'affirmer qu'une ordure comme Leónidas connaît un magnat tel que Cots. C'est l'impasse, de ce côté-là. Ni les journaux ni la télé n'ont fourni le moindre détail.

— Si Cots connaît Leónidas et qu'ils brassent de l'argent noir tous les deux, il ne l'ébruitera pas, évidemment. Mais vous avez sans doute contacté l'agence.

— Inutile de m'indiquer la marche à suivre, Méndez.

— Pardon, je réfléchissais tout haut.

— Bien sûr, je l'ai contactée. Et l'agence, tout ce qu'il y a de plus respectable, a traité avec la fameuse Denise, évidemment. Leónidas a tout concocté, c'est probable, mais jamais il n'aurait agi au grand jour. Il a dit à Denise, sa complice, à mon avis : « Tu sollicites une protection légale, comme ça l'affaire est arrangée. » Ainsi, tout semble en règle.

Le commissaire principal se carra dans son fauteuil, alluma son havane, savourant l'interdiction de fumer, et, quelques secondes, les yeux révulsés, il eut l'air de croire au bonheur.

— Donc rien du côté de l'agence, grommela Méndez.

— Non, tout est en règle.

— Si vous permettez, cher commissaire, vous avez discuté avec Denise et reluqué ses jambes.

— Bien sûr, je lui ai parlé. Elle était toute retournée.

— Ou elle jouait la comédie.

— Je suis sûr qu'elle était sincère, Méndez. Peut-être parce que le plan avait foiré et que le tueur était devenu la victime, mais elle était toute retournée, faites-moi confiance. Bref, Méndez, avec toute l'expérience qui est la vôtre, vous auriez pu la culbuter sans qu'elle s'en aperçoive. Non, avec vous, elle n'aurait rien senti. Veuillez m'excuser pour cette digression un peu graveleuse. Mais elle jure qu'elle ignorait qu'un voleur était planqué dans l'appartement, et bien sûr, aucun juge ne saura apporter la preuve du contraire. Son avocat, Muntaner, lui aussi renommé, l'a dit clairement. Mais il reste deux failles.

— Notamment le voleur abattu, répliqua l'inspecteur. Lui n'avait sûrement pas d'avocat prestigieux.

— Ah ça, non! Une vraie merde, une sale ordure. La lie des gangs colombiens, le genre de gars qui bosse pour deux billets et sa dose de poudre. Il sait qui l'a engagé et, à cette heure, il crie son nom au ciel, mais impossible de l'entendre. Pourtant, je vous jure qu'il passerait à table s'il était vivant : ces toxicos lâchent toujours le morceau. Hélas, Miralles l'a buté. S'il l'avait seulement blessé, ça nous aurait bien arrangés.

Le dépit se lisait sur la face de Méndez : la première faille était colmatée. Le défunt ne parlerait pas.

Cependant, il en existait une seconde.

— Les bijoux.

— Que voulez-vous dire, Méndez ?

— Si l'on a affaire à des vrais, on n'a plus rien à dire. Mais s'ils sont faux, la Denise n'avait pas l'intention de vendre quoi que ce soit. C'était juste pour donner du crédit à l'histoire. Vous pouvez l'arrêter en l'accusant de tentative d'escroquerie, jusqu'à ce qu'elle avoue. Et pour avoir la paix, elle avouera.

— Ce n'est pas aussi simple, Méndez. L'avocat Muntaner a fort bien conseillé sa cliente, et Denise a fait une déposition inattaquable. Tenez, mais je vous conseille de lire ça calmement. S'il s'agit d'un piège, comme nous le croyons tous les deux, tout était parfaitement calculé. Autrement dit, si Leónidas l'a recrutée ou dirigée, ça veut dire que cet enfoiré ne commet aucune maladresse. Elle avait même un certificat sur elle.

— Quel certificat ?

— Eh bien, elle savait qu'il y aurait un mort. Pas celui qu'elle croyait, mais elle savait qu'il y en aurait un. En tout cas, la police lui demanderait ce qu'elle était venue faire à Barcelone.

— Logique.

— Le certificat qu'elle m'a montré a été joint au procès-verbal. Il établit que les bijoux sont des faux. Ils sont la copie parfaite de pièces authentiques, ce qui est fréquent. Bien des bourgeoises, les pauvres chéries, déposent leurs vrais joyaux, la fortune familiale, dans un coffre à la banque. Et elles arborent les faux au Grand Théâtre du Liceo, les soirs de gala. D'après le certificat, un joaillier de Rome a réalisé les copies, qui valent sûrement un beau paquet, et Denise venait les livrer en échange d'une commission.

— À qui étaient-elles destinées ? demanda Méndez.

— J'ai bien sûr posé la question.

— Et alors ?

— Sur les conseils de son avocat, Denise n'a pas répondu. Elle n'est pas obligée de nuire à de tierces personnes, d'autant qu'il s'agissait d'une transaction légale.

— Mais ces bijoux sont au cœur du délit…

— Oui, Méndez. Ils ont été mis sous scellés et seront transmis au juge, qui les utilisera comme pièces à conviction au procès… s'il a lieu un jour. Là encore, il n'y a aucun délit, j'en ai peur. Miralles lui-même exerçait légalement sa profession, il a tiré en légitime défense.

— Putain de chiotte ! lança Méndez ex abrupto.

La loi lui donnait la nausée.

— Il n'y a plus qu'à vérifier le certificat romain des bijoux, murmura-t-il. C'est peut-être un faux.

— J'ai demandé à ce qu'il soit examiné, Méndez. Et il est authentique, je le crains. Un orfèvre réalise un travail de commande, touche son dû et délivre un reçu à la personne qui l'a payé, Denise en l'occurrence. Peut-être que Denise avait commandé ces contrefaçons pour les revendre comme des pièces véritables, on ne le saura jamais. En tout cas, elles étaient en sa possession, et Leónidas, s'il est derrière tout ça, a résolu de s'en servir comme d'un appât pour le crime. Tout était millimétré, Méndez, même si l'opération capotait. Et pour prouver sa bonne foi, Denise nous a fourni un autre élément. Elle affirme qu'un ami à elle a demandé à un avocat de Barcelone si l'agence où travaille Miralles était digne de confiance, et si le contrat type de protection était correctement libellé.

— Quel avocat ?

— Il s'appelle Escolano. Son père était un cador, mais lui c'est un tocard.

— Curieux hasard ! Le père avait défendu Leónidas par le passé. J'aimerais en toucher deux mots à Escolano.

— Ne vous donnez pas cette peine, Méndez, c'est déjà fait. Je travaille pendant que vous traînez dans les rues, figurez-vous. Escolano dit qu'en effet on l'a consulté afin de protéger Denise, et Denise s'appuie sur ce témoignage pour attester son innocence. C'est encore un détail de l'embrouille pour que rien ne puisse être retenu contre elle. Escolano prétend que ce n'est pas Denise mais un homme qui l'a interrogé ainsi qu'elle-même l'a déclaré.

— Alors, nous le tenons : c'était Leónidas.

— Il n'a pas voulu nous révéler son identité, en vertu du secret professionnel, d'autant qu'un meurtre a été commis dans cette affaire. Si le juge lui demande de rompre le silence, j'ignore ce que fera Escolano, mais moi je n'ai pas le droit de le garder ici pour lui coller des beignes. Enfin... Il n'est pas certain que le juge réussisse, le cas échéant, à lui tirer les vers du nez. Escolano a sûrement eu un tas de contacts, disons professionnels, avec Leónidas et il a intérêt à garder le silence pour éviter d'être mouillé. Alors, voici ce qui va se passer.

— Je vous écoute.

— D'abord, Miralles est en vie, il se remettra de sa blessure à l'épaule, Leónidas et Denise ont donc échoué. Mais Denise n'aura pas d'ennuis, leur coup était bien ficelé, et au final on ne donnera pas suite à l'enquête. Miralles ne sera pas inquiété lui non plus, c'est un cas de légitime défense.

— Donc l'affaire sera classée tôt ou tard.

— Parfaitement, Méndez. Voilà à quoi servent les lois.

Méndez sortit du bureau en étouffant un juron, avec l'impression qu'il fallait être un abruti pour aller en prison : Leónidas y avait séjourné du temps où il l'était, or il ne l'était plus. Pour se consoler et réprimer sa rage, l'inspecteur décida de manger du poisson dans un bar de la rue Hospital où nul client n'était mort depuis longtemps. Auparavant, il fit halte sur le trottoir de la Ronda de San Antonio et parla à une vieille prostituée pour avoir des nouvelles de sa fille.

Deux Mossos d'Esquadra le mirent en garde :

— L'achat de services sexuels est interdit sur la voie publique. Circulez ou vous serez verbalisé.

Méndez obtempéra.

Après avoir survécu à un plat de poisson et à quelques rasades de « vin trouble » galicien, ce qui pouvait vous inciter à avoir foi dans le Seigneur, Méndez voulut allumer un Faria numéro un, cigare honnête, conçu pour la souveraineté du peuple et la résignation des masses. Car, ces derniers siècles, le peuple n'avait rien obtenu, mais pour le moins avait-il pu fumer en paix. Or le patron lui annonça que son établissement était petit et qu'on allait lui coller une amende s'il laissait fumer les clients, une amende qu'il serait infoutu de payer, même en vendant sa bonne femme. Méndez protesta. Le patron le flanqua dehors.

Fort heureusement, on vit dans un pays sans loi, songea-t-il en fumant dans la rue, avec sa dégaine d'agent mis à pied et ses poches bourrées de livres.

31

Amores, illustre journaliste qui n'avait plus d'argent pour s'acheter des livres ni pour héler un taxi, moins encore pour inviter au restaurant des gagneuses polonaises prétendument chastes, salua Méndez avec respect :

— Bien le bonjour, m'sieur Méndez. Puisse la fortune sourire à tous nos concitoyens dans ce pays ô combien vertueux, et bientôt l'Europe entière nous enviera.

— Amores, nom de Dieu ! Ça marche, le boulot ?

— J'opère des vérifications sur le terrain pour la rubrique faits divers, m'sieur Méndez, je n'ai guère envie d'être lourdé à la prochaine restructuration. Je ne me plains pas, il y a pire, comme rester planté devant la baraque des célébrités du slip pour leur demander si elles vont se séparer, si le mari de la salope s'est suicidé ou si leur gamine a fait pipi. Tout fout le camp, m'sieur Méndez, le métier se meurt parmi des capotes qui finiront dans un musée et des programmes de télé-poubelle. Même le gars qui descend pour chercher les sandwichs, il se dit journaliste, alors que les journalistes, les vrais, ils chialent, la nuit. Et je suis bien placé pour le savoir.

Le reporter Amores, accoutumé aux scoops d'une époque révolue (des maires qui déclaraient des marais constructibles ou des ministres qui revendaient leur bagnole officielle) posa le front, amer, sur les épaules de l'inspecteur.

Méndez le consola.

— Courage, Amores. Quand toutes les morues du pays auront vendu leur accouchement à la télé et que les femmes de torero auront trompé leur mec avec une bête à cornes, le pays s'ennuiera et retrouvera ses fondamentaux : la guerre civile, les statuts d'autonomie et l'unité de l'Espagne. Alors, il y aura de la place pour des journalistes comme toi, même s'il y a un inconvénient : tant que le pays se crétinise devant les ébats de la jet-set et qu'il tourne le dos à son destin historique, les gens arrêtent de s'entretuer, si ce n'est à coups de corne, et la vie suit son cours. Sinon, ça part en vrille. Mais toi, Amores, tu as sûrement une question à me poser. Vas-y, déballe.

— C'est vrai, m'sieur Méndez. Je vous ai cherché désespérément avant de vous trouver ici, en observation.

— L'observation, Amores, tel est le grand secret de la police scientifique. Je t'écoute.

— J'ai besoin d'une confirmation : le juge, il va vraiment classer l'affaire de cette dame prénommée Denise qui a fait beaucoup de bruit avec le braqueur abattu ?

— Oui, sûrement, Amores, aucun délit n'a été constaté. On me l'a expliqué ce matin, il ne reste plus qu'à signer l'arrêt. Notre Denise aurait pu exiger un dédommagement tant elle a démontré sa bonne foi.

— Et le roi de la gâchette : Miralles ? Est-ce qu'il sera jugé ?

— Certainement, Amores, puisqu'il y a eu un mort, mais il ne s'agira que d'une formalité. Il a été prouvé que Miralles a agi en légitime défense, et la compagnie où il travaille lui a trouvé un bon avocat. Le procureur lui-même va retirer la plainte, à mon avis.

— Et lui, comment va-t-il ? Que puis-je raconter dans ma rubrique ?

— Il a passé quelques jours à l'hôpital, et on l'a bien soigné. Il est jeune et robuste, heureusement, sinon il y passait. Le seul ennui, c'est qu'il est en arrêt : il a l'épaule bandée et le bras gauche paralysé. Mais je suis persuadé qu'il n'aura bientôt plus aucune séquelle.

— J'ai lu le rapport, m'sieur Méndez, j'ai un vrai talent pour me glisser partout. Il s'en est fallu d'un cheveu. Un peu plus bas, la balle lui perforait le cœur. Encore un peu plus bas, elle lui déchiquetait les burettes. Mais dites-moi, s'il vous plaît, puis-je annoncer dans ma rubrique que Miralles mène une vie à peu près normale à l'heure qu'il est ?

— Oui, Amores. Le type qui a payé le tueur est sûrement au courant, tout le monde peut donc être informé, y compris les auditeurs de ton émission.

— J'aime autant que ça arrive jusqu'aux oreilles des annonceurs, m'sieur Méndez, qu'ils comprennent bien que c'est une radio dynamique. Mais dites-moi, pourquoi vous faites le pied de grue, si je ne viole pas le secret de vos enquêtes de haut vol ?

— Il n'y a aucun secret, Amores. Je filoche Miralles, sachant qu'on va encore essayer de le flinguer. Je veux éliminer le gars qui veut le buter.

— Dois-je en déduire que Miralles est là, tout près ?

— Oui, Amores, dans cet immeuble que je surveille. Mais si tu l'ébruites, je te les coupe.

— J'ai droit aux mêmes menaces avec ma femme, m'sieur Méndez.

— J'essaierai de passer en premier.

— Mais dites-moi, cet immeuble, qu'a-t-il de particulier, inspecteur ? On dirait un musée prolétaire, un repaire d'anarchistes d'il y a deux siècles. Répondez-moi, je garderai le silence radio sur vos révélations.

— C'est là que Miralles a vécu avec sa femme, qui l'a abandonné. C'est là aussi qu'est né son fils qui s'est fait tuer lors d'un hold-up.

— Ça fait un bail, tout ça, m'sieur Méndez. Et il n'y a pas d'autres locataires, dans leurs trente mètres carrés*, comme le veut le ministre du Logement ?

— Non, Amores. Quand la femme de Miralles a mis les bouts et qu'il a déménagé lui aussi, le proprio n'a pas reloué l'appartement, dans l'intention de spéculer. Il avait tout calculé pour le vendre, passé un certain délai, sauf qu'il a passé l'arme

---

* Surface minimum des HLM espagnoles selon une décision récente qui a suscité une vive polémique.

à gauche. À présent, ses enfants s'étripent pour l'héritage, ils
sont en procès, et on ne sait toujours pas qui détient les murs.
Il ne restera pas longtemps inoccupé, il sera bientôt vendu, je
suis sûr.

— Certainement, m'sieur Méndez : à Barcelone, il y a plein
de logements vides dont les propriétaires attendent une envolée
des prix pour goûter au bonheur éternel. Bon sang, mais pourquoi Miralles est-il venu dans cette baraque peuplée de fantômes ? Elle ne peut raviver que de mauvais souvenirs. En plus,
il crèche ailleurs.

— Oui, dans un autre appartement du quartier, à Pueblo
Seco. Il a juste déménagé les affaires de la chambre où dormait
son gamin.

— Bon Dieu, il cherche quoi au juste ?

— Il est venu avec une femme.

— Ah, le bougre !

— Un seul mot, Amores, et tu pleures à genoux : je te la
tranche en rondelles.

— Non, rien, motus…, jura Amores. Seulement, voyez-
vous, ma curiosité sexuelle est durement titillée. Même avec le
bras gauche dans le sac, on peut enfiler sa prochaine, à mon
avis. Il pourrait même la déflorer.

— Non, justement, impossible, Amores.

— Elle a perdu sa virginité ?

— Oui. Et elle portait des socquettes blanches, ce jour-là.

Voici l'escalier, David Miralles, le coin abritant les compteurs
de gaz ou d'eau, tu ne te souviens plus, en revanche tu n'as pas
oublié les paliers aux ampoules grillées, les barreaux déboîtés
sur la rambarde, le mur de l'entresol où les gosses gribouillaient.

Et le tournant, le tournant… Là, il y a un pommeau où tu
t'es appuyé le jour où tu as gravi l'escalier, ta femme en robe de
mariée dans les bras. Tu étais si fauché que vous n'avez pas
même réussi à vous offrir un petit hôtel sur la Costa Brava,

pourtant si peu chère à l'époque, avec de jolies fenêtres d'où l'on voyait encore la mer, avant que les blocs du progrès n'obstruent l'horizon. Tu nourrissais encore de l'espoir, David Miralles, et tu venais de voir un film américain où le mari montait les marches, son épouse dans les bras. Bénis soient les rêves d'autrefois, David, de même que ces films où tu découvrais la vie des autres.

Et voici les années. Elles sont là, David, avec le temps devenu poussière noire, écume de toile d'araignée, squelette d'une chatte qui s'était nichée là pour accoucher d'une espérance. Voici le temps filtré par les murs qui ont distillé peu à peu une clarté liquide.

Et elle. De surcroît, elle est là.

Mabel ne porte plus de socquettes blanches, mais tu sais qu'elle en enfilait parfois, ni de robe aux ourlets effilochés ni de sous-vêtements d'enfant sage. Les méchantes filles vont en enfer, disaient alors les catholiques, les gentilles filles, elles, vont au lit. Mabel n'a plus la chair ferme de ses quinze ans, ni ces mamelons prêts à recevoir le baptême, ni la peau dévorée par des bouches masculines. Ses yeux n'expriment plus l'espoir avec lequel elle se penchait aux balcons du quartier ni la transparence avec laquelle ils fixaient les rues.

Tu es là, cependant, présence chaude dans les entrailles de la maison.

Le pommeau de la rambarde, David, ce pommeau où tu avais pris appui en montant ton épouse vers le bonheur promis. Maintenant, tu as honte de gravir les degrés avec Mabel, de sentir la chaleur de sa main – la main de l'autre, en fait – qui ne connaît pas cet immeuble, au milieu de cette obscurité, qui a peur de trébucher. Et la lucarne du palier – que ton fils regardait toujours –, le carreau cassé, l'air digéré par les galeries sur la cour, la lumière en son linceul.

— Nous y sommes. Bizarre, l'immeuble n'a pas été squatté, depuis le temps. Il faut dire que le propriétaire le faisait nettoyer quelquefois, et la porte du hall était fermée à double tour.

— Pourtant tu es entré avec la clé.

— Je m'étais fabriqué un double avant de partir. Mon fils est né ici. Je pensais le garder comme on garde la clé du cercueil de sa femme. Ça m'a servi d'une certaine façon. Des fois, sachant l'endroit désert, je me glissais à l'intérieur et je restais là, immobile, recroquevillé entre le hall et l'escalier, en respirant à peine, comme dans une tombe. En entrant dans une tombe, on ne sent pas le temps, alors que moi je le sentais.

Il ajouta en un murmure :

— Mais ça m'a permis de tenir.

Et voici le palier avec ses deux portes : la tienne, David, ton bout de terre promise ; celle d'en face, chez madame Engracia, qui était morte après avoir communié par deux fois (au cas où la première n'eût pas suffi), et son mari, monsieur Abel, qui avait demandé à être mis en terre avec un drapeau rouge. La porte aussi de leurs deux filles, la Tita et la Belén, les premières à avoir joué par terre avec ton fils. Et voici la lumière, identique, la lumière des fenêtres mortes.

— Tu as la clé de l'appartement ?

— J'en ai aussi un double, mais jusqu'ici je n'ai jamais eu le courage d'entrer. Le proprio a sûrement fait changer la serrure.

Il ne l'avait pas remplacée. Ce logement n'avait pas été reloué depuis, alors à quoi bon ? La clé reste bloquée, puis elle bouge doucement dans l'orifice de fer et de silence, la gorge muette de la maison. La porte cède : on entrevoit un mur à peine effleuré par la lumière de l'après-midi ; où les gouttes des vieilles tuyauteries – qui ont peut-être disparu – ont imprimé une tache noire au fil des ans.

Et les meubles. Il y a encore de vieux meubles, David ; le propriétaire a dû estimer qu'il serait moins coûteux de les laisser dans cette tanière que de les vendre. Voici la table minuscule de la salle à manger, et une chaise, une seule, et le rideau tout déchiré – où des milliers d'insectes ont célébré leur nuit de noces – et l'étagère d'angle pour les verres ; le gosse en avait cassé un, ton préféré.

Et tu avais gardé les bouts de verre. Ils sont toujours empilés sur l'étagère, témoins de la vie du petit. Les morceaux gisent dans une espèce de chrysalide à cause de la poussière. Un jour, penses-tu, il en naîtra un papillon aux ailes tissées dans le temps.

Et le couloir. Et les stores cassés de la galerie filtrant une lumière usée par les années. Et la chambre de l'enfant, déserte, puisque tu as tout emporté, David, tout, tout, tout, comme si tu avais pris l'âme de ton fils. Une marque sur le mur, la petite tête de lit, les crochets qui retenaient un rideau qu'il avait fini par arracher, alors qu'il débordait de vie dans la maison, ces mains bénies qui arrachaient tout ce qu'elles pouvaient. Brusquement, un détail attire ton attention, tu vois des marques de doigts, l'empreinte d'une main, la trace ultime qui t'a guetté tout ce temps, dans les nuits sans esprits et les soirs sans espoir.

C'est le dernier vestige de ton enfant qui t'a peut-être attendu là, patiemment.

— Qu'y a-t-il ?

David Miralles fond en larmes.

Le couloir d'à peine six pas (que le gosse enfilait en braillant), les vitres de la galerie miraculeusement intactes, et un morceau de cour, un morceau de lumière à travers la persienne abîmée, un tronçon de rambarde, et, contre elle, deux pots de fleurs où il n'y a rien, plus rien, pas même des vers de terre : l'abandon a fini par les engloutir.

— S'il te plaît, David, donne-moi la main.

David Miralles n'ose pas, car s'il le fait, elle sentira ses doigts trembler à cause des sanglots. Il n'aurait jamais dû revenir, jamais ; il n'aurait pas dû écouter Mabel qui lui avait dit que le seul moyen d'en finir avec les souvenirs, c'était de leur faire face. Mabel ne comprendra jamais que les ombres perdurent et que l'on peut mourir deux fois.

— J'ai eu tort, excuse-moi.

— T'en fais pas, Mabel.

La chambre principale, avec son grand lit, est demeurée intacte. David a tout laissé, bien sûr, car elle renferme la seule chose qu'il ne voulait pas emporter, des bouts de nuit. Sur le lit, sans doute acheté à crédit, gît encore un matelas, défraîchi mais en parfait état. Autrefois, pense David, ils étaient fabriqués à la main, avec de la laine de brebis, on les livrait avec un sourire pour la nuit de noces, et pour en attester la qualité, le matelassier y culbutait la mère de la mariée.

— C'était votre chambre ? a-t-elle demandé à mi-voix.

— Oui.

— Mais elle te rappelle de mauvais souvenirs.

— Forcément.

Comment te l'expliquer, Mabel ? Toi aussi, tu as sûrement gardé de mauvais souvenirs des chambres closes, des matelas où tu t'allongeais – sans doute pareils à celui-ci –, des lits usés par cent femmes qui leur avaient donné un nom bien avant toi. Ta main tremble à présent, Mabel. Je viens de voir mourir mon fils, toi c'est la fille en socquettes blanches que tu as vue mourir.

— Tu n'étais pas heureux, ici.

— Non, Mabel.

Telle est la vérité qui reste en l'air, David, et nul ne pourra l'abolir. Ta femme s'est mariée avec toi pour se libérer et gravir l'échelle sociale. Se libérer du foyer familial, du père bougon et de la mère qui se battait avec les sous et les fourneaux et qui, chaque matin, regrettait d'être née. Gravir l'échelle sociale car on te promettait un bel avenir, David, alors qu'il n'en a rien été : la tête des patrons, plus malins que toi ; la montre des patrons, plus ponctuelle que toi. Et ton épouse de comprendre soudain qu'en vérité la ville, avec toute son histoire, n'était qu'une vitrine affichant les objets qu'elle ne possédait pas. Or, David, les hommes des villes dépendent à leur insu des vitrines de leur cité.

De cette époque, il est resté la lumière blanchâtre et le matelas où elle espérait plus que tu ne lui as donné. Les filles d'alors n'avaient que leur imagination. La lumière agonisait le samedi soir, elle avait le regard dans le vide et n'espérait plus rien. Une voisine, dans la galerie sur la cour, chantait et proclamait que la vie était belle. Il n'y a plus qu'un matelas devant toi. Envolées les voisines, les cours aussi probablement.

— David...

— Quoi ?

— Je me sens coupable, je n'aurais pas dû insister pour venir.

— Sois tranquille, ça ne se reproduira pas.

— Tu sais quoi ? Pour vaincre les souvenirs, il faut les regarder en face, et un souvenir en chasse un autre.

— Je ne comprends pas, Mabel.

— C'est pourtant simple : je ne sais pas si un jour tu as connu le bonheur au lit, moi jamais en tout cas. J'ai toujours eu sur moi des types détestables, je ne les regardais pas. Ils frémissaient face au miroir, moi je tournais les yeux vers le plafond sans vie, toujours pareil. Là-haut, j'avais fini par imaginer des visages, des sourires, ce que j'étais seule à voir, et j'y redessinais ma vie. C'était toujours le même plafond, David, toujours, mais mon regard le transformait.

Elle lui serre la main.

— Ce qui changeait, c'étaient mes jambes, la partie de mon corps que je voyais le mieux dans le miroir, le reste étant masqué par le client. Il y a d'abord eu des jambes minces, de jeune fille mal nourrie, lisses, pleines de vie. Voilà à quoi elles ressemblaient quand je portais des socquettes blanches, David. Puis j'ai porté des bas, un cadeau de la patronne ; mes jambes étaient jolies, plus rondes, mais la peau n'était plus comme avant. Un peu de graisse par-ci, une petite tache bleue par-là, un pli au bord de l'aine, si ferme auparavant. Les hommes ne s'arrêtaient pas à ces détails ; ils ne voyaient rien, de vraies machines. Aujourd'hui, je suis plus vieille que toi, David, et cousue d'imperfections, je suis une femme qui n'a jamais été heureuse. Il n'y a qu'un homme, le marquis, qui m'aidait quelquefois à réfléchir, à parler. Et, vois-tu, je me dis à présent que toi et moi sommes restés bloqués devant le même fantôme.

Puis elle reprend en un murmure :

— On ferait bien de s'en débarrasser.

Mabel sait que David ne peut pas s'appuyer sur le côté gauche à cause de sa blessure, mais qu'importe. Elle lui serre une main qui sait tuer et non pas caresser. Et Mabel cherche de sa langue sa solitude, leur solitude à tous deux.

Laisse-moi faire, mon chéri, laisse-moi faire, moi je prends du plaisir par mon imagination, et je suis une experte. Je vais te chercher, laisse. Ma langue est habile, longue, elle a des doigts, de l'âge, de la mémoire. Laisse-moi te caresser. Te dorloter. Que je recrache notre vie sur les murs morts.

Là, David, c'est autre chose, oui, vraiment. On voit bien qu'aucune femme ne t'a jamais aimé réellement. On voit bien que tu n'as jamais croisé de fille comme moi, désireuse de regarder un homme et non pas un plafond, et que ce matelas ne t'a jamais appartenu. Eh bien, là, il va être à toi, oui, à toi ; les rais de lumière seront des clins d'œil, des spasmes.

Viens.

Le désir me donne mal aux hanches, et je suis caressée par la salive qui envahit tout, qui est née au fond de mon ventre, mais qui semble couler de ma bouche.

Viens, David, toi qui es mort une fois, qui mérites de naître deux fois.

Et la voisine est à côté, la même, peut-être, et son chant à la vie retentit de nouveau, et les patios renaissent, et la lumière persiste car nous sommes là, tous les deux. Oui, David. Comme ça, voilà… Comme tu es fort, mon chéri. Viens vite.

Au-delà, l'escalier silencieux, la rue pratiquement déserte. Toi, Méndez, tu es là, en train de surveiller, sur ordre du commissaire, une partie de jambes en l'air qui t'échappe, heureusement, car il ne manquerait plus que tu aies un rapport à écrire là-dessus. Et, pour tout dire, un autre détail attire ton attention : Eva Expósito surveille aussi le hall d'entrée de l'autre côté de la rue, où il y a un bar de retraités qui, eux non plus, ne la lâchent pas des yeux. Aurait-elle filé son patron à ton insu ?

32

La maîtresse.

La maîtresse, grande, mince, un peu sévère, frôle la cinquantaine. Elle exerce dans une école privée, ou sous contrat, mais qu'importe l'appellation : de telles subtilités échappent à l'homme qui vient d'entrer. Il est costaud, bien conservé. Tiens, il a le bras gauche immobilisé dans un bandage. Sans doute un accident de travail, songe la maîtresse, les gens ne font plus attention aujourd'hui, il faut dire.

— Vous êtes monsieur David Miralles ?

— Oui, madame.

— Je m'appelle Laura, Laura Gimeno. J'enseigne la culture générale, et je m'occupe aussi du secrétariat. Vous souhaitez inscrire votre fils chez nous, à ce qu'on m'a dit.

— Oui, madame.

— Comment s'appelle-t-il ?

— Juan Miralles Cuesta.

— Quel âge ?

David Miralles jette un regard confus autour de lui. À dire vrai, il ne s'attendait pas à cette question élémentaire.

Il marque une hésitation, rien d'étonnant à cela, certains parents ont peine à donner l'âge de leur enfant de but en blanc. Mais il invente :

— Six ans.

— Alors c'est moi qui m'en occuperai, ils sont dans ma classe à cet âge. Quelle école a-t-il fréquentée ?

David Miralles hésite à nouveau comme s'il avait encore un trou de mémoire, Et il hausse les épaules, dirait-on. Quelle importance ?

— Il est allé dans des jardins d'enfants.

— Choisis par sa mère ?

— Non... Pardon, je suis séparé.

— C'est le cas de bien des familles, désormais... Cela ne fait rien. Écoutez, vous êtes ici dans un établissement privé où règne la discipline, et les enfants apprennent à obéir, du moins autant que possible au jour d'aujourd'hui. Je veux dire que certains nous trouvent un peu vieux jeu. Que les choses soient claires : nous donnons des cours de religion et nous avons participé à toutes les manifestations contre les plans d'éducation du gouvernement socialiste. Je dois vous avertir afin que vous sachiez quel type d'enseignement recevra votre fils.

— J'approuve entièrement. C'est pourquoi j'ai pensé à vous.

— Quelle est votre profession, monsieur Miralles ?

— Je suis... responsable de la sécurité dans une entreprise.

— Parfait... Alors vous aimez l'ordre, j'imagine. Sans doute connaissez-vous nos conditions pour ce qui est des horaires et des tarifs.

— Oui, madame.

— Les classes sont mixtes et peu nombreuses. L'enseignement se fait en catalan ainsi qu'en castillan, car les deux langues sont utiles, et depuis peu nous avons introduit l'anglais. On n'a pas le choix, c'est devenu obligatoire. Quelle culture expansionniste, je vous jure !

— C'est parfait.

— Tant mieux si tout vous convient, monsieur Miralles. Souhaitez-vous d'autres précisions ?

— Non, aucune. Enfin, si... Excusez-moi, mais j'aimerais voir une salle de classe, si cela ne vous dérange pas.

— Bien sûr que non. Il y en a une qui est inoccupée en ce moment, je vous la montre. Suivez-moi.

La salle est vide, en effet, mais l'on découvre un portemanteau où de nombreux gamins ont accroché leur blouse. Quinze pupitres, ce qui prouve qu'en effet les effectifs sont réduits. Le tableau est à gauche. C'est là, pense David Miralles, que mon fils écrira ses premières phrases et fera ses premiers calculs. J'espère qu'il n'aura pas de problème avec l'écriture ; les chiffres, ça risque d'être plus compliqué, mais de nos jours il y a toutes sortes de machines pour les opérations.

Miralles l'imagine.

Quel espace occupera-t-il en face de l'estrade ? À quelle hauteur seront ses bras quand on l'enverra au tableau ?

— Très bien.

Il y a une grande fenêtre donnant sur la cour de récréation, une cour de l'Ensanche* avec de vieilles galeries, de vieilles dames et des chats de la petite bourgeoisie. La cour est comme encastrée, mais comment faire autrement ? De même qu'on n'arrive plus à caser les morts dans les cimetières, on doit aussi avoir du mal à caser les gamins dans l'Ensanche mercantile. Donc la cour est petite, mais tout y est : des panneaux de basket, des lignes au sol délimitant on ne sait quoi et des buts si étroits que le ballon devra suivre une cure de minceur pour toucher les filets. En revanche, il n'y a pas un seul banc pour les enfants désirant lire. Dommage, il sait que le petit aurait apprécié la lecture.

— On organise des tournois de minifoot, dit la maîtresse.

— Très bien, parfait. Mon fils fréquentera un établissement accueillant, à l'abri des mauvais exemples. Très bien.

Des garçons et des fillettes en blouse jouent dans la cour en riant et en poussant des cris. Des garçons et des filles ? Oui, David, on vient de te le dire, l'école est mixte. Soudain, une gamine tombe. Assez grande pour son âge, elle révèle de longues jambes bien galbées et un petit slip blanc. David Miralles rougit légèrement, un court instant, comme apeuré. Est-ce que son fils peut ressentir, si jeune, une attirance sexuelle ? La petite tarde à se relever, se redresse péniblement, montre encore sa culotte et écarte les jambes.

* Vaste extension de Barcelone conçue en forme de damier par Ildefons Cerdà au milieu du xixᵉ siècle. L'*Eixample* en catalan.

Non, voyons, impossible. Tout au plus tombera-t-il amoureux d'une fille plus âgée (les grandes, qui ont un passé, sont toujours plus futées, voire plus vicieuses) qu'il épiera en douce, et il rougira quand elle posera les yeux sur lui.

Son fils sera sain d'esprit, les filles ne seront pour lui que des camarades, il ne comprendra pas les pédophiles quand il sera plus grand.

Une bonne école. Son fils y restera au moins deux ans, à l'écart du danger, jusqu'à ce qu'ils aient tous deux une longue conversation et qu'ils se fixent un nouveau cap.

— Merci beaucoup, madame. Lundi, je vous amène le petit, et on réglera les formalités.

David Miralles sort dans la rue, au milieu du trafic, des commerçants qui font leurs comptes, des filles qui lisent l'avenir et des matrones ne lisant, elles, que le passé. Cette école lui plaît beaucoup, et il est si distrait qu'un bus manque de le renverser ; mais pas de problème, l'épaule n'a pas souffert.

Hélas, le gosse n'y mettra pas les pieds. David Miralles est au bord des larmes.

Mais ça ne fait rien.

La gamine.

David Miralles a toujours considéré Eva Expósito, son assistante, comme une gamine. La maîtresse rencontrée plus tôt représente le passé alors qu'Eva Expósito incarne le futur. Elle est assise dans la salle à manger (et non pas sur la chaise réservée à l'enfant), les jambes croisées, révélant en partie ses belles cuisses qui attirent tant les hommes. Alors il s'aperçoit, étonné, qu'Eva Expósito n'est plus une gamine.

Putain, David, tu aurais dû t'en rendre compte ! Il faut être un couillon dans ton genre pour ne pas voir la réalité. Tu aurais dû le constater au cimetière, le jour où tu l'as défendue quand elle allait subir un viol : ces jambes écartées de force étaient joliment dessinées, jeunes, lisses, façonnées par un dieu aimable et compétent. Et ces enflures les reluquaient avec un air... Ça aurait dû te frapper, mais ce soir-là tu ne pensais qu'à briser des os, et des fractures, il y en eut. Cela aurait pu aussi t'effleurer l'esprit quand on t'a rapporté qu'un type avait voulu la tuer et que Méndez l'avait sauvée. Ce salopard ne songeait pas à la balle destinée à Eva, mais à ses jambes et à sa bouche.

Oui, tu devrais être au courant; seulement, pour toi, David Miralles, la vie ne suit aucune logique, tu restes ancré dans le passé. Eva n'est pour toi qu'une gamine pas très futée qui t'aide dans ton travail, c'est tout. La gamine.

Aujourd'hui, David, cela aurait dû te sauter aux yeux car elle avait le regard trouble. Et seules les femmes qui ont vécu présentent un tel regard. Les années enrichissent les regards féminins, et ce n'est pas toujours un bienfait.

Ainsi donc, Eva Expósito avait le regard trouble et la posture provocante. Elle n'en avait peut-être pas conscience, l'esprit ailleurs. L'esprit, mais pas le sexe, lui bien présent; et David l'observa, un peu surpris, comme si c'était la première fois.

— Je te croyais au travail, dit-elle, la voix pâteuse.

— Non, j'étais libre. C'est normal, un blessé n'est même pas apte aux examens d'aptitude. En tout cas, je démarre bientôt la rééducation.

— J'y pensais, justement.

Elle soupira profondément et décroisa les jambes. Elle ne portait jamais de pantalon comme nombre de femmes aujourd'hui, pour une simple raison : plus elle paraissait jeune, moins on l'imaginait en agent de sécurité. Puis elle s'approcha de la table.

— Il y a quelques jours, je ne sais plus quand, dit-elle, je suis passée devant ton ancien appartement, où tu vivais avec ta femme. Tu n'y es pas retourné depuis longtemps ?

— Euh,,, non. Le propriétaire ou ses héritiers finiront par vendre l'immeuble.

— Tu mens, David. Et sans raison, je n'épie pas tes faits et gestes.

— De quoi est-ce que tu parles au juste, Eva ?

— Écoute, je ne vais pas me mêler de tes affaires de cœur, si affaire il y a. Je ne le ferai pas, je n'en ai pas l'intention ni l'envie. Mais on est en danger en ce moment, il faut qu'on soit prudents tous les deux. Tu as eu tort de te jeter dans les bras d'une inconnue.

David promena le regard dans la petite salle à manger, refusant de comprendre même s'il comprenait tout. Il eut l'impression que la pièce était plus petite qu'à l'accoutumée, les portes trop étroites pour livrer passage à un corps, et que le mur du fond allait lui tomber dessus. Comment avait-elle su pour sa rencontre avec Mabel ? Pourtant, ses yeux ne laissaient planer aucun doute. Les yeux d'Eva avaient mûri en l'espace d'une seconde, devinant d'autres yeux longtemps restés dans l'ombre.

Il eut peine à l'admettre, au début.

Eva n'était plus une gamine.

— Naturellement, tu es libre, reprit-elle. Tu es déjà sorti avec une femme, je sais, mais tu ne l'as jamais revue. Pour moi, ça n'a pas d'importance. Moi aussi, quelquefois, je suis allée en boîte, comme les filles de mon âge, sans t'avoir sur le dos. Mais on ne m'a jamais embrassée. Et si on l'avait fait, ça n'aurait pas non plus été bien grave.

Il y eut un lourd silence impénétrable. Ils comprirent que les entrailles de l'appartement le renfermaient depuis toujours. Mais l'essentiel ne résidait pas là ni dans leurs propos. Le plus frappant tenait à ce que le temps pesait sur le regard d'Eva.

— Eva, je t'ai imposé un métier dur et dangereux...

— Pour me sauver.

— Pour faire de toi une femme. Je vais disparaître et tu continueras. Je ne sais pas si tu me comprends, mais mon but, comme je n'ai pas sauvé mon fils, c'est de te sauver, toi. D'accord, ça ne justifie rien, je n'essaie même pas de me justifier, mais je partirai l'esprit tranquille si au moins j'ai pu faire quelque chose pour un être. Si je sais que tu es sauvée.

— On parlait d'un tout autre sujet.

Elle afficha un regard plus sévère, un regard féminin, soudain accusateur.

— De quoi donc ?

— De notre liberté. Question vie privée, on n'a jamais rien imposé à l'autre.

— Oui, on a respecté cet engagement...

— Jusqu'à maintenant, David. Jusqu'à maintenant.

— Où est le problème, Eva ?

— Cette femme-là n'est pas faite pour toi.

Elle n'est pas faite pour moi, ou bien pour toi, Eva ? Telle est soudain la question inopinée, terrible. Te voilà donc jalouse, Eva, pour la première fois. Car la gamine est morte dans un coin de la pièce, à mon insu, et maintenant voici la femme qui s'approprie jusqu'à la lumière des fenêtres.

David Miralles a le souffle coupé après cette découverte.

Eva, jalouse !

Désarmé, il balbutie :

— En quoi c'est différent ?

— Tu ne connais pas cette femme.

— Mais si, voyons. Elle m'a sauvé la vie.

— Puisque tu la connais si bien, tu devrais savoir qu'elle n'est pas faite pour toi.

— Pourquoi ?

— C'est une pute.

Ça y est, le mot est lâché, Eva ; avec ces quatre lettres, tu as dressé la barrière qui te sépare de Mabel. C'est une barrière infranchissable. Et toi, Eva, tu l'as érigée, toi qui as grandi au milieu des putains, qui as subi la violence et l'oubli ; et tu la dresses devant une autre, Mabel, qui a subi la violence et l'oubli alors qu'elle enfilait encore des socquettes blanches. Tu as vécu du crime, Eva ; elle, elle a dû vivre sous l'assaut des mâles. Tu devrais la comprendre, Eva, comprendre que ses yeux sont aussi dans les tiens.

Mais une femme a du mal à en comprendre une autre quand justement c'est « l'autre ».

Et cela échappait à David Miralles, mâle stupide, toujours prêt à foncer tête baissée.

— Promets-moi que tu n'iras plus avec elle.

— Eva, on dirait une dispute conjugale... Ce n'est pas juste. On travaille ensemble et c'est tout, normalement on est libres.

— Au nom de notre liberté, promets-moi de ne plus la revoir.

David Miralles garda le silence car on ne répond pas sans réfléchir, or il était perplexe, abasourdi. Plus rien ne serait comme avant. Jusqu'alors, il avait entendu Eva se dévêtir, s'habiller – ses petites culottes, ses bas, toute cette intimité que l'homme imagine en secret – sans que rien en lui ne s'altère car, n'importe comment, elle était la gamine, résultat d'un acte généreux que nul ne corromprait. Il l'avait vue sortir de la douche, remarquant sa propreté, pas sa beauté.

Et, soudain, tout était chamboulé. Elle n'était plus la gamine qui lui donnait un coup de main, mais une femme douée de sensations. C'était logique, parvint-il à songer brièvement, les murs finissent par réunir l'homme et la femme dans leur silence. Mais il n'arrivait pas à desserrer les lèvres.

— Promets-moi de ne plus revoir cette pute, un point c'est tout.

— Ce n'est pas une pute. Et si elle l'a été, qu'est-ce que ça peut faire ?

— Elle doit quand même en connaître un rayon, reprit sèchement Eva, pour trouver la bonne position avec un éclopé comme toi.

Elle partit en claquant la porte, agile et prompte comme une chatte. Laissant Miralles interdit, faisant trembler les fantômes de la guerre civile et l'identité même de l'immeuble.

33

La lumière de l'après-midi abandonne le quartier. Sur le Paseo de Gràcia, Méndez l'a vue s'éteindre dans une vitrine, mais ici, au bistrot, elle meurt dans une fissure. Rien à faire, les fissures s'étaient creusées avant qu'il n'entre dans la police.

Le bar L'Anticipée.

Un cognac anticipé.

— Bien le bonsoir, m'sieur Méndez. Ça faisait un bail. Je me demandais si vous aviez bien digéré notre alcool biologique.

— C'est le dernier repas qui m'est resté sur l'estomac. Des Philippins ont inauguré un restaurant dans la rue Unión, où il y avait un marchand de pneus autrefois, et les autorités étaient conviées pour l'événement. Les chefs m'ont désigné pour représenter l'autorité à moi tout seul.

— C'est vache, m'sieur Méndez.

— Le menu était à six euros.

— À croire qu'ils veulent vous enterrer avant l'heure. Et me dites pas qu'il y avait des spécialités philippines au menu, m'sieur Méndez, je veux dire des mollusques de l'île de Cebu.

— Des écrevisses aux algues. Et les algues avaient des vertus bronzantes, tu en mangeais et tu te retrouvais tout basané. Une équipe de TV-3 était sur place, et le caméraman a bronzé illico : on a dû l'évacuer sur une civière. Quant à la présentatrice, une belle plante qui aurait bien aimé commenter un Barça-Madrid, c'est-à-dire évoquer la culture historique du peuple, elle a péniblement atteint la sortie, on a failli appeler les secours. Mais c'était un menu fusion, car les plats vedettes c'étaient des écrevisses à la mode de Logroño, pêchées dans les eaux du Besós, au niveau de la centrale thermique, et des algues à la valencienne. Le patron a soutenu que les algues seraient l'aliment de base des générations futures et qu'elles allaient sceller l'amitié entre les peuples, vu qu'on allait tous en manger.

— Et vous, m'sieur Méndez, vous n'avez pas fait d'indigestion ?

— Non, je suis immunisé à force de goûter aux cuisines populaires de Barcelone qui ont tant œuvré pour la paix des ménages. Le mari mange des saloperies dans un quartier, la femme en fait autant ailleurs, ainsi on évite les disputes. Et, le soir venu, ils s'empaffent devant deux télés différentes, en désaccord sur les programmes. Comme ça, toujours pas d'engueulade, tous deux sont immergés dans une espèce de nuage toxique.

— Eh bien, les menus pas chers sont en voie de disparition, m'sieur Méndez : les prix ont tellement grimpé que les gens ne pensent plus qu'à bouffer. On ne fait plus confiance aux politiciens, mais on croit aux grands chefs, ce qui amènera paix et stabilité. Aucun chef de cuisine n'a déclenché de guerre civile, que je sache, et ces gars-là ne critiquent même pas le président des Cortès, c'est vous dire. Quand tous les Espagnols seront heureux devant leur assiette et qu'ils ne se battront que pour décider où sont les meilleures tables, les problèmes seront terminés, enfin, l'histoire aussi.

Méndez était d'accord, peut-être parce qu'il était toujours plongé dans les vapeurs du nuage toxique.

— Toujours est-il qu'il y a encore une foule de gens qui bouffent mal, m'sieur Méndez, fit le patron anticipé, comme vous l'avez montré à l'instant, et qui ne fréquentent que les tripiers, lesquels appartenaient jadis à l'histoire gastronomique de notre peuple. Le prolétariat, qui aspirait à la révolution pour manger un bifteck, a presque disparu aujourd'hui ; mais il y a un prolétariat immigré qui nous prouve que le monde est juste et parfait. La révolution sociale, c'est eux qui vont la faire, dès qu'ils nous dépasseront en nombre, alors il est urgent qu'ils bouffent correctement et qu'ils aient foi en un cuistot plutôt qu'en Mahomet. La cuisine, c'est l'esprit du peuple, aujourd'hui, m'sieur Méndez, et on touche à la perfection, pratiquement : personne ne connaît la Constitution, mais beaucoup lisent le guide Michelin.

Au terme de ce laïus encourageant, l'Anticipé se versa une coupe de cognac, n'osant pas attaquer le breuvage biologique.

— Je vous remets ça, m'sieur Méndez ? C'est la tournée du patron.

— Non, merci beaucoup. Ce cognac devrait m'aider à digérer la paella aux algues.

— Un havane, peut-être ? On m'en a filé deux récemment, et ma femme tolère que j'en fume un, pas plus.

— J'essaie d'arrêter le tabac, mon ami, car à ce train-là, nous les fumeurs, on va nous appliquer la loi franquiste contre le Banditisme et le Terrorisme. Mais c'est gentil, merci quand même.

— Vous avez tort de refuser, m'sieur Méndez. Dans ce monde mécanisé, il ne reste que deux gâteries faites exclusivement à la main : le havane et la branlette.

Méndez hocha la tête, et le patron enchaîna :

— Évidemment, ma femme, elle m'interdit aussi de me palucher.

Méndez le remercia et gagna la sortie.

— Où courez-vous si vite ? Vous avez du boulot, tout à coup ?

— Oui, répondit Méndez à la porte. Je dois acheter une couronne de fleurs.

— Ça veut dire qu'il y a un mort, murmura l'Anticipé, ou qu'avant de flinguer un mec Méndez lui achète une couronne, bon prince.

Ce n'était pas un mort mais une morte. Elle se trouvait dans le funérarium de la rue Sancho de Ávila, au cœur d'une petite salle d'où elle serait évacuée une demi-heure plus tard puisqu'un autre défunt attendait son tour. Encarna, la vieille tapineuse qui s'était décarcassée pour son fils, n'aurait pas pu se payer les obsèques ni la salle du funérarium, mais quelques-unes de ses collègues s'étaient cotisées, non sans peine. Elles étaient toutes là, cinq ombres communiant dans le silence, accompagnant Encarna une dernière fois, apportant avec elles le dernier coin de rue, le dernier souffle du trottoir. Ça fait chaud au cœur, pensa Méndez, mais le fils n'est pas là.

Elle s'était sacrifiée pour lui, mais il n'était pas là.

On posa la couronne achetée par Méndez. Le ruban violet déclarait : « Paix aux femmes de bonne volonté. »

Méndez avait connu l'Encarna lorsqu'elle faisait la Ronda de San Antonio, secteur petit-bourgeois où les grands-pères avaient baptisé les tramways et où les petits-enfants s'achetaient des portables japonais. Il avait trouvé une école gratuite pour son fils. Plus tard, l'Encarna était descendue dans les bars de la rue San Pablo, près de la rue Robadors, où elle bossait pour un dîner, et loin desquels Méndez avait dégotté une pension gratuite pour son fils. Encarna avait fini ses jours dans la rue San Olegario, sur le dernier trottoir de la ville, où elle avait travaillé pour un sandwich et où son fils, enfin, avait trouvé une cellule gratuite où dormir, sans que Méndez pût l'éviter.

En descendant par le pont de Marina, cinglé par un vent qui soufflait de la mer, Méndez avait pourtant regretté de ne pas avoir d'enfant. Il n'avait que des rues, des fenêtres où il avait connu une jeune fille (qu'il ne reverrait pas), des coins d'immeuble où il se tenait à l'affût (lui-même épié par les chiens) et des entrées où les habitants avaient accouché d'un espoir. Il s'était trouvé des points communs avec David Miralles : tous deux n'avaient que les enfants des autres. Il s'était dit aussi, brièvement, que bientôt, lorsqu'il serait réduit en cendres, personne ne l'accompagnerait, hormis un commissaire. Même pas : un représentant du commissaire. Ou encore la Loles, bien qu'il n'eût pas envie que la Loles veillât sa dépouille.

En vérité, ça ne lui avait servi à rien, à cette pauvre Encarna, de se dévouer pour son fils. À l'autre bout du pont de Marina, le vent avait redoublé, et Méndez cessé de réfléchir. Le funérarium était un peu plus loin, et, au-delà encore, on trouvait le bar Andalucía où l'on mangeait des anchois en buvant un cuba libre à la santé des morts.

Une vieille ouvrière du sexe lui murmura :

— Merci d'être venu, monsieur Méndez.

— Ça me fait plaisir. Encarna est superbe.

— Oui, monsieur Méndez. Elle est comme rajeunie.

— Elle a souffert ?

— Non, monsieur Méndez, elle est morte en regardant la porte.

Il est des portes que ne traversent jamais ceux qu'on attend.

Méndez sortit lentement. Dehors, le vent n'avait pas faibli et, plus haut, telle une langue féminine, il léchait le building de la compagnie des eaux, la tour Agbar, pieusement surnommée la Capote, ou encore le Suppositoire. Le maire de Barcelone assurait que la tour offrait un nombre infini de variations lumineuses, toutes exonérées d'impôt.

Il le rencontra dans la rue. El Pajitas, la Branlette. Rien d'étonnant à cela, El Pajitas allait sûrement veiller un mort.

— Ça faisait longtemps, monsieur Méndez.

— Tu es sorti de prison, Pajitas ? Désolé d'avoir été à l'origine de ton arrestation. Là-bas, j'espère qu'on t'a redonné une chance ou qu'on t'a appris quelque chose.

— En taule, on n'offre aucune chance aux miséreux comme moi, monsieur Méndez. Vous croyez qu'au bloc on est tous égaux et qu'il y règne une espèce de justice sociale ?

— Je sais comment fonctionne la prison.

— Là-bas, vous avez ceux qui ont du fric, les patrons, et les taulards fauchés, qui tiennent le rôle du larbin ou du giton. Il y a plus d'inégalités entre deux cellules qu'entre un bel immeuble du Paseo de Gràcia et une tour pourrie du quartier de La Mina.

— Tu en as bavé, on dirait.

— En fait, je me suis résigné. Quand on a saisi la coupure, il y a toujours des solutions, même minables. Comme j'ai insulté un maton, on m'a isolé avec un braqueur qui avait tué un môme. Le type me filait du pognon pour que je sois aux petits soins avec lui, et je m'en sortais avec l'économat. Quand il trouvait le temps long et que ça le démangeait, j'avais même droit à un extra.

Méndez ferma les yeux un court instant.

Misère.

Ceux qui mériteraient d'avoir une chance n'en ont jamais sous les verrous.

— Dis-moi, quel est le nom du type qui était avec toi, ce gentil compagnon qui t'allongeait du fric quand ça le démangeait ?

— Leónidas Pérez.

— Nom de Dieu !

— Ben quoi ?

— Il est sorti avant toi, non ?

— On est sortis en même temps à peu près, monsieur Méndez, mais j'ai récidivé et on m'a recollé au trou. Leónidas aussi, il a sûrement récidivé, mais lui, il jouait pas dans la même cour. Là-bas, il était devenu une sorte de caïd, il avait de l'argent, de bons avocats, et il contrôlait la dope dans une enceinte où, normalement, même les pétards sont interdits. J'ai toujours été un nul. Je me suis fait appeler El Lobo, le Loup, en arrivant, pour me la jouer un peu, mais à la fin on m'appelait El Pajitas. Y en a comme moi qui sont marqués par le destin dès la naissance : tout est déjà écrit sur notre braguette.

— Tu as perdu un proche, Pajitas ?

— Oui, ma sœur.

— Désolé.

— Elle n'a pas voulu me recevoir avant de mourir, alors j'ai envie de la voir.

— Tiens, apporte-lui au moins ces deux roses.

— Il fallait pas, monsieur Méndez.

— Eh bien, dis-moi ce que tu sais sur ce Leónidas de mes deux. Même si ce n'est pas grand-chose.

— J'suis pas une balance, monsieur Méndez.

— Donc tu sais quelque chose et tu ne veux pas cafter. Parfait, mais vois-tu, Pajitas, ce n'est pas un cas ordinaire, cette enflure de mes deux. Tu n'as pas à avoir pitié d'un assassin qui, en plus, a la queue qui le démange. Et puis quand est-ce qu'on s'est vus toi et moi ? Comment est-ce qu'il pourrait être au courant ?

L'autre hésita. Leónidas lui donnait la nausée, d'évidence, mais, plus certainement encore, il l'effrayait. Une troisième chose était sûre : si El Pajitas cherchait à fuir, c'est parce qu'il savait quelque chose de récent. Méndez lui mit promptement la main au collet.

— Je n'ai jamais mouillé mes indics, tu sais bien, dit-il. Je n'ai jamais cité leur nom et jamais je ne les ai laissés en rade. Et puis je te jure qu'on ne se reverra pas, tous les deux. Tu n'auras plus jamais de mes nouvelles, Pajitas. Tu as la parole de Méndez.

— Je ne m'attendais pas à ces questions, ni à tomber sur vous.

— Dis-moi seulement quand tu as vu Leónidas la dernière fois.

— Il y a deux jours. Vous pensez peut-être que je le cherchais pour lui soutirer quelque chose, eh bien non. C'est lui qui me cherchait, figurez-vous. Lui comme un prince, moi comme une merde dans le dernier coin pouilleux de la ville. Deux mondes qui ne se parlent pas, ouais. Mais quand il veut trouver quelqu'un, lui, il le trouve.

— Parfait, Pajitas. Putain, dis-moi seulement ce qu'il te voulait.

— J'étais censé répondre à une seule question, monsieur Méndez.

— C'est une question à deux volets. Bon, écoute-moi bien, Pajitas, on est au fond d'une rue sans témoin. Lâche le deuxième volet. Le dernier, en somme.

— Leónidas a la trouille.

— C'est bizarre, pour un gars de sa trempe.

— De sa trempe, vous parlez, monsieur Méndez ! Leónidas est un lâche. En taule, il a léché les culs bien comme il faut. Bonne conduite garantie, prisonnier modèle. Vous aurez beau dire, vous aurez beau faire, ils sont tous pareils, les types de son espèce. Le juge de l'application des peines, il avait la gaule dès qu'il le voyait. À l'université, on ne vous apprend pas à devenir un lèche-cul, ben, c'est un tort, parce que ça marche à fond, partout. C'est tout ce qu'il y a de plus facile. Il suffit d'avoir la langue bien fine pour la fourrer partout.

Méndez commençait à s'impatienter.

— Je sais pourquoi il a la trouille, grogna-t-il. David Miralles, le père du gosse assassiné, a recherché Omedes pendant des années. Il a fini par le trouver et par le dégommer. Et Miralles est un pète-couilles, un vrai, un as de la gâchette. Donc, pour Leónidas, c'est Miralles ou lui. Un des deux restera sur le carreau.

— Je n'ai rien contre Miralles, monsieur Méndez.

— Moi non plus. Vu comment les lois évoluent, la victime n'a plus qu'une solution : la vengeance directe. Tu ne connais pas la dernière ? Un gars a tué son père pour tester une arme. Le père y est resté, mais le fils a touché une bourse de la Généralité de Catalogne pour écrire un roman. J'espère au moins qu'il aura l'élégance de le dédier à son papa. Moi, je dis vengeance directe, et c'est réglé ! Mais un flic n'a pas le droit de tenir ces propos.

— Justement, Leónidas, c'est ça qu'il redoute, la vengeance. Ouais, dès qu'il pense à Miralles, ça lui congèle la peau des couilles. Et comme les tentatives de meurtre ont échoué pour l'instant, il a pensé à un mec infaillible. Il vient d'engager le pire tueur du pays depuis pas mal de temps : Daniel Bermúdez. Vous le connaissez.

L'inspecteur retrouva son regard de vieux serpent un court instant.

— Ah ça, oui, je le connais, Pajitas… Il a tué une gamine après l'avoir violée. Pourtant, six ans après, il était dans la rue, en permission. Alors il a buté sa femme, soi-disant infidèle. Il a pris douze ans, mais au bout de cinq il a bénéficié d'une nouvelle permission. Il a violé et tué une autre gosse. Il a écopé de dix-huit années supplémentaires, une peine qu'on aurait dû infliger au juge d'application des peines pour l'avoir autorisé à sortir. Mais aujourd'hui notre homme sollicite une nouvelle permission pour bonne conduite. Et il va l'obtenir, ça ne fait pas un pli.

— Eh bien, murmura El Pajitas, dès qu'il sera dehors, il aura du boulot. La semaine prochaine, certainement. Il aura tout le temps de flinguer David Miralles. Leónidas m'a contacté pour que j'aille le convaincre en prison. J'ai marché, je connais la taule comme personne. Et je l'ai convaincu. Mais si un jour on m'accuse de complicité de meurtre, je le nierai sur la tête de ma mère et je chierai sur la vôtre, Méndez. Alors, à partir de maintenant, jurez-moi de m'aider et de dire ce que mes avocats vous souffleront.

— Tu peux compter sur moi. Parole de Méndez.

— Vous devez vous demander pourquoi on laisse ressortir Bermúdez ; eh bien, ne vous cassez pas la tête. Un meurtrier, on le voit, il vous supplie, alors que la victime ne réclame rien, on ne la voit pas. Bermúdez va prendre ses précautions : son méfait accompli, il ira se planquer illico dans un petit hôtel de la Costa Dorada où le patron bidouillera les dates et jurera que son client n'a pas bougé de là. Leónidas a tout payé. Vous pouvez toujours avertir Miralles, monsieur Méndez, ça ne changera rien. Et la fille qui vit avec lui, vous pouvez faire un trait dessus.

Méndez serra les lèvres sans trop gaspiller sa salive. Il ne prononça que trois mots :

— Fils de pute !

— M'enfin.

— Filer un coup de main pour un vol, c'est une chose, mais aider ce tueur dégueulasse, c'en est une autre.

— Moi, j'suis passé à table, monsieur Méndez, maintenant ma vie est en danger.

— Il t'a filé combien, Leónidas ?

— De quoi tenir quelque temps. Vous savez comment je gagne ma vie ? Je fais la manche. À genoux, en plus, si c'est pas humiliant ! La société bien-pensante passe devant moi sans un seul regard. Sans compter qu'un autre mendiant a l'intention de me virer pour me voler ma place.

Le vent marin soufflait de plus en plus fort, chaud et lourd, charriant de lointains effluves de crème solaire. Après tout, la ville était vivante et refusait d'admettre sa pourriture. *Mets donc de la crème solaire noire, Pajitas, et on ne te verra plus.* Méndez ferma les yeux.

— Tiens, porte ces deux roses à ta défunte sœur, peut-être la seule personne qui te témoignera un peu de gratitude.

34

Le petit hôtel sur la Costa Dorada n'était pas en front de mer, et les clients ne s'y bousculaient pas, même si une foule d'estivants optent souvent pour des établissements à l'écart de la plage, moins coûteux. Estivants qui se rendent en voiture à la plage, se garant n'importe où. L'été est une saison heureuse et douce où chacun, dans son coin, pourrait méditer sur son sort.

La Mercedes grand luxe, douze cylindres, louée pour trois jours, s'arrêta devant l'hôtel. Elle figurait parmi les bolides les moins discrets des environs. Ce n'était pas un hasard, elle allait immanquablement attirer l'attention ; ainsi, ultérieurement, chacun dirait qu'elle avait stationné à cet endroit.

Un grand type corpulent d'une cinquantaine d'années sortit du véhicule et inspecta les alentours. C'était un bon emplacement, la voiture ne passerait pas inaperçue. À côté de l'hôtel se dressait fièrement un restaurant avec cet écriteau : « Paellas, fruits de mer. Sangrias à base des meilleurs vins d'Espagne. *We speak English.* » Un peu plus loin, un bordel au bord de la route présentait une enseigne vermillon : « Casa Susana ». Un petit vieux montait les marches en portant un flacon à ses lèvres, sans doute un remontant. Une femme engueulait son mari en train d'examiner l'enseigne.

Le petit hôtel vers lequel l'homme dirigeait ses pas n'était sans doute pas très rentable – ou alors il était mal géré – car un panneau indiquait : « Bail à céder. »

L'homme en costume – assorti à son véhicule – marcha vers la réception où trônait un chauve qui terminait ses mots croisés.

Le visiteur annonça :

— Daniel Bermúdez.

Il avait intérêt à donner son vrai nom, avec le plus grand naturel, pour ne pas éveiller les soupçons au cas où la police fourrerait son nez dans cette affaire. Et elle n'y manquerait pas.

Le chauve dissimula son étonnement.

— On ne vous attendait pas si tôt, monsieur Bermúdez.

— Oui, mais j'avais une formalité à régler. Et je ne fais jamais les choses comme prévu. Si tout le monde modifiait ses plans, les cimetières seraient moins peuplés. Vous êtes d'accord, au moins ?

— Bien sûr, monsieur.

— Et je vous fais une fleur. Pas besoin de remplir de fausse fiche. Je ressortirai d'ici dans trois jours. Qu'on m'apporte trois bouteilles de votre meilleur scotch d'ici quelques minutes ; officiellement, je prendrai une biture qui me clouera au lit. Demain, vous enverrez une fille du bordel dans ma piaule. Et elle y restera jusqu'à mon départ. Ce sera la pure réalité. Cette nuit, je dormirai comme un bienheureux, cuit dans mon jus. Voilà ce que vous savez et ce que tout le monde saura.

Le visiteur avait parlé tout bas. Seul le propriétaire l'avait entendu. Le petit vestibule était désert.

— Bien sûr, monsieur, répéta le propriétaire.

L'homme sourit. Son sourire franc et glacial altérait ses traits et le vieillissait. Il murmura :

— Vous avez une caméra pointée sur l'entrée, je vois.

— Oui, monsieur. C'est à cause des voyous dans le secteur, et c'était une exigence de la compagnie d'assurances.

Bermúdez se tourna mine de rien vers l'objectif afin que son image soit bien enregistrée, puis il lança :

— Tant mieux.

— La station-service d'à côté s'est fait braquer deux fois, monsieur Bermúdez. Moi, je n'ai pas été embêté. On doit sentir que mon affaire ne marche pas fort et que je ne roule pas sur l'or.

— Les flics ne restent pas les bras croisés, j'imagine.

— Non, monsieur. Ils ont fait une descente au bordel.

— Brillantissime opération.

— Et ils ont expulsé trois filles sans papiers.

— Formidable intuition, c'est le meilleur moyen d'enrayer la délinquance. Au fait, mon vieux, je suppose qu'on vous a prévenu : ma chambre doit se trouver à l'arrière, au rez-de-chaussée.

— Oui, monsieur. Avec une fenêtre sans vis-à-vis.

— J'ai toute la nuit devant moi. Une fois qu'on m'aura servi les bouteilles, oubliez-moi jusqu'à demain. Ah... c'est un serveur qui me les apportera, pas vous. Je veux qu'il se souvienne de moi plus tard.

— Naturellement, monsieur Bermúdez. Tenez, la clé.

Il y en avait deux.

— La chambre et la voiture, lui dit l'hôtelier tout bas. C'est une Peugeot 206 grise, elle est garée derrière. Je l'ai louée à mon nom, le réservoir est plein, vous n'aurez pas à vous arrêter. Sous le tapis du coffre, vous trouverez le nécessaire.

Daniel Bermúdez sourit à nouveau. Il savait parfaitement ce qui lui était nécessaire et qu'il ne pouvait pas garder sur lui dans l'immédiat.

— C'est juste pour cette nuit, dit-il.

— Bien.

— Vous avez réglé les détails avec mon ami, n'est-ce pas ?

— Tout à fait. Monsieur Leónidas nous paiera tous les deux en même temps.

Bermúdez prit les clés et enfila le couloir, sa valisette de week-end à la main. Des baies vitrées donnaient sur un petit jardin, une piscine un peu crasseuse et un seul arbre au pied duquel un chien pissait lentement. Derrière l'arbre, une haie et, au-delà, le bordel où tant de filles sauvages s'étaient intégrées à la culture européenne. Bermúdez fit la moue : hélas, pas le temps d'y faire un tour ; or, en prison, rien ne lui avait manqué si cruellement. De toute manière, le lendemain soir, quand il aurait accompli sa besogne, on lui amènerait une poulette, une créature, de préférence jolie, soumise et pas chiante.

Une fille.

L'homme d'action, il lui faut ses nanas, autrement tout fout le camp.

Dommage qu'elle ne soit pas déjà au lit, derrière la porte.

Il entra.

Il vit toutes les merveilles.

La table de toilette avec un miroir.

L'armoire à glace.

Le lit.

Dommage qu'il n'y ait pas une poulette sous les draps.

À moins que…

Le lit semblait occupé.

— Je te plais ? demanda Méndez d'une voix langoureuse.

Les yeux de Daniel Bermúdez étincelèrent dans la chambre. On aurait dit qu'ils lançaient des flèches. Aussitôt, il plongea la main droite dans son dos, au niveau de la ceinture, obéissant à un vieil instinct, mais rien, pas de pistolet. Il n'était pas armé. En revanche, Méndez tripotait un vieux Colt impressionnant qui à lui seul eût pu garnir une vitrine au musée de la Guerre, à Londres.

— Mais… balbutia Bermúdez en essayant de se ressaisir.

— Oui, mon poussin, on t'a balancé. Tu ne sauras jamais qui. Dans mon fichier, j'ai au moins mille gus déculottés, prêts à lâcher le morceau. Et autant de gonzesses, la jupe bien retroussée. Vas-y, creuse-toi la tête.

Bermúdez ne comptait pas se creuser les méninges. D'ici peu, il allait retrouver son aplomb. En effet, le prisonnier en voie de réinsertion grommela :

— Putain, Méndez, c'est quoi cette histoire de balance ? Je ne fais rien de mal. J'ai une permission carcérale, légale et tout. J'ai annoncé que je la passerais ici. On n'a rien à me reprocher ; alors, votre langue de pute, fourrez-vous-la où je pense.

Et, sûr de son bon droit, il reprit méchamment :

— Et puis c'est vous, Méndez, qui enfreignez la loi. Cette chambre, c'est comme chez moi. Je pourrais porter plainte pour violation de domicile.

— Certes... mais n'incrimine pas le taulier, il n'est pas au courant. J'ai découvert tout seul que les fenêtres du rez-de-chaussée, qui offrent une issue, permettent aussi d'entrer. Bien sûr, tu choisirais une chambre à l'arrière, de plain-pied, alors j'ai fait un peu de repérage : il y en a trois, et les deux autres sont occupées, donc j'ai sifflé deux canons pour me donner du cœur au ventre avant de m'introduire ici. Tu n'es pas fâché, j'espère : je t'ai chauffé les draps.

Les dents de Bermúdez grincèrent de rage.

— Allez donc vous chauffer ce qui vous pend entre les jambes, Méndez. Ma permission est légale.

— Je sais. Et tu es sur la voie de la réinsertion, nous voilà tous rassurés, moi le premier. Vois-tu, je suis d'avis que tout le monde a droit à sa chance, mais tu en as déjà gâché trois ou quatre. Pour fêter ça, tu pourrais niquer la fille du juge qui t'a laissé sortir, elle aussi t'aurait réinséré, peut-être bien.

— Vous ne croyez pas à la loi, Méndez.

— Non, je crois aux victimes, sauf que la loi n'en parle jamais, bizarre, pas vrai ?

— Je chie sur vos morts, Méndez.

— Ils seront bien embêtés en l'apprenant.

— Allez-y, tirez donc... Allez, connard !

— Avec plaisir, dit Méndez.

Il sauta du lit en le menaçant de son arme. Le magasin du gros Colt était vide, il ne voulait pas commettre d'imprudence. Et la sûreté latérale était enclenchée, on n'est jamais assez vigilant. Surtout pas de conneries avec ces multirécidivistes. Mais Daniel Bermúdez ne pouvait pas le deviner.

Vraiment ?

Bermúdez hantait les tribunaux, dont il connaissait tous les ressorts, depuis de longues années : assez pour savoir qu'il était dans son droit et que Méndez ne tirerait pas. Il passerait à l'offensive quand le policier s'approcherait. Son visage était impassible, rien, aucun muscle ne tressaillait.

— Je n'ai pas l'intention de gâcher ta perm', dit Méndez en marchant vers lui. Je vais juste te tenir compagnie dans ce petit hôtel. Je mangerai sur la table d'à côté. J'irai me baigner avec toi dans la piscine et je travaillerai mes abdos. Si tu ramènes une pute, je lui passerai du rock pour mettre un peu d'ambiance. Je serai irréprochable, mon lapin, mais je t'aurai à l'œil.

Là, en revanche, Bermúdez eut le visage décomposé. Il allait perdre le pognon.

Le discrédit. Le ridicule.

Et celui qui l'avait donné se paierait sa tronche. La trahison. Pour lui, c'était impardonnable.

Soudain, il décocha un coup de coude selon un enchaînement répété maintes fois en prison. Il paria que Méndez ne presserait pas la détente. À juste titre. Il surprit l'inspecteur, qui n'avait pas prévu une réaction aussi véloce.

PLAC !

Méndez se dit qu'il devra aller chez un dentiste à bas prix, ce praticien fût-il bulgare. Méndez sent se déplacer sa mâchoire. Méndez pivote sur ses appuis. Il s'étale à plat ventre sur le lit, prêt à se faire mettre *in situ*.

Et Daniel Bermúdez s'éclipse à la vitesse de l'éclair. Il a dû en passer des mastères en prison, le gaillard. Ni vu ni connu, je t'embrouille. Méndez se relève, retombe, et chie sur le concile Vatican, n'importe lequel. Il court vers la sortie, voit le couloir désert, entend une voiture qui démarre, pousse un juron, aperçoit le taulier qui se dirige vers lui, les poings serrés.

Heureusement, le taulier est chétif et, de surcroît, au bord de la faillite.

Et heureusement, Bermúdez ne l'a pas descendu dans sa fuite, le prenant pour un indic.

Mais non, voyons. Bermúdez est un gars réglo. À l'inverse, Méndez se trouve dans l'illégalité, n'ayant rien à faire là. Le bruit du moteur s'éloigne. Méndez sait qu'une personne va mourir. Il a même une idée sur son identité. Et il doute d'arriver à temps pour empêcher ce crime.

Il file à toute allure, se rappelant à nouveau un concile Vatican. N'importe lequel.

35

Méndez croit savoir qui va mourir, mais l'homme qui va mourir, lui, n'est pas au courant.

David Miralles se dirige vers un bar dans une rue discrète – côtoyant un luxueux salon de coiffure, un marchand de téléphones mobiles ainsi qu'un antiquaire – et pousse la porte en bois sculpté. Au-dessus de la porte, des lettres en néon indiquent : BAR LAS NENAS*, CLUB. Plus loin, un comptoir étroit où sont accoudés deux clients sur un tabouret. Devant chaque client, un pur malt écossais, distillé à Valdepeñas. Et devant chaque whisky, une femme de trente-cinq ans aux allures – quel prodige ! – de petite.

Pénombre.

Deux tables près du bar.

Debout, une autre fille, une jeune Noire, assurément la seule qui soit parvenue à entrer en Europe pour devenir une femme, une vraie.

Elle est sur la bonne voie. Minijupe. Bas blancs jusqu'en haut des cuisses. Bottes montantes. C'est super que tu sois là, chéri. *Slurp, slurp.*

— Des copines viendront tout à l'heure, dit-elle, il est encore tôt, mais je te sers à boire si tu veux. Installe-toi à une table, on sera plus tranquilles, ça ne coûte qu'un petit supplément.

— Apporte-moi un Macallan et prends-en un pour toi si ça te fait envie, murmura Miralles, je préfère rester seul pour l'instant, j'attends un collègue. Merci.

— Bien sûr. Comme tu voudras.

---

* « Les Petites », censément affectueux.

À ce stade de son intégration européenne, la jeune Noire a déjà appris que les hommes entrent là pour tirer un coup, mais ils veulent que ça reste discret : il leur faut du temps pour mettre un peu d'ordre dans leur vie chaotique. Oui, la vie de ces mecs est un formidable chaos. Pour la plupart, ils se répandent sur leurs mésaventures jusqu'à être persuadés, avec beaucoup de dignité, que leur unique planche de salut c'est de baiser une de ces filles. La jeune Noire est persuadée que ses collègues sont de meilleures psychanalystes que les spécialistes argentins.

À ce stade, elle a observé également que l'homme a une raideur à l'épaule gauche et un renflement sous sa veste. Un calibre ? Un policier, à tous les coups, et avec la police il vaut mieux rester en bons termes.

David Miralles but une gorgée de whisky conforme à la pureté des eaux écossaises. Un vrai Macallan. On l'avait sûrement pris pour un flic car il n'est pas question d'arnaquer la police.

Il regarda autour de lui : les lumières feutrées, les miroirs près desquels les bouteilles se trouvaient alignées, les deux petites et leurs mamelles de bonnes laitières, les rideaux qui masquaient l'arrière-salle avec des divans, des lueurs plus ténues et des laits plus épais. Ici, les filles ne se dévêtaient pas complètement : la maison respectait certains principes d'urbanité. À ses débuts comme garde du corps, Miralles avait protégé un bar où les femmes avaient leur propre chambre et versaient un loyer au patron, comme à l'hôtel. Elles y accueillaient leurs clients à des tarifs convenus au bar ou à une table, et si la police débarquait, le patron affirmait qu'il n'était pas responsable des visites chez ses clientes. Si un autre fâcheux se pointait, un ivrogne, une brute ou un mafieux illégal – car il y avait aussi une mafia légale –, le patron restait à l'écart et David Miralles gérait l'affaire. À cette période qu'il préférait oublier – il avait alors l'esprit vide et il perdait de bonnes places pour dégotter de sales boulots –, il avait vu au bout de son flingue des bites soudain ratatinées, des faces congestionnées de mecs n'ayant pas joui – pourtant, ça y était presque, fait chier, ce con –, des mains rouges de sadiques qui venaient de frapper une fille et de faux policiers, la plaque entre les bourses. Et des petites, un tas, de vraies jeunettes ou de soi-disant vierges avec trois gosses en Colombie, des petites cubaines en quête d'un passeport capitaliste, des petites espagnoles qui voulaient bronzer sur une plage cubaine, d'autres qui bossaient là quelques heures après l'usine afin d'entretenir leur pauvre mère. Maudits soient tes souvenirs, David Miralles, tu n'aurais jamais dû pousser la porte.

Mais tu n'es pas ici pour satisfaire une urgence, tu sais bien, tu es venu à cause de ton fils. Tu es allé à l'école et tu sais quelle éducation il recevra, comment il se liera d'amitié avec des filles et des garçons, comment peut-être il lorgnera les cuisses de la maîtresse. Mais, par la suite, il grandira : ton fils grandira, David Miralles, comme toi-même autrefois, alors les cuisses de la maîtresse lui exploseront dans les tripes, il les verra sur les murs et il entrera dans un club comme ici où on lui parlera de terre promise. Hélas, il sera peu loquace avec toi, David, il ne se confiera plus comme avant, et vous serez séparés par un voile silencieux de corsages en soie. Tu ne veux pas qu'il en aille ainsi, pourtant il en ira ainsi, et comme tu ne veux pas perdre ton fils, tu lui parleras tempérance, dignité, sexe responsable, toi qui as protégé des clubs du même acabit où ne règnent ni la tempérance ni la dignité, et où le sexe est tout sauf responsable. Tu évoqueras aussi l'argent juste, toi qui as défendu tant de repaires dévolus à l'argent injuste, toi qui l'as senti dans ta chair lorsque l'argent injuste a tué ton enfant.

David Miralles a les yeux humides tout à coup ; il a les yeux humides, lui, le pistolero. Il vivait la vie de son fils en sachant qu'elle n'existait pas. Il la construisait, mais en vain.

Peut-être pas, peut-être était-ce la seule chose qui donnât un sens à sa vie.

Ce qui donne un sens à nos vies n'existe pas, jamais.

Eva entra à cet instant.

Mais que fais-tu ici, Eva Expósito, toi qui as la peau lisse et non refaite comme ces fausses gamines ? Je n'aime pas te voir ici, Eva, tu es mon assistante, c'est tout, ct parfois tu n'es pas très maligne. Tu dois faire ce que je te dis, rien d'autre.

— Je peux m'asseoir, s'il te plaît ?

La Noire lui jette un regard étonné. Elle songe que, si ce mec-là est un flic, alors elle aussi, surtout qu'à notre époque les filles entrent dans la police on ne sait trop comment, et hop, on leur file un pétard et les voilà gardiennes de la loi ; alors qu'elle, la négresse, on ne lui file que des raclées.

— Si mademoiselle veut quelque chose...

— Non, mademoiselle ne veut rien.

David Miralles a parlé d'un ton cassant : la situation a changé du tout au tout, rien à faire. Tu étais là, entouré de ces femmes qui te laissent froid, en train de construire la vie de ton enfant. Maintenant, tu es avec Eva, elle qui ne te laisse pas indifférent, et tu ne peux rien construire. Ta solitude s'est rompue, ton fils est mort.

— Qu'est-ce que tu fous là, Eva ?

— Ça fait plus d'une heure que je te cherche partout. J'ai appelé l'agence au cas où on t'aurait confié une mission particulière, je suis passée par la bibliothèque où tu vas lire de temps en temps, et dans les deux ou trois cafés où on te connaît... J'ai couru comme une folle. Et je suis passée à l'appart pour chercher un truc personnel dans ta chambre qui puisse m'orienter, une carte par exemple. J'en ai trouvé trois, l'une d'elles venait d'ici. Je me suis dit que tu devais bosser dans cette boîte sans m'avoir prévenue, et j'ai rappliqué en vitesse. J'ai déchiré la carte. Les deux autres aussi.

— Pourquoi ?

— Elles m'ont amenée jusqu'ici. Un autre pourrait s'en servir. Et on te recherche.

— Qui ça ?

— Ce n'est pas sorcier, celui qui a tué ton fils craint une vengeance. Après ce qui est arrivé à Omedes, il sait peut-être que tu es bon tireur et que tu ne rates jamais ta cible.

— C'est très rare, fit sèchement Miralles.

— C'est pour ça que tu es toujours en vie. Leónidas a engagé un nouveau tueur, plus dangereux. On s'est croisés à la porte quand je partais à ta recherche ; autrement dit, je suis sortie dans la rue, et lui en a profité pour se glisser à l'intérieur. Il n'avait pas de clef, et il devait être à l'affût. Ou peut-être n'est-ce qu'un coup de bol, je ne sais pas. En tout cas, on s'est frôlés, on était nez à nez. Il ne m'a pas reconnue, heureusement.

— Tu sais qui c'est ?

— Je l'ai vu dans un reportage il y a longtemps. Je me souviens bien, ses yeux m'avaient terrifiée, et ce n'était qu'une photo. Je peux aussi me tromper. Mais, bon, ce serait une drôle de coïncidence qu'un mec pareil foute les pieds dans notre immeuble. À tous les coups, c'est lui.

— Qui ça ?

— Daniel Bermúdez.

— Daniel Bermúdez est en prison.

— Il est peut-être en permission pour le week-end, va savoir.

— Ça m'étonnerait, Eva. Un type comme Bermúdez est toujours surveillé, et il aurait besoin d'un alibi parfait. Si moi-même j'ai des soupçons, les flics sauront qu'il a fait le coup.

— Pas forcément.

Miralles secoua la tête, dubitatif.

— Tant qu'il n'est pas pris sur le fait…, murmura Eva. Il a peut-être donné sa parole pour cette besogne en se fichant pas mal des conséquences. Il t'est arrivé d'en croiser, des tueurs qui sont des hommes d'honneur à leur façon, surtout si on les protège.

— Tu veux dire que Leónidas a engagé Bermúdez, sans doute par le biais d'une tierce personne, pour me buter ? Et que Bermúdez doit agir pendant une permission carcérale ?

— Parfaitement.

— Et tu as osé retourner à l'appart après l'avoir croisé à l'entrée ? Tu n'as pas pensé qu'il s'était peut-être planqué chez nous pour t'éliminer ? Ce ne serait pas la première fois.

— Je devais tenter le coup, trouver une piste qui m'amène jusqu'à toi. J'ai découvert les cartes, heureusement. Mais Bermúdez n'y était pas, il n'y avait personne. Il est sûrement à ta recherche.

— Tu l'as jouée fine, c'est rare chez toi, Eva. C'est bien, tu as détruit les cartes.

Elle encaissa la remarque les yeux fermés.

— En fait, je me demande…, murmura-t-elle.

— Quoi donc ?

— Ces cartes, il a très bien pu les voir avant moi s'il est entré. Et les détruire n'aura servi à rien s'il les a vues. Peut-être qu'il va bientôt… se pointer ici.

Miralles cligna des yeux, mais la raideur de son visage n'en fut pas altérée.

Eva ouvrit les paupières. Ses yeux à elle n'avaient pas vingt ans.

— David, allons-nous-en.

— D'accord, mais pas de panique. Je n'ai jamais fui devant personne.

— J'ai l'impression de te déranger. Je pensais à toi avant d'arriver ici, mais je te dérange.

— Pourquoi dis-tu cela, Eva ?

— Parce qu'on vit ensemble, je te connais bien. Enfin, on vit ensemble, façon de parler.

Miralles repoussa son whisky entamé.

— Qu'est-ce que tu racontes ? demanda-t-il tout bas. Qu'attends-tu de moi ?

— Que tu sois juste envers moi.

— Exprime-toi, vas-y.

— David, tu ne connaîtras jamais les femmes.

— Peut-être qu'elles ne m'intéressent pas.

— Bon, tu m'as donné la parole, alors écoute-moi bien : foutons le camp d'ici. Il faut trouver une planque, pour deux nuits au moins. Après, la permission du type sera terminée, il devra retourner en prison, ou il risque la réclusion à perpétuité. À partir de là, tout sera plus simple, mais il n'y a pas une minute à perdre.

— Tu penses beaucoup à moi, Eva.

— Peut-être que je suis encore capable d'avoir de l'affection pour les gens. Toi, par contre, tu n'éprouves aucun sentiment pour les vivants, tu n'aimes que les morts.

Elle se leva la première. En trois enjambées – interrompant les rêves des clients sur son passage – elle avait rejoint la sortie.

Il la suivit.

La rue, la rue avec ses véhicules synonymes de progrès, ses passants synonymes de chômage, sa lumière et sa chaleur qui vous accablent aussitôt. Eva fit signe à un taxi comme si elle connaissait la route. Le taxi s'arrêta. De même que l'homme qui allait droit au bordel, cet homme entre deux âges condamné à ne voir le soleil qu'à travers des barreaux ; ses yeux inoubliables le vieillissaient.

36

Bon, Daniel Bermúdez, il est là, devant toi.

Tu as bien fait d'entrer chez cette enflure de Miralles, d'examiner son agenda puis les cartes, avant de tout remettre en place après avoir noté quelques adresses. Ensuite, tu as foncé, mais le travail bien fait porte toujours ses fruits. Cette enflure de Miralles est là, devant toi.

Et la nana aussi.

Putain, en plus, elle est canon !

Mais Daniel Bermúdez, tueur émérite, eut tort de concentrer son attention sur elle. Ça vous joue des tours, les idées fixes. La nana, la nana, la nana. En gardant les yeux rivés sur Eva, Bermúdez perdit cette seconde précieuse entre la vie et la mort.

Eva s'écria :

— Là-bas !

Une demi-seconde après, Miralles, l'arme au poing, visait d'une main sûre. Il lui péterait la cervelle.

Crève. Crève, Dani Bermúdez, toi, les gosses que tu n'as pas eus et ta mère qui voulait avorter.

Puis deux événements survinrent très vite. D'abord, sans crier gare, Eva se planta devant lui pour faire écran. Miralles hésita le temps d'un clin d'œil et tenta de la repousser. Enfin, un gamin fit son apparition.

L'enfant.

Il avait autour de quatorze ans et marchait sur les clous d'un pas vif avant que le feu ne passe au vert. Il n'avait pas atteint le trottoir opposé qu'on l'agrippait pour lui mettre un canon sur la tempe. Bermúdez le tenait par le cou et criait :

— Lâche ton pistolet, Miralles ! Lâche-le ou il est mort !

Et la rue fit un tour complet. Et les yeux de Miralles devinrent subitement deux puits noirs. Et sa langue fut happée par ses dents, s'anima comme une bête, se fourra dans sa gorge.

L'enfant, l'enfant.

Plus grand que son fils.

Mais son fils…

Eva n'osait pas respirer, figée par la surprise. Elle tomba à genoux sur l'asphalte alors que la rue tournait de nouveau. Et elle le supplia, pitié pour le fils qu'elle n'avait jamais eu.

— Lâche ton flingue ou j'le bute ! Encore un cadavre qui me coûtera que dalle !

David crut s'enfoncer dans le tunnel du temps. Les années ne s'étaient pas écoulées, la vie non plus depuis qu'on avait appuyé un canon sur la tête de son fils. Il découvrait tout à coup la scène qu'il n'avait jamais vue, il voyait le crâne ouvert, le sang de l'enfant et une tache au loin : une pierre tombale blanche.

Il lâcha son arme.

Aucun doute. Le *clac* métallique sur l'asphalte équivalait à une sentence de mort.

Bermúdez rit.

— Que dalle, reprit-il.

La rue s'était éclipsée, la rue et ses rumeurs avaient disparu, la rue était un trou noir.

Il écarta le canon de la tempe de l'adolescent pour le braquer sur Miralles, une cible immanquable.

— Au revoir, fit-il.

C'est alors que la balle lui explosa la tête, et sa nuque ressembla à la rue. Un trou noir.

En dépit du recul de l'énorme .45, la main de l'inspecteur n'avait pas bougé d'un millimètre.

Nul n'avait entendu sa voix. Il l'avait dit pourtant :

— Mince alors, j'ai oublié de lui lire ses droits.

La rue demeurait bloquée dans le temps, les véhicules restaient figés, la bulle absorbait les cris, les coups de frein, les collisions en chaîne, les voix des conducteurs entonnant des louanges au Seigneur.

Méndez avança lentement.

Ses pas à travers la bulle. Ses pas uniquement. Ses yeux inexpressifs, les yeux du serpent qui a grandi dans la rue, qui s'est laissé flatter par la main des voisins, qui a enfreint la loi anti-tabac et s'est nourri dans les poubelles.

Eva, debout, en avait encore le souffle coupé. Miralles récupérait son pistolet et regardait Méndez en balbutiant :

— Je ne comprends pas...

— Je dois remercier un fils de pute.

— Ce n'est pas moi, quand même.

— Non, grogna Méndez, ce fils de pute possède un petit hôtel sur la côte. Il devait fournir le gîte ainsi qu'un alibi à Bermúdez. Je tenais Bermúdez par les couilles mais il a pris la fuite au volant d'une voiture dont il avait les clefs. Et l'autre gars, j'ai dû le choper par les couilles, lui aussi.

— Qui ça ?

— Le taulier, un gros naze. Si l'hôtel avait deux étoiles, lui n'en méritait aucune. Je lui ai collé mon outil sur la bite en le pressant de prendre sa voiture, la seule garée devant la porte. « Suis-le ou je te crève. J'en ai rien à cirer qu'on me vire de la police. » J'ai une voix qui fait peur, j'imagine, car ce connard a démarré en trombe.

Le sang irriguait à nouveau le cerveau de Miralles, qui émergeait de sa torpeur. Il murmura :

— C'est impossible, sur autoroute, de rattraper un véhicule parti plus tôt.

Méndez haussa les épaules.

— Le défunt, ce cher Bermúdez, n'avait pas intérêt à commettre une infraction. S'il était arrêté ou simplement contrôlé, tout pouvait capoter. Il a donc respecté les cent vingt kilomètres-heure, à la différence de mon pote, le taulier. Une fois à Barcelone, on lui a collé au train. Mais discrètement, et ce n'est pas évident. Il ne connaissait pas la voiture, c'est une chance.

Alors que Méndez achevait sa phrase, la rue alentour subissait une transformation radicale. Le hululement des sirènes, les cris, les gyrophares des véhicules de police occupaient tout l'espace. L'une de ces voitures barrait la chaussée, et une jeune fonctionnaire, avec sa petite casquette, sa queue-de-cheval, son flingue et son joli cul, gesticulait pour couper la circulation. Inutile, on ne roulait plus. Un autre agent en tenue rappliqua en courant, l'arme au poing. Mais, avisant Méndez et son gros revolver, il s'arrêta net et prononça d'une voix réglementaire :

— Putain, Méndez, putain, Méndez, putain, Méndez...

L'inspecteur lui présenta son arme.

— J'ai agi ainsi pour épargner deux vies humaines, dit-il. J'ai des témoins. Mais j'ai l'impression que ma brillantissime carrière dans la police est terminée. C'est bête... je commençais à obtenir des résultats ces derniers temps.

Il se tourna vers Eva et Miralles, l'air inquiet, ce qui étonnait : rien ne l'inquiétait d'ordinaire. Il leur glissa tout bas :

— Vous allez être interrogés des heures et des heures, mais ensuite cachez-vous quelque temps. Trouvez un refuge sûr et tranquille. C'est un miracle que vous soyez en vie, mais le miracle ne se reproduira pas.

Il leur tourna le dos et marcha lentement vers une autre voiture, d'officiers en civil, arrivée à toute allure.

Ce n'était pas la première fois que Méndez protégeait un citoyen au lieu de l'arrêter.

— Je suppose qu'on doit attendre le juge, dit-il.

— Où est-ce qu'on peut aller, t'as une idée ?

Telle fut la question d'Eva à David Miralles quand on les relâcha le lendemain matin.

— Oui, peut-être, je connais un endroit.

Ils ne pouvaient pas revenir à l'appartement. Ni à l'appartement ni dans le quartier où, avec son épouse, il avait vécu l'amour et la haine, où son fils avait fait ses premiers pas, où les cours intérieures lui avaient révélé le secret des fenêtres sans vie, des moineaux et des chats.

Et où avec Mabel il avait partagé le dernier amour entre deux êtres qui n'y croyaient plus.

Mais ce prénom lui rappela certains détails qu'elle lui avait fournis, notamment son adresse. Là-bas, personne ne les trouverait, loin des hôtels, des pensions et autres dédales urbains, le seul endroit où ils pourraient se cacher quelques jours.

Cela ne pourrait pas durer. Ni lui ni Eva ne pouvaient s'absenter bien longtemps, ils n'allaient pas se terrer chez Mabel éternellement. Mais un autre que lui avait tout intérêt à s'éclipser.

Il tuerait Leónidas Pérez, il irait au bout de sa vengeance.

— Allons-y, dit-il à Eva.

Dans le vieux quartier d'Horta, comme l'avait observé Méndez, les pieds endoloris, il ne reste qu'une poignée de petites villas. Les rues, calmes autrefois et où l'on causait à la fraîche, se sont élargies, pourtant elles ont l'air plus étroites avec leurs blocs d'habitations de chaque côté. Les associations locales se battent pour défendre un lopin de verdure, un égout ou un feu de signalisation. Les oiseaux ont émigré, les rares poètes qui vivaient là ont été expulsés sur injonction des autorités compétentes.

Le progrès, en somme.

Mais on y trouve quand même des maisons isolées, de rares villas avec un jardin, un pin, une rambarde en pierre, une balançoire rouillée et une plante qui s'étiole chaque automne sous les fenêtres. Et parfois, ô miracle, un prénom féminin est gravé sur l'écorce.

Quand ils furent devant la maison, David Miralles expliqua :

— C'est la propriété dont Mabel m'a parlé.

Eva Expósito ne voulait rien savoir au sujet de Mabel.

Puis il ajouta :

— Je ne t'ai pas posé la question hier, mais pourquoi tu t'es mise devant moi quand l'autre allait tirer ? Dis-le-moi !

Elle répondit :

— Tu es le seul à m'avoir redonné un peu espoir, mais est-ce qu'un jour tu finiras par le comprendre ?

Peu après, ils entrèrent dans un bar à proximité, d'où on voyait la villa. L'établissement fréquenté par des ouvriers à l'heure de la débauche, était aménagé dans un grand immeuble aux niches verticales symbolisant l'harmonie entre les peuples. Il arborait un doux nom andalou ainsi qu'une pub pour un anis de Catalogne ; en outre, il employait une plongeuse philippine et un serveur mahométan. Les clients, venus de chambres où leur bonne femme logeait à peine, parlaient de foot et d'emprunts immobiliers. En lieu et place des vieux slogans marxistes sur l'unité du prolétariat, on aurait pu afficher : « Emprunteurs du monde entier, unissez-vous. »

C'était un bar fumeur. Putain, merde, on trouvait là les vestiges de l'Espagne de la gnôle, de la clope et des cuisses à Bobonne ! Un écriteau sur la porte était sans équivoque : « Ici, on emmerde les non-fumeurs. »

Eva murmura :

— J'ai bien connu ces rues. C'était plutôt sympa pour le vol à la tire, avec toutes les bagnoles et les trottoirs étroits. Il m'arrivait de dormir dans les jardins des rares villas qui n'avaient pas été rasées. Avant, il y en avait partout, il paraît. Et puis aussi des dames qui soignaient leurs rosiers et des bonnes galiciennes qui allaitaient les gosses. C'est fou, il n'y a plus d'arbres. Ni de nounous galiciennes.

— La maison où nous allons a été bâtie par un marquis, dit Miralles, songeur. À une époque, elle accueillait des filles, dont Mabel.

Eva, cette fois encore, ne voulut rien savoir au sujet de Mabel.

— Tout ça me rend triste, murmura-t-elle. Quand je dormais dans les jardins, je n'avais plus d'espoir.

Son regard se perdit dans le vague. Elle avait subitement le visage d'une enfant craintive, un regard si jeune qu'il semblait tombé d'un nid. Mais Miralles ne s'en était pas aperçu.

— C'est curieux, dit-il.

— Quoi donc ?

— J'avais rêvé qu'un jour mon fils vivrait dans l'une de ces rares villas encore debout.

— Ton fils...

Eva se mordit la lèvre inférieure.

— Pourquoi t'acharner à reconstruire la vie du gosse ?

— C'est tout ce qui me reste, peut-être bien.

— Vraiment, tu es sûr ?

Silence. Tout semblait mort, soudain, loin des bruits du café. Ils se dirigèrent vers la grille luxueuse et forgée, comme dans les vieilles demeures andalouses. Derrière, on voyait un petit monde assoupi d'arbres, de parterres et de lumières çà et là. Sinon, la villa ne donnait aucun signe de vie. La grille en fer n'avait pas de sonnette mais, tel un coffre-fort, des roulettes métalliques pour entrer un code. Miralles le connaissait car il y posa les doigts et la grille s'entrouvrit en grinçant.

Eva pensa *Mabel* mais garda le silence.

Le jardin s'étendait jusqu'à la porte principale de la villa, à deux battants de bois robuste, avec cette authenticité de ce qui a coûté non seulement de l'argent mais aussi des années. La porte était munie d'une serrure ordinaire où il glissa une clé.

Mabel.

Eva resta muette à nouveau.

Deux communautés cohabitaient dans le jardin : les ombres et les chats. Le chien de garde était mort vraisemblablement. Au-delà de la porte que Miralles avait ouverte, on découvrait un vaste hall de couleur crème avec des meubles chic, années cinquante, et des portes dont les arcs de bois sombre se prolongeaient vers le fond, dessinant des arabesques.

Miralles, qui avait protégé des maisons anciennes – ou qui les avait assurées dans la première étape de son existence –, se rappela certaines bâtisses de la noblesse franquiste, imprégnées d'une nostalgie impériale. Deux autres détails lui revinrent en mémoire. Premièrement, la villa avait été construite par un marquis fortuné manifestant un goût propre à son époque. Deuxièmement, des filles avaient vécu entre ces murs.

Le marquis, lui, n'était plus là, contrairement aux filles. Il en aperçut deux dans les chambres du fond, à travers les portes entrebâillées. Il songea aussitôt que ces pièces n'étaient pas des chambres à coucher à l'origine : chez les riches, on dormait rarement près du hall. Pourtant ces jeunes femmes s'y trouvaient allongées, sur des lits ordinaires. Il se dit également que ces filles, à demi dénudées, n'avaient pas l'air d'attendre un client – comme cela avait dû être le cas des années plus tôt. On aurait dit plutôt des domestiques. Cependant, voir un homme et une femme entrer dans la maison ne semblait pas les étonner. Elles se contentèrent de fermer les portes sans piper mot.

Sur la droite, un escalier de marbre livrait accès à l'étage supérieur. La rambarde en bronze brillait légèrement dans la pénombre du vestibule. Il y avait seulement un éclairage ténu, comme un cierge à la flamme vacillante dans les veillées funèbres.

David Miralles prit Eva par le bras en douceur, et tous deux gravirent les degrés en silence. Au premier, même pénombre, une seule lampe était allumée. En haut des marches trônaient une console et le portrait d'une dame. Sa robe, pure fantaisie d'organdi et de soie façonnée par les soins d'une couturière, évoquait elle aussi les photos des années cinquante, lorsque ces femmes très distinguées présidaient des œuvres de charité, inauguraient en octobre les saisons du Liceo et mobilisaient à elles seules sept coiffeuses en l'espace d'un après-midi. Ce n'était pas mal pour une maquerelle capable de jauger l'âge des femmes et la bourse des hommes. Si, bien sûr, le portrait représentait la maquerelle.

C'était elle, forcément, pensa Miralles, même s'il ne la connaissait pas. Il vit une porte de chaque côté du tableau et poussa le battant côté gauche.

Et il vit la femme du tableau. Elle avait bien changé. Les années sont les années, disent les médecins ; et la vie, c'est comme ça, pas autrement, disent les tueurs comme Leónidas. À présent, les années et la vie se trouvaient condensées dans une chaise roulante, un teint jaunâtre, une femme, celle du portrait, qui ne pouvait plus inaugurer de saison au Liceo, mais plutôt une sépulture. Elle avait un mal fou à bouger, à parler.

Mais elle susurra :

— Vous allez enfin mettre un terme à mes souffrances, depuis le temps que je le réclame. Faites vite, je vous en prie.

37

Dans le vieux quartier de Pueblo Seco, un quart de la population est né ailleurs. Les anciens ouvriers anarchistes sont morts, et rares sont leurs petits-enfants ; le seul souvenir de ceux qui firent la guerre, c'est le portrait d'une veuve ; et de ceux qui votèrent Macià*, un drapeau en lambeaux.

Méndez y déambule en sortant de L'Anticipée, après une rasade de liqueur végétale interdite par tous les protocoles de Kyoto et d'ailleurs. L'inspecteur, objet d'une instruction, dirige ses pas vers le Raval, jusqu'au commissariat, songeant qu'il n'a jamais touché le fond à ce point-là, mais conscient du seul avantage qui en découle : il ne peut pas tomber plus bas.

Monsieur le commissaire principal assène :

— Putain de chiotte, Méndez !

La Loles, qui égaie le décor d'habitude, n'est même pas là, bien qu'elle collecte de l'argent depuis des mois pour sa couronne (mortuaire). Ne sont présentes que deux jeunettes fraîches émoulues de l'école de police, qui arborent fièrement leur pistolet comme un foulard Hermès. Putain de chiotte, Méndez, comme l'a exprimé le commissaire principal. Ces filles-là ne te connaissent pas.

Et Méndez de s'asseoir avec souplesse, sans un craquement, à la surprise des fonctionnaires présents.

— Vous allez vous fourrer dans des merdiers sans nom, Méndez. Je ne sais plus quoi faire. Pour commencer, vous char-

---

* Francesc Macià : président de la Généralité de Catalogne de 1931 (proclamation de la République) jusqu'à sa mort en 1933.

cutez les couilles d'un mec avec des tessons de bouteille, et c'était un grand cru ! Vous pensez que l'Administration générale de l'État va régler l'addition ? Et ensuite vous trouez la cervelle d'un autre type.

— Lui, il avait un pet au casque depuis longtemps, objecta Méndez, respectueux.

— Mon cul ! Le dénommé Bermúdez avait un comportement irréprochable en prison, c'était presque un homme de confiance. Il disait même vouloir commencer des études, de grammaire catalane comparée, si j'ai bonne mémoire. Pour ça, il espérait toucher une bourse. Un jour, on dénoncera l'usage des deniers publics, Méndez. En attendant, je vais vous dire à quoi servent les deniers privés. Un avocat exige que vous indemnisiez les proches de la victime, arguant du fait qu'il n'avait pas l'intention de descendre le gamin, et en plus vous avez tiré avec une arme non réglementaire. C'est pourquoi l'avocat réclame un autre type de réparations.

— Lesquelles, bon Dieu ?

— L'avocat a parlé de « dommages collatéraux ».

— C'est-à-dire ?

— Je n'en sais rien, Méndez, mais les dommages collatéraux augmentent le montant de l'indemnisation. Vous risquez d'avoir un paquet monstrueux à raquer, dix treizièmes mois n'y suffiront pas. Au bout du compte, l'État devra régler l'addition parce que vous, Méndez (il se fendit d'une petite révérence), vous êtes fauché comme chacun sait.

— Tout à fait, reconnut Méndez. Je dois de l'argent à la moitié des libraires de la ville.

— Vous voyez !

— Je sais qu'incessamment on va me présenter la liste des griefs qui me sont reprochés, murmura l'accusé. Je suis le flic le plus recherché de Barcelone.

— En effet. À votre place, j'opterais pour le camouflage.

L'inspecteur médita un moment.

— J'ai une idée ! dit-il enfin. Je pourrais changer de sexe.

— Vous ne seriez pas le premier policier dans ce cas, et vous pourriez solliciter un congé maternité. Mais trêve de plaisanterie, Méndez, soyons clairs. Un : me faites pas chier. Deux : vous avez une série d'instructions au derrière. Trois : on va essayer de régler ça. Quatre : virez-moi ce maudit Colt. Cinq : si j'ai une enquête parlementaire sur le dos à cause de vous, je vous les coupe, même si je doute que vous sentiez la différence. Six : dites-moi ce que vous savez d'un certain Leónidas Pérez, le bonhomme qui se tient sûrement derrière ce micmac.

— Il a disparu, fit Méndez tout bas. Je ne sais pas grand-chose sur lui si ce n'est qu'il a encore du pouvoir et de l'influence puisqu'il agit par personnes interposées. Et il faut voir lesquelles.

— Il y a une foule d'endroits où se planquer, raisonna le commissaire. Dans un pays voué au tourisme, n'importe qui peut se déguiser en vacancier à un moment donné.

— C'était pire autrefois, reprit Méndez. Le ministre Fraga offrait toujours des fleurs à la millionième touriste, et à chaque fois c'était une souris du tonnerre.

— Ouais.

— Moi, j'élaborerais un plan de recherche, murmura Méndez. Cette enflure de Leónidas ne peut pas vivre sans poulette, ça peut nous aider à le retrouver. Ce n'est pas moi, hélas, qui remonterai cette piste : jusqu'à présent, je n'ai connu aucune femme qui m'ait supporté plus de dix minutes.

— On explore cette voie, figurez-vous, répondit le commissaire principal. On a des indics dans des maisons de passe, des agences d'*escort girls* (enfin, appelez ça comme vous voudrez) et même dans des réseaux du troisième âge. Dans lesquels, j'imagine, vous dénichez vos informatrices, Méndez.

— Cela suffit, commissaire, un peu de respect. Certaines de ces femmes furent des dames glorieuses qui, du temps du Caudillo, planquaient déjà des ministres sous leurs tapis. Bien sûr, il y a aussi la piste bancaire, financière, mais on ne me laisse pas entrer dans les banques.

— On l'a suivie méticuleusement, Méndez : on s'est penché sur tous les mouvements de capitaux pouvant être en rapport avec ce type. Mais rien.

— Je sais qu'après leur interrogatoire Miralles et la fille se sont évaporés, mais j'essaierai de les retrouver.

— J'espère bien.

— Vous rappelez-vous, monsieur le commissaire principal, un vieux policier du nom de Julián Andrade ? Il était à la brigade des mineurs.

— Oui, je me souviens. C'était le flic le plus amer de tous ceux qui ont dû arpenter les rues de Barcelone.

— Après son enterrement, je suis allé chez lui : des papiers, de vieux meubles et un soleil moribond aux fenêtres sur cour. Mais ne faites pas attention à ces détails : je suis peut-être un spécialiste dans l'art d'observer les murs. Toujours est-il qu'Andrade avait demandé à David Miralles de protéger Eva Expósito, cette fille perdue qui traîne avec lui aujourd'hui. Et, pendant un moment, j'ai fouillé dans les paperasses, commissaire, et j'ai vu des soleils qui mouraient sur le même carreau de faïence. Ça m'inspire, ce genre de détails. Je dois parler à Miralles, et avant qu'on lui colle une balle dans la tête.

— Allez-y, cherchez-le avant que je boucle le dossier.

— J'ai déjà commencé. Je vais bientôt le retrouver, le temps joue contre moi. Et je ne suis pas non plus certain que David Miralles tienne beaucoup à la vie.

— Cette foutue ville est pleine d'assassins et de candidats au trépas. Ils pourraient se mettre d'accord.

38

La femme en chaise roulante insista :

— Dépêchez-vous.

David Miralles, et plus encore Eva, eurent le souffle coupé dans l'atmosphère suffocante de la pièce, qui n'en restait pas moins élégante. Les fenêtres closes et une lampe mortuaire pour tout éclairage.

La chaleur concentrée dans les vêtements, les flacons de médicaments, la peau féminine. C'était ce qu'on remarquait en premier, sitôt le seuil franchi : la chaleur pesante et les nombreux remèdes, sur une petite table à côté, dont l'odeur accentuait l'impression d'étouffement. Miralles jugea la femme au bout du rouleau : on peut être sauvé par un médecin et peut-être une ou deux injections, mais personne ne survit à vingt médecins et vingt médicaments.

Mabel lui en avait déjà parlé.

Il observa madame Ruth.

À tout le moins ce qui restait des grandes années, des bonheurs secrets, des grands bourgeois au gousset bien garni et des jeunettes en socquettes blanches.

Mais il songea qu'à Barcelone il y aurait toujours de grands bourgeois, des jeunes filles et des marchands de socquettes.

S'efforçant de ne pas troubler la paix dans la chambre, il murmura :

— Madame, j'ai peur qu'il y ait un malentendu.

— Non, voyons. Mabel m'a dit qu'on viendrait mettre fin à tout ça et, à l'heure qu'il est, je ne crois pas que vous soyez là pour me souhaiter bonne nuit. Vous n'avez pas l'allure d'un infirmier.

— Je ne le suis pas non plus.

Il était sûr que, dans cette lumière sépulcrale, la malade n'avait pas vu Eva Expósito, restée dans l'ombre, à l'extérieur. Il lui fit signe de ne pas s'approcher puis s'engagea dans cette espèce de chambre mortuaire. Mabel l'avait mis au courant de la situation et, comme il devait passer deux jours au moins dans ces murs, il ne comptait pas lever l'équivoque, en tout cas pas avant l'arrivée de Mabel. Il s'étonnait qu'elle ne fût pas déjà sur place.

Sa tête bourdonnait. Il revoyait le pistolet sur la tempe du garçon.

— Il va falloir vous mettre au lit, dit-il d'une voix très douce. Vous n'allez pas passer la nuit sur une chaise roulante.

— Pourquoi pas ? Quelle importance ?

— C'est important, justement. Ajouter une souffrance à une autre vous rendra la vie impossible.

— Elle l'est déjà.

— Mais cela pourrait s'améliorer. Tenez, je vais ouvrir, il fait horriblement chaud.

Un léger souffle marin, cette brise qui vient du littoral et adoucit parfois l'été barcelonais, enveloppa la femme. La vieille maquerelle inspira profondément, remplit ses poumons et ferma les paupières de plaisir. Miralles éprouva un soulagement lui aussi et respira deux fois intensément. Au fond de la pièce, il découvrit un lit en métal, un lit d'hôpital, propre et bordé au carré. La femme aussi était propre. On prenait soin d'elle.

— Je vais vous mettre au lit. Cela ne vous dérange pas qu'un homme vous déshabille, je suppose.

— Mais enfin, qui êtes-vous ?

— Un ami de Mabel.

— Que faites-vous ici ?

— On verra ça plus tard. Mais d'abord vous allez dormir. On vous donne des cachets, j'imagine.

— Et toutes sortes de choses à avaler ou à s'enfoncer dans le cul, mais j'en ai marre. Et puis je sais pertinemment que ça ne sert à rien, à part me transformer... comment dire?... en cobaye. Ils font des expérimentations sur moi pour me faire souffrir, comme dans beaucoup d'hôpitaux, paraît-il. Si une potion prolonge votre existence, même quand elle vous démolit, ils la testent sur douze autres patients et déposent un brevet. Je préfère ne pas imaginer le sort réservé aux pauvres animaux... Mais je ne suis pas un animal. En tout cas, je sais bien que je peux demander à mourir dignement.

— C'est devenu un droit, il paraît, mais il faut le solliciter expressément, dans les règles.

— J'ai déposé une requête, mais j'attends toujours. Je suis juste bonne à jouer les rats de laboratoire.

Elle tourna les yeux vers la fenêtre, aspirant l'air avec angoisse, et ajouta d'une voix rauque :

— Mabel veut prolonger ma maladie au maximum pour se venger. Elle veut me voir souffrir.

Miralles ne répondit pas. S'efforçant de remettre un peu d'ordre dans ses pensées, il prit la femme dans ses bras et la transporta jusqu'au lit. Elle était légère à l'extrême. La maladie s'était glissée dans sa peau, et sa peau était comme de la cire ; elle s'était coulée dans ses os, et ses os étaient des coques vides où l'air s'était substitué au calcium.

Le temps détruit tout, pensa froidement Miralles, et, le pire, c'est que nous le créons et nous le fabriquons nous-mêmes.

— Je vous ai demandé si ça vous gênait qu'un homme vous déshabille.

Madame Ruth rit sèchement après une nouvelle bouffée d'air.

— En quoi cela pourrait-il me gêner ? À une époque, certains hommes me déshabillaient ; attention, seulement quelques-uns. Et moi aussi j'ôtais leurs vêtements. Pour quelle foutue raison j'aurais honte ? Même si cela n'a rien à voir : avant, j'étais une femme, aujourd'hui je ne suis plus rien.

— Votre lit est impeccable, je vois.

— Oui. Au moins là-dessus, Mabel est raisonnable. Il y a toujours quelqu'un auprès de moi, même si personne n'est venu ce soir.

Elle ajouta :

— Je suis habituée à certains égards. J'étais une dame.

— Oui, Mabel me l'a expliqué.

— Comment avez-vous connu Mabel ?

— Ça n'a pas d'importance.

— Si, au contraire. Mabel connaît beaucoup de gens et parle à beaucoup de gens. Elle sort, elle, moi je ne mets plus un pied dehors. Alors elle vous a dit deux ou trois choses... Peut-être vous a-t-elle parlé de l'Espagne du temps où je suis devenue une dame : l'Espagne de la faim. Des centaines de filles ont débarqué à Barcelone avec l'estomac creux et le ventre plein d'avenir. J'ai occupé leur ventre, autrement dit je leur ai sauvé la vie et, au passage, je suis devenue une force vive de la nation. Oui, la faim a construit ce pays. Vous êtes trop jeune, peut-être, pour avoir connu ça, mais assez vieux pour savoir qu'aujourd'hui encore il se construit pareillement. Mais c'est avec la faim des immigrés et non plus celle des Espagnols. Nous avons réussi à fourguer notre faim. Et il arrive encore des milliers de gamines dont l'avenir se résume à leur ventre. Et celles-là, voyez-vous, elles sont beaucoup plus tristes que les miennes. Les miennes, je leur offrais de la tendresse et une vie raisonnable. J'étais une dame.

Alors que sa tête s'enlisait dans l'oreiller, elle ajouta en balbutiant :

— Je le paie cher aujourd'hui.

— D'un certain côté, votre époque n'était peut-être pas si horrible, dit Miralles, conciliant et pressé de sortir au plus vite. Depuis, avec l'arrivée des mafias, la situation a empiré.

— C'est sans doute ce qu'on appelle le progrès. Personne ne réussit à effacer les maux : on les déplace, c'est tout. Et les maux qui me rongent, je les connais comme je connais mon époque : n'allez pas croire que tout m'échappe entre ces murs.

Rien ne m'échappe, au contraire, et c'est pourquoi je demande
deux choses.

— Lesquelles ?

— D'abord, mourir comme j'ai toujours vécu.

— Comme une dame, vous m'avez dit.

— Mais, par-dessus tout, je veux mourir. C'est mon droit
ultime. Nul ne demande à venir au monde, qu'on nous laisse au
moins décider de notre mort.

— Je suis d'accord, répondit Miralles, toujours conciliant
pour en finir au plus vite.

— Je pensais que vous étiez là pour ça. À l'heure qu'il est, je
n'arrive pas à imaginer autre chose.

— Peut-être, mais laissez-moi un peu de temps.

Il faut mentir aux malades, se disait Miralles, tout comme
aux amoureux, à tous les électeurs, à ceux qui font leurs premiers pas dans la vie comme à ceux qui n'en font plus aucun.
Le mensonge est la plus grande invention sociale : elle procure
la consolation et l'espérance.

— Je ne veux pas que vous souffriez, ajouta Miralles.

— C'est bien ce qui était convenu.

— Soyez tranquille, mais un peu de patience. Dites-moi,
vous ne sortez jamais de cette chambre ?

— Avant, ça m'arrivait de temps en temps. Une fois, je suis
même allée à la messe. Savez-vous qu'à la belle époque mes
filles portaient une médaille ou une croix ? C'est bizarre, mais
elles croyaient que la Sainte Vierge, elle aussi, avait été soumise
aux hommes. Enfin… Je ne peux plus aller dehors. C'est un
exploit pour moi d'atteindre les fenêtres, même si j'y arrive
encore. Mais plus question de quitter la chambre… Et l'escalier
est un obstacle infranchissable. Je ne sais plus ce qui se passe
dans la maison.

— Elle vous appartient ?

— Non, elle est à Mabel. Le marquis, un ancien client, lui a
légué la propriété, mais à condition que j'y habite.

— Et elle vous traite comme une dame.

— Non. Elle veut me voir souffrir, je vous ai dit. Mais je suis quand même une dame.

— Bien sûr. Et vous ne souffrirez pas, c'est promis.

Après toutes ces années dans la rue, David Miralles savait rassurer les gens. Il caressa brièvement la peau usée de Ruth, accomplissant le miracle des mains.

— Essayez de dormir à présent. Tout ira bien.

Il sortit lentement, laissant la fenêtre ouverte. Ruth était calme, immobile. La porte claqua doucement et Miralles se trouva face à la pénombre et aux bruits du rez-de-chaussée que la malade n'entendait pas, probablement. Une quiétude absolue régnait dans la demeure d'un autre temps.

Miralles était serein, étonnamment, malgré ce qui venait d'arriver : il songea soudain qu'Eva et lui ne couraient aucun danger dans cette espèce de bulle à l'écart de la réalité. Il savait qu'on voulait les tuer, mais ils étaient à l'abri.

Il se trompait. Celui qui cherchait à les éliminer rôdait autour de la maison.

Mabel entra.

Mabel, tu es devenue une femme mûre avec, de l'avis des experts, des courbes trop marquées, une culotte de cheval, des masses de graisse et un soupçon de cellulite, mais tu attires toujours les regards dans la rue et ton cul se profile à merveille dans les portes. Tu connais par cœur toutes les positions (dignes d'un bréviaire), ta vulve est diplômée en arts martiaux, ta langue experte. Et ta condition remonte à loin, aux profondeurs du passé, à tout ce que les hommes t'ont donné aux heures maudites et secrètes, mais tu gardes la grâce d'une fillette, ta chevelure de collégienne, la marque des socquettes blanches.

Bien. Mabel entra.

Elle vit Eva Expósito, qui n'aurait pas dû se trouver là, puis Eva Expósito la vit à son tour. Leurs regards se croisèrent durement, comme s'ils s'étaient heurtés. Elles pensèrent la même

chose : *Tu es l'autre.* Au fond de leurs yeux brillèrent deux étin-
celles, comme une langue de serpent qui vibrionne.

Bon, Eva, la voici. C'est David qui t'a conduite ici.

Et toi, Mabel, c'est donc elle. Cette femme en herbe,
apprentie du sexe, flotte dans le couloir de ta maison.

La langue de serpent vibrionne à nouveau au-dedans.

Et Miralles apparaît sur les dernières marches.

— Je vais tout t'expliquer, Mabel. Il s'est passé beaucoup de
choses depuis notre dernière rencontre.

Le silence est total, toutes les filles plantées naguère devant
les portes ont disparu. Il n'y a que des stucs rougeâtres qui ont
presque cent ans, l'éclat des marbres préfranquistes, des
lumières opalines. Les frontières de la ville rugissante s'arrêtent
dans le jardin de la demeure épiée par une chatte esseulée.

— Je suppose que tu cherches un refuge.

— Oui.

— Et la police ?

— Cette fois, je n'ai pas confiance dans la police.

— Ne t'en fais pas. Je t'ai donné cette adresse si tu avais
besoin de moi, alors tu as frappé à la bonne porte. J'imagine
qu'elle, c'est… Rappelle-moi son nom.

— Mon assistante, Eva Expósito.

— Allons dans la pièce du fond, dans le vieux bureau du
marquis, où il gérait ses affaires sur la fin. On pourra discuter
tranquillement.

Et le bureau, étendard de la vieille Espagne, renferme les
idéaux bravement défendus par le marquis : mobilier monacal,
tissus rouge cardinal, photos de soirée de gala au Liceo, de
réceptions à la capitainerie, de soirées animées par Bernard
Hilda, d'évêques prêts à sauver l'âme de la cité, d'un colonel,
probablement tombé à la bataille de l'Èbre, et même une image
de Pie XII.

— On n'a touché à rien, dit Mabel. À un moment, j'ai pensé
vendre les meubles, mais pas la peine, ce n'est pas rentable. À
bien y réfléchir, un tel bureau ne logerait pas dans l'un des

appartements qu'ils construisent à côté. Dis-moi d'abord quel est le problème, après on avisera.

L'explication de Miralles fut simple et claire : Il y a un type très puissant, tu le sais déjà, Mabel, qui se cache en ville et qui cherche à me tuer avant que moi-même je le tue. Il a un avantage sur moi, le fric. Moi, je n'ai que des souvenirs. Récemment, il a bien failli réussir, et un policier, un certain Méndez, m'a conseillé de m'éclipser quelque temps. Je ne peux pas faire appel à la loi parce que, tôt ou tard, elle se retournera contre moi. Je dois réfléchir, ne serait-ce qu'un ou deux jours. J'espère que tu comprends et que tu veux bien courir ce risque pour nous. Ça ne sera pas long.

Mabel éclate de rire.

— Je ne cours aucun risque.

— On ne sait jamais, Mabel. Le type en question est plein aux as, il a des contacts et peut arriver jusqu'ici. C'est risqué pour toi. Eva et moi, on te remercie du fond du cœur de bien vouloir nous aider.

— Rassure-toi, personne ne viendra vous débusquer ici, fait Mabel en un murmure avant d'ajouter : Impossible.

Le vieux médecin ne croit pas à la mort mais à la vie. Maintes fois, ses patients, dès lors que leurs fenêtres réfléchissaient un fantôme, non plus un être humain, ont demandé à mourir. Certains ne supportaient plus la douleur, mais cela peut s'arranger. La médecine palliative offre tant de produits qui vous expédient dans une autre dimension qu'on pourrait l'appeler la médecine du néant. D'aucuns revendiquaient le droit à mourir dignement, d'autres refusaient d'assister à leur déchéance ou souhaitaient finir leur vie – qui avait pu être belle, intelligente et esthétique – dans un concert baroque et non une bouche d'égout. Là, contrairement à la douleur, on n'y peut rien.

Le vieux médecin s'y est toujours opposé. On ne doit pas hâter la mort. L'une de ses plus vieilles clientes, la tenancière, la seule tenancière qu'il connaisse, n'est pas arrivée à ses fins elle non plus. Pauvre madame Ruth, toi qui as donné à manger à tant de filles, qui as été une pionnière de la résurrection du pays (car un pays ne se construit pas seulement avec des entreprises, des cheminées et du travail, mais aussi avec des lits, lesquels, en outre, ne polluent pas) et dont la tolérance, à défaut de chasteté, a été la vertu. Le vieux docteur, honnête homme, a toujours admiré la douceur de madame Ruth, sa connaissance du pays, son habileté pour brasser l'argent noir. En son for intérieur, il admirait aussi la grâce avec laquelle elle avait su poser la lingerie d'autrefois sur les filles d'aujourd'hui.

Le vieux médecin a l'impression d'être épié depuis quelques jours. C'est absurde, il n'a jamais fait de vagues et n'a jamais eu mauvaise réputation, ni même beaucoup d'argent. Pourtant on le surveille. Un médecin laisse mille traces de son activité : visites, déclarations d'impôts, mais aussi par le biais des représentants pharmaceutiques et des ordonnances, spécialement contrôlées pour les drogues et autres stupéfiants. Des traces stockées dans des ordinateurs hautement vulnérables.

On le suivait surtout lorsqu'il allait chez madame Ruth. Cela n'avait pas de sens, mais c'était la réalité. Un inconnu, avec cent tentacules, épiait ses faits et gestes.

Jusqu'au jour où il vit débarquer dans son cabinet cet homme grand et fort (agnelets d'Ávila et porcelets de Ségovie), élégamment vêtu (Tucci conçoit aussi des modèles pour les gros) et sûrement satisfait de sa vie sexuelle (jeunes étudiantes trouvant dans les agences ce que ne prodiguent pas les livres). Le revers de sa veste présentait deux longs cheveux blonds d'une demoiselle de haute vertu. Cet homme qui se battait pour la grandeur du pays dit au médecin épris de vie éternelle :

— Il faut qu'on trouve un accord tous les deux, docteur. Il s'agit d'un truc tout simple, vous en conviendrez, j'en suis sûr : je vais vous dire, c'est comme ça, pas autrement.

Mabel déclara :

— Vous pouvez rester à la maison, évidemment, vous êtes ici chez moi. Vous serez en sécurité. Mais vous allez devoir dormir ensemble au moins cette nuit, je n'ai qu'une chambre de libre.

Mabel avait dit cela, mais elle aurait pu dire : « Toi, David, tu peux dormir avec moi. » Seulement elle n'avait pas osé. Les filles éduquées dans les alcôves, comme elle, savaient que la discrétion est la vertu essentielle des dames, même quand d'autres vertus leur ont été déniées. Et Miralles et Eva, éduqués dans les armureries, savent que la discrétion est la vertu des gardes du corps, c'est pourquoi ils gardèrent le silence eux aussi.

— D'accord, fit David Miralles. Et c'est seulement pour deux jours.

— C'est ton assistante, n'est-ce pas, David ?

— Tout à fait.

— Formidable.

Et tous trois s'enfoncèrent dans les entrailles d'une demeure où il n'y avait plus de majordomes ni de bonnes à gros cul fiables à cent pour cent, car choisies par Madame, ni de jeunes bonniches minces fiables à zéro pour cent, car choisies par Monsieur par un après-midi pluvieux. Il ne subsistait rien de tout cela, ni enfant allaité, ni adulte allaitant, ni même le nom de la villa à l'extérieur, mais il restait les stucs fleuris, les lumières zénithales, les portes en chêne vert fabriquées par un menuisier républicain et, plus encore, la sensation que nul ne les trouverait dans ces vieux murs. Allez, entrez, le marquis a fait bâtir la maison sous le régime de la séparation des biens, et voici vos deux lits pour la séparation des corps. Vous dormirez là.

39

L'homme Tucci, qui se doit d'être bien habillé pour camou-
fler les agnelets d'Ávila, a redit au médecin épris de vie éternelle :

— C'est comme ça, pas autrement.

Et il a expliqué au vieux docteur ce qui n'est pas autrement.
D'abord, il est un vieil ami de madame Ruth, et il sait qu'elle est
malade et que le médecin la soigne, sans réel espoir.

— Comment savez-vous qu'elle est ma patiente ?

— Docteur, évitez ces réponses d'apprenti avec moi. Vous
n'êtes pas un interne, mais un homme connu qui délivre un tas
d'ordonnances, pour des drogues notamment. Tout ça est
contrôlé, vous laissez mille traces, et moi j'en ai trouvé une par
hasard. De par mes fonctions, je supervise certaines dépenses
de la Sécurité sociale, surtout celles en rapport avec les retraités
qui ne paient pas les médicaments.

Là, tout risque de capoter, se dit l'homme qui estime que
c'est comme ça, pas autrement – car l'autre peut exiger des
précisions, et il ne comprend rien à la Sécurité sociale, ça,
depuis toujours. Mais l'explication est plausible, et il table sur
l'inquiétude professionnelle du praticien. Il se peut que l'on
juge ces ordonnances douteuses, dans ce domaine si contrôlé,
alors qu'il est scrupuleux et qu'il aspire à vivre en paix avant
tout.

En effet, le vieux le défie :

— Si on a observé une irrégularité, qu'on me prévienne officiellement. Ce n'est pas la procédure habituelle.

— Bien sûr que non. Je suis bien placé pour le savoir ! Mais,
comprenez bien, ce n'est pas ça qui m'amène, je vous dis juste

comment j'ai su que vous vous occupiez de madame Ruth. Et, sans violer le secret professionnel, j'ai une question un peu délicate à vous poser, si je puis me permettre.

— Laquelle ?

— D'abord, je tiens à dire que j'ai été très proche de madame Ruth, à l'époque où elle dirigeait son établissement, rue de la Francia Chica. Quant aux raisons pour lesquelles j'étais son ami, ne m'en tenez pas rigueur, s'il vous plaît.

— Cela ne m'intéresse pas. Les amitiés de cette femme la regardent, elle, et elle seule.

— Tant mieux, donc. Chacun a une vie et une histoire qui le regardent. Mais j'ai longtemps vécu à l'étranger, je peux le prouver, or j'ai appris en rentrant que madame Ruth était très malade.

Ça y est, tu as gaffé, Leónidas, toi, l'être intelligent, une des merveilles du XXIᵉ siècle. Les inspecteurs de la Sécu espagnole n'ont pas coutume de résider à l'étranger. Si bien qu'après cette bévue tu prépares aussitôt une justification, sauf que le médecin n'y a vu que du feu, et il ne verra rien si tu enchaînes rapidement, sans lui laisser le temps de réfléchir.

— Et en souvenir de notre vieille amitié, j'ai eu envie de lui rendre visite avant qu'il soit trop tard.

— Eh bien, faites-le. Je n'y vois aucun inconvénient.

— Je suis là pour ça, docteur... Excusez le dérangement, mais je m'en voudrais de commettre une imprudence. Vous m'avez rassuré, certains médecins déconseillent ces visites. C'est ma première question. La deuxième est la suivante : elle est consciente de son état ? Quelquefois, une remarque maladroite peut anéantir le patient. Elle sait qu'elle va mal ?

— Évidemment. Je n'ai pas l'habitude de mentir, et elle n'est pas sotte.

— Raison de plus pour aller la trouver au plus tôt. Merci, docteur, pour ces précisions, mais en fait j'ai encore deux questions.

— J'y répondrai dans la mesure du possible.

— Madame Ruth a-t-elle besoin d'argent ? Enfin, peut-être qu'on peut lui offrir quelque chose, discrètement.

— Non, je ne crois pas. De toute façon, je ne dirais rien même si j'étais au courant.

— Tant mieux. On s'occupe bien d'elle ? C'est la dernière chose que j'aimerais savoir.

— Oui, certainement, autant que possible, mais elle serait mieux dans une clinique. Quelqu'un veille sur elle dans la journée ; la nuit, je sais qu'il y a une infirmière, mais pas toujours la même, je crois.

— Elle n'a besoin de personne d'autre ? Il n'y a personne d'autre ? C'est pour savoir à quelle heure je dois me présenter.

— Plutôt dans la matinée, mais téléphonez donc au préalable. Il lui arrive d'aller assez mal.

— Merci, docteur, je suivrai vos conseils. Vous m'avez beaucoup aidé, maintenant je sais quelle attitude avoir devant elle. C'est tellement délicat, ces situations.

— Bonsoir. Pour l'argent, voyez l'infirmière.

— L'argent ?

— La consultation. Vous étiez dans la salle d'attente avec mes patients.

— Oui, bien sûr… Le temps, c'est de l'argent. Voilà qui est parfaitement raisonnable !

Pour sûr, cher monsieur qui voulez rester prudent. Certains confrères ont amassé beaucoup d'argent, pas moi ; aujourd'hui, je ne vis que des consultations au cabinet, je suis trop vieux pour émarger dans les mutuelles. Donc je dois encaisser, cher monsieur qui voulez consoler les malades. Les temps sont durs !

— C'est comme ça, pas autrement, lança Leónidas à l'infirmière en la payant religieusement.

Et il songea : Putain, maintenant un vieux toubib coûte quatre fois moins cher qu'une jeune hôtesse, ce n'est pas la ruine. Et puis toi, Erasmus, tu sais tout encore une fois, faisant honneur à ton surnom, et tu pètes le feu. Tu sais désormais que tu peux inspecter la maison sans grand danger, si des fois Miralles est planqué là-bas. Il s'y est réfugié à coup sûr. Il n'a nulle part où aller.

Miralles se dit à présent qu'il n'aurait jamais dû se terrer là, dans la demeure de ces deux femmes : la première veut qu'on l'aime, la seconde qu'on la tue. Il aura un mal fou à mener madame Ruth en bateau pendant au moins quarante-huit heures – le temps nécessaire pour semer Erasmus – et à dormir dans la même chambre qu'Eva sans être harcelé dans les couloirs par le méchant regard de Mabel.

Miralles sort de la chambre tandis qu'Eva se déshabille, et reste enveloppé dans la pénombre du couloir, à l'arrière de la maison. Il voit près de la porte, au bout du couloir, une fenêtre et, plus loin, un jardin mal entretenu avec, les unes sur les autres, trois petites statues qu'on n'a pas su où caser : une tour comme aux échecs, une danseuse qui représente peut-être une des maîtresses du marquis, un chauve avec un carnet qui a l'air d'écrire l'histoire de Barcelone.

Autrefois, quand les maisons ne se mesuraient pas en millimètres carrés, on trouvait de ces jardins, avec des statues et des arbres, des bourgeois qui, un jour, avaient acheté un livre et des oiseaux faisant des nids pour les poètes.

Mais cela suscitait d'autres pensées chez Miralles ; il constatait par exemple que personne ne s'occupait du jardin et qu'il serait donc aisé d'y pénétrer. Qu'il y avait trop de fenêtres au rez-de-chaussée, aucune n'étant protégée. Qu'il n'y avait pas d'alarme et qu'il serait fastidieux de surveiller les recoins d'une maison qui ne lui était pas familière. Il aurait dû quitter la ville comme avait su le faire Erasmus.

Il avait commis une erreur en venant là, mais il serait contraint d'y passer la nuit, sans troubler l'intimité de quiconque, aussi attendait-il qu'Eva ouvrît la porte.

Elle le fit et sortit pour que David se mette à l'aise lui aussi. La jeune femme portait un saut-de-lit qu'elle avait emprunté et qui dormait peut-être dans une armoire depuis des années. Peu de femmes auraient été avantagées dans cette tenue, mais sur elle c'était amusant. Elle s'était fait deux petites tresses qui lui donnaient un air enfantin, presque ingénu. Elle était pieds nus et Miralles, comme s'il ne l'avait jamais vue, la jugea très grande malgré tout.

Peut-être ne l'avait-il jamais vue, d'ailleurs. Bien que vivant sous le même toit depuis des années, ils faisaient chambre à part et ne se permettaient aucune intimité. Dans la cuisine et autres pièces communes, ils restaient toujours habillés. Depuis qu'Andrade, le vieux policier, lui avait recommandé Eva, elle avait été pour lui non pas une femme mais une partie de sa vie. Elle était la seule personne en qui il eût confiance dans ce monde, même s'il la tenait à l'écart de son monde à lui.

— Il y a une salle de bains et deux lits jumeaux, fit-elle. Tu as dû le voir tout à l'heure.

— J'en ai pour une seconde.

En entrant dans la chambre, David Miralles voit deux lits séparés, en effet, mais aussi une fenêtre donnant sur le jardin, sans protection : n'importe qui peut la forcer et se glisser à l'intérieur. Tirer les rideaux serait pire : on ne verrait personne s'approcher. Derrière ces carreaux fragiles, un espace noir, le jardin, où toutes les griffes de la ville pourraient se tenir à l'affût.

C'est pourquoi Miralles préfère se coucher habillé, seulement déchaussé. Du reste, il n'a pas de vêtements de rechange, et dans l'armoire il n'y a pas de pyjama ni rien qui s'y apparente ; le meuble ne contient que des nuisettes renfermant dans leurs plis l'histoire secrète de la maison.

— Tu peux entrer, Eva.

Ils se regardent tels deux inconnus, lui habillé et l'arme à la ceinture, elle dans une chemise de nuit que d'autres femmes ont portée avant elle. Et bien que cela paraisse incroyable, c'est la première fois que Miralles voit Eva à demi nue. Depuis ce jour où l'on a tenté de la violer, depuis ce soir-là au cimetière, elle a été sa protégée, son élève, son enfant, car le destin d'Eva est peut-être celui qu'aurait eu son fils, professionnellement. Le destin de son enfant.

Il ferme un instant les paupières.

Il est là pour la protéger : elle forme une partie de son histoire bien qu'elle n'en sache rien. Eva sait qu'il est son protecteur, le tireur, celui qui tue.

— Tu ne vas pas monter la garde la nuit entière, murmure-t-elle.

— Je ne sais pas. À vrai dire, on n'est pas trop en sécurité.

— Non, pas vraiment.

— Enfin, bon, la rassure Miralles, personne ne sait qu'on est ici.

— Non, sûrement pas.

Hormis peut-être l'homme qui s'introduit alors dans la propriété.

40

Erasmus pénétra facilement dans le jardin : la grille n'était pas très haute, c'était une grille ancienne, du temps où le fer servait à borner les jardins et non à se préserver des voleurs. Il l'escalada en se servant des barres elles-mêmes comme points d'appui et sauta de l'autre côté ; il passa par le secteur le plus obscur, en face d'une autre demeure, en déclenchant un aboiement pour toute alarme.

Il y avait aussi eu un chien dans ce jardin, un vieux chien qu'il avait fallu piquer. En tout cas, Erasmus était sûr de ne pas le croiser. Il évoluait d'un pas confiant.

Erasmus était trop gros pour l'action directe, mais tout s'était bien passé jusque-là. Il n'avait plus qu'à se couler dans l'obscurité jusqu'à une fenêtre repérée auparavant. Mais il n'était pas au sommet de sa forme. Erasmus en était conscient : non, il n'était pas au sommet de sa forme.

Il restait un tueur efficace, le meilleur à sa connaissance.

Muni d'un Beretta équipé d'un silencieux, une arme si efficace que l'armée américaine l'utilisait toujours, et de balles striées à leur extrémité pour éclater à l'intérieur du corps, Erasmus se faufilait dans l'ombre.

Les opérations, il faut les préparer bien comme il faut, avec sang-froid, car chacune diffère des précédentes.

C'est comme ça, pas autrement.

Erasmus atteignit la fenêtre choisie, préleva dans son sac un coupe-verre à pointe de diamant ainsi qu'une petite ventouse pour ôter le carreau discrètement. Au fond, Erasmus appréciait les vieilles choses, voire les vieilles femmes à l'occasion.

Un silence profond régnait dans la maison, invitant au repos. Mabel n'avait pas trouvé le sommeil pour autant. Elle ne s'était pas glissée dans les draps ; les lèvres pincées et les yeux grands ouverts, elle fixait le reflet des phares sur la fenêtre. La lampe au plafond, les moulures en stuc, le miroir de la coiffeuse, de même que la porte de la chambre, apparaissaient et s'éclipsaient dans le noir.

Tendue, avec ses iris gris qui intimidaient les clients, ce regard insondable qui s'était imposé un jour lorsqu'elle n'était qu'une enfant, Mabel n'arrivait pas à fermer l'œil.

Son portable sonna doucement. L'infirmière de nuit, qui avait une heure de retard, s'excusait, n'ayant pu encore quitter la clinique où elle travaillait.

— Ne t'en fais pas, dit Mabel. Je ferai attention.

Mabel, habillée, se leva du lit. En reposant le téléphone, elle se demanda combien d'heures effectuait l'infirmière pour boucler ses fins de mois. Elle fit la moue en s'arrangeant les cheveux d'un geste machinal. Son époque, celle des ouvrières du sexe, avait été terrible, mais le pays n'avait peut-être pas changé du tout au tout : s'il fallait alors payer un loyer, maintenant il fallait rembourser un emprunt à la banque. Le sol demeurait planté d'ouvrières.

Elle dirigea ses pas vers la chambre de Ruth, à proximité.

Silence.

Silence total. La maison ressemblait à un couvent peuplé de chattes.

— Mabel...

Ruth était réveillée. Sous les draps et en chemise de nuit, mais réveillée. Ses traits moites brillaient près de la petite lampe de chevet. Le râle de sa respiration préongcait une fin prochaine.

Elle transpirait, mais d'angoisse probablement, car il ne faisait pas chaud dans la pièce ; au contraire, l'air s'y engouffrait.

— C'est Miralles qui a ouvert la fenêtre ?

— Je ne sais plus s'il a donné son nom ou pas.

— Bon.

— Mais je suppose que toi, Mabel, tu vas fermer pour que j'en bave un peu plus.

L'autre demeura muette. En s'approchant du lit, elle passa près de la fenêtre qu'elle comptait refermer, mais elle n'en fit rien. Immobile à côté du lit, elle promena son regard dans cette chambre familière avant de le concentrer sur la figure de la malade.

Madame Ruth s'était redressée légèrement, les yeux fixes elle aussi.

— Cette nuit encore, je reste sous ta surveillance, Mabel.

— Pourquoi dis-tu cela ?

— Je sais que l'infirmière ne viendra pas.

— Non, en effet. Elle m'a appelée pour me dire qu'elle est coincée à la clinique. Une femme agonise à son étage et sa garde a été prolongée.

— Évidemment… Ce serait idiot d'échanger une mourante contre une autre, n'est-ce pas ?

— Ce n'est pas grave. Je peux rester avec toi aussi longtemps qu'il le faudra.

— Alors, profites-en pour me faire souffrir un peu plus, Mabel. Ferme la fenêtre. Comme ça, j'étoufferai, je ne pourrai pas dormir.

Mabel, toujours sans réaction, ne ferma même pas les volets. Au-delà, au-dessus du jardin ténébreux, de rares lampadaires laissaient voir au loin un quartier suburbain. Les ombres enveloppaient tout.

— Tu m'as toujours détestée, Mabel.

— Oui.

— Depuis l'enfance.

— Tu te trompes.

— Pourquoi ?

— Je n'ai pas eu d'enfance.

Il y eut des craquements, les phalanges de Ruth. Ces derniers temps, ses os craquaient souvent sans qu'elle s'en aperçoive.

— Si, Mabel, tu as eu une enfance : quand tu étais petite, tu n'avais pas le droit d'aider à la messe, les enfants de chœur étaient des garçons, mais avec ta mère tu balayais et tu passais la serpillière dans l'église. Je me rappelle très bien : en ce temps-là, on lavait les sols à genoux, c'était interminable.

— C'est vrai. J'avais les genoux tout rouges, même si maman me prêtait un paillasson pour atténuer la douleur. Mais je souffrais aussi pour une autre raison.

— Ah bon ?

— Au milieu d'un tel silence, j'avais l'impression que les figures de saints me reluquaient les fesses.

Ruth voulut rire mais n'en eut pas la force. On aurait dit qu'elle étouffait dès que ses lèvres remuaient un peu.

— Maman lessivait donc la zone de l'autel et moi le côté gauche, où la seule figure derrière moi était celle de la Vierge.

Les phalanges de Ruth se remirent à craquer.

— Vous étiez toutes de braves filles, Mabel… Enfin, à peu près. Mais j'aimerais qu'un jour tu songes que je t'ai donné la seule chose que je pouvais t'offrir, que la rue nous offrait. Ce n'était pas si mal, après tout : cela valait-il la peine de l'échanger contre un deux-pièces avec une poubelle, une laverie dans la rue et un mari qui, au bout du compte, t'aurait fait la même chose, mais à l'œil ?

— Je me suis déjà posé la question.

— Mais, après tout ce temps, tu ne m'as jamais pardonné. J'ai dû passer à la caisse pour tous les hommes et tous les lits.

— Ce n'est que justice. Il fallait que tu paies d'une façon ou d'une autre.

— Justice ? J'ai beaucoup souffert à cause de toi, Mabel. Parfois, j'ai eu l'impression d'entrer en enfer.

— Au contraire, tu n'y es pas entrée grâce à moi.

Et Mabel sourit. Comme tant d'autres fois, le miracle eut lieu sur son visage : le sourire de la femme mûre n'ayant vu que des lits devint celui d'une enfant n'ayant vu aux murs que des dessins.

Puis elle murmura :

— Viens, fais un effort. Lève-toi et accompagne-moi jusqu'à la porte. Tu verras quelque chose que tu aurais pu voir, mais que tu n'as jamais vu.

La ventouse écarta le verre en silence. Erasmus fourra sa main gantée dans l'orifice. Il n'était pas bête au point de laisser des empreintes, d'autant que les siennes étaient connues comme si elles décoraient un timbre-poste. Il chercha délicatement la poignée puis entra. Il y avait eu un clic ténu, à peine audible à deux pas.

Et le couloir. Le couloir recouvert d'un tapis à l'ancienne, comme dans les hôtels qu'il fréquentait dans sa jeunesse et où l'on trouvait toujours une bonniche prête à effectuer le service de nuit. À l'époque, elles ne rechignaient pas à la tâche, se disait-il parfois. Le tapis étouffait ses pas, et le faible éclairage à l'autre bout lui permettait de se cacher dans l'ombre.

Il ne connaissait pas exactement la configuration des lieux, mais assez néanmoins pour savoir que la petite ampoule au fond se trouvait au niveau du vestibule d'où partait l'escalier vers l'étage supérieur. Dans ce couloir, il n'y avait qu'une porte ouvrant sur des toilettes annexes. *Dans les vieilles maisons comme dans les vieux hôtels, les cabinets se trouvent dans le couloir.* Au-dessus de la porte, une vitre obscure signalait que le réduit était inoccupé.

Bon, il était entré, l'étape la plus facile. À présent il devait découvrir où couchait Miralles, faire irruption dans sa chambre et lui tirer dessus. Si quelqu'un se trouvait avec lui, ce n'était vraiment pas de chance ; pour cette personne, évidemment.

Bien des cambrioleurs s'introduisent dans les chambres à l'insu de leurs occupants. Erasmus se savait plus rusé que quiconque. Le risque, c'était qu'une porte grince au moment où il la pousserait après avoir écouté à travers. De toute façon, il misait sur la célérité de sa gâchette. Quiconque décèlerait sa présence recevrait une balle entre les deux yeux avant d'esquisser le moindre geste.

Silence.

Il arriva dans l'entrée pauvrement éclairée, mais où il pourrait s'orienter. Erasmus s'arrêta et retint sa respiration. Il vit les escaliers livrant accès au palier supérieur, deux portes closes et une troisième ouverte. Celle-ci correspondait à un bureau à la décoration solennelle et chargée d'une époque où les gens savaient être importants et où le pays affichait une vocation impériale.

Un couloir allait du vestibule à une fenêtre côté jardin. Ce couloir avait une autre porte. Il se demanda s'il devait l'ouvrir ou non.

Tout à coup, un craquement.

Il vit s'ouvrir un des battants qui donnaient sur le vestibule.

Une jeune femme en tenue légère apparut sur le seuil.

Erasmus pensa ce que Méndez aurait pensé :

Nom de Dieu !

Elle était jeune et belle, à moitié endormie, et ne se rendait compte de rien, les paupières lourdes.

Il eut juste le temps de se dissimuler dans le seul renfoncement du couloir.

Ce n'était pas tout.

On venait aussi d'allumer les lumières du palier supérieur, et deux silhouettes de femmes se découpaient contre la rambarde : l'une d'elles soutenait l'autre. La plus grande était Mabel ; la seconde, voûtée, madame Ruth.

Et c'est Mabel qui prononça :

— Regarde.

La malade ne vit rien au début. Appuyée sur la rambarde pour garder l'équilibre, elle ne remarqua rien de nouveau dans le vestibule. Certes, elle n'y avait pas mis les pieds depuis un an car elle ne quittait plus sa chambre ; en un temps des plus lointain, à une autre époque, elle avait descendu ces marches pour aller à la messe en quête de salut éternel.

La lumière que Mabel venait d'allumer lui montra qu'en effet rien n'avait changé. À moins que... Elle revoyait les meubles et la décoration, conformes à son rang. Mais il y avait une inconnue, à demi dévêtue.

Mabel insista :

— Regarde.

— Je vois. Qui est-ce ? Qu'est-ce qu'elle fait là ?

— Chez toi, il y a toujours eu des filles à moitié nues, Ruth. Tu n'as pas à être étonnée.

— Mais je ne la connais pas. Qui est-ce ?

— Une de celles qui te permettent de rester une dame.

Dans la chambre au fond du couloir – celui qu'Erasmus avait découvert en dernier –, un David Miralles aux aguets avait perçu du bruit dans le hall. Rien d'inquiétant : il entendait juste une voix, celle de Mabel, semblait-il.

Donc il resta dans la chambre, mais se leva et s'approcha de la porte. Du coin de l'œil, il vit qu'Eva, sur le lit d'à côté, dormait profondément, comme tombée au fond de sa propre jeunesse. Il préféra ne pas la déranger mais resta sur ses gardes. Son pistolet, qui s'était réchauffé dans sa main, était comme une peau vivante au toucher.

La jeune femme immobile dans le vestibule réagit enfin en bâillant. Elle murmura :

— J'allais aux toilettes.

Ruth s'appuyait sur la rambarde, prise de vertige.

— Ça veut dire qu'elle dort ici ? Qui est-ce ? balbutia-t-elle à l'adresse de Mabel. Je n'y comprends rien.

— Elle n'est pas seule, il y en a une autre. Tu as deux femmes dans la maison.

— Mais… pourquoi ? Dans quel but ?

— Pour que tu restes une dame.

Pliée en deux sur la rambarde, la malade geignit :

— Je n'y comprends rien. Explique-moi, sale garce.

— Je t'ai traitée de dame, je mérite les mêmes égards.

Elle ajouta :

— Être une dame, cela a toujours eu un prix.

Le silence règne à nouveau en bas, dans l'entrée. Les murs que Ruth ne voyait plus, les lumières qu'elle avait presque oubliées, le grincement d'une porte qui se ferme – les vieux cabinets, se dit Ruth – et dans l'air paisible le *pchiiiii* d'une inconnue, d'une pouliche qui urine. Autrefois, songe encore Ruth, les filles étaient plus discrètes, elles veillaient à ne pas faire de bruit.

— Tu tiens à peine sur tes jambes, je vois, murmure Mabel. Il vaut mieux retourner dans la chambre.

Ruth manque de s'écrouler sur le lit, mais elle reste debout, puisant des forces on ne sait où, et redresse le menton dans une attitude de défi. *Je suis encore vivante, salope.* Elle a même le regard gris et calme que Mabel arborait naguère.

— Dis-moi qui est cette fille et ce qu'elle fait chez moi ! Qui lui a permis d'entrer ? S'il s'agit d'une amie à toi, flanque-la dehors.

— Ce n'est pas une amie et je ne peux pas la mettre dehors. Elle a le droit d'être ici.

— Et pourquoi ?

— Parce qu'elle a payé. Elle comme l'autre. Ce sont deux jeunes étudiantes qui louent chacune une chambre. Dans ton lit de bourgeoise, tu n'imaginais pas une chose pareille, mais l'étage inférieur est une espèce de pension. Et ne me regarde pas avec ces yeux-là. Ces deux filles ne ramènent personne, elles dorment là, c'est tout.

— Tu leur as loué deux chambres…

— Oui.

— Mais pourquoi ?

— C'est tout simple : tu as besoin d'argent. Et il faut de l'argent pour continuer à vivre comme une dame.

Ruth se redresse, défiant Mabel de plus en plus. Sa force intérieure dépasse l'entendement. Elle grimace, dirige ses pas vers la fenêtre sur le rebord de laquelle se pose son derrière qui n'est plus rien, bien qu'un jour il ait dominé un petit coin du monde.

— Tu te moques de moi, Mabel. On t'a légué cette maison et de l'argent pour toutes les deux.

— La maison, d'accord.

— Et l'argent ?

— Non.

— Ne dis pas de bêtises. Le marquis était riche.

— Du moins assez pour se payer un titre et parader. Et ça coûte cher. Assez pour être le pacha d'un bordel de quartier où les filles possédaient une image de la Vierge quand elles n'avaient pas lessivé les sols d'une église. Ç'aurait été plus dur avec des filles qui lèchent des bureaux ministériels. Il était même assez riche pour acheter cette propriété, mais guère plus. Et il pouvait entretenir une épouse qui choisissait ses robes dans les magazines de mode. Sa bonne femme aurait voulu étrenner un trousseau de mariée chaque semaine.

Et, avec un dédain enfoui au plus profond, elle ajouta :

— D'un point de vue comptable, je lui revenais beaucoup moins cher.

— Qu'est-ce que tu veux dire ? Qu'il était au bord de la ruine sur la fin ? Qu'il n'a pas laissé grand-chose ?

— Non, pas vraiment.

— Alors ?

— On n'aurait pas été dans la gêne sans tes problèmes de santé. Je t'ai soignée, je m'y étais engagée. Au moins, j'ai fait ma bonne action. Mais une maladie chronique requiert des médecins tous les jours, et il faut les payer tous les jours, les médecins. Et les infirmières de nuit, on doit aussi les payer tous les soirs. Tu n'as jamais eu de Sécu, tes employées non plus. À quoi bon ? Il y a une sécurité qui marche à tous les coups, on sait toujours où la trouver : la queue des hommes. Toi qui avais le choix, tu pensais que ça durerait éternellement, que tu sois simple femme ou maquerelle. Mais distinguée, bien entendu. Les filles à ton service n'avaient pas le choix, mais quelle importance ? Et quand la déchéance s'est abattue sur toi, tu n'avais personne sur qui compter. À part moi.

Mabel croise les mains dans son dos et fait des pas dans la chambre comme si elle les comptait. Subitement, elle n'est plus celle qui a peur mais celle qui accuse. Il doit y avoir des filles comme elle dans la police, se dit Ruth avec mépris, sûrement des gouines. Elle ferme les yeux pour ne plus l'avoir devant elle.

— Donc, euh... je t'ai ruinée.

— On peut dire ça, Ruth, mais c'était inutile de te mettre au courant. Quel intérêt ? Je préfère que tu meures comme une dame, ne serait-ce qu'une dame de quartier. Je préférais te laisser dans l'ignorance, maintenant il est trop tard.

Elle s'arrête, peut-être incommodée par le bruit de ses pas. Le silence est accablant dans la demeure ; pas même un battement d'ailes à travers la fenêtre. Pourtant, Mabel le sait, il existe une musique intérieure.

Et elle la perçoit de nouveau. C'est la musique de sa fierté. Ou de sa honte ?

— Si tu vis toujours comme une dame, c'est grâce à moi. Même si, j'avoue, tu as souffert à cause de moi.

— Énormément...

— Je t'ai fait sentir la chaleur qui m'oppressait au lit, quand le mâle, à chaque fois, nous disait la même chose, car le vocabulaire du mâle se résume à cinq mots. On aurait aimé entendre les chansons de la rue. Les chansons, tu ne les as jamais entendues : tes volets restaient clos.

Et elle ajoute d'une voix sourde :

— Ruth, il était normal que tu paies.

Ce sont les dernières paroles de Mabel, debout près de la porte. Elle n'a pas vu s'entrouvrir le battant, elle n'a rien remarqué, hormis le souffle à sa joue tout à coup. Puis elle sent un objet métallique à sa tempe. Le canon du pistolet la pousse vers l'intérieur.

41

— Avance.

À peine un murmure :

— Avance.

Si Mabel était une experte, elle saurait qu'on la pousse à l'aide d'un silencieux, eu égard à la longueur du canon. Si Mabel était une experte, elle saurait de quoi il retourne car on peut l'abattre en silence : sa vie est plus insignifiante qu'un bouchon qui saute.

L'homme entre et ferme derrière lui. Jadis, Mabel a connu beaucoup de clients comme lui, gras et bien habillés, arrogants, voire insultants, avec cette assurance que l'argent procure : ils n'avaient pas besoin de sortir les billets. Et donc, aurait-elle songé bien des années plus tôt, on baise avec une promesse. Ses vieux jours blancs sont peuplés de types comme lui, des souvenirs chargés de noirceur.

— Ferme la fenêtre.

L'ordre est sec, le type a l'habitude de commander. Mabel obéit.

Ruth sent aussi que l'inconnu a l'habitude de commander. Avant que les archanges et les marquis ne l'aident un peu, sa maison, établie dans un quartier miséreux, accueillait parfois des clients fortunés désireux de tâter de la chair ouvrière, et ils étaient tous comme lui. Des costumes trop étroits, quoique bien taillés, un léger double menton, un air autoritaire. « C'est tout ce que tu proposes ? Bon, voyons ça. »

Elle les détestait.

Le marquis était bien élevé, lui au moins, et c'était un sentimental : il s'éprenait parfois des filles.

Et elle laisse exploser sa rage :

— Ton flingue de merde, tu n'as qu'à l'essayer sur moi, ça m'est égal. Essaie voir.

La mort est le cadet de ses soucis, et quand l'intrus lui tirera dessus, Mabel aura une chance de s'échapper. Mabel est leste comme un fauve, elle l'était du moins. Mais les choses ne se déroulent pas comme prévu, et le type balaie ses espoirs.

— Pas si vite, vieille morue, lui lâche Erasmus. Je vais même te laisser une chance. Toi et l'autre, vous restez en vie. Mais dites-moi où est Miralles.

Mabel ferme les yeux un court instant. Elle sait très bien qu'il ment et qu'ensuite il les descendra : elles ont vu son visage. Et s'il est pris, il ne paiera que pour un meurtre, le reste ne comptera pas. Alors elle serre les lèvres, se jurant de ne pas dire un mot.

— J'ai posé une question, dit Erasmus en détachant les syllabes, et vous m'avez très bien compris. Où est Miralles ?

— Tu n'as qu'à le chercher, répond Mabel, et n'oublie pas ta vaseline, il va te la mettre profond.

C'est là sa seule défense, sa vieille rage, son langage des bas-fonds, de fille soumise.

Et elle poursuit sur le même ton :

— Tu serais foutu d'aimer ça.

Mais si elle espérait faire sortir Erasmus de ses gonds, c'est raté : il reste de marbre. On ne va jamais très loin quand on s'énerve à la première insulte. Il braque son pistolet sur la tête de Mabel avec un sang-froid absolu. Et il susurre :

— Désolé pour toi, ma salope, tu as l'air d'une brave fille.

Un léger mouvement suffira. Il n'y aura aucun bruit. Peut-être que la vieille ne s'en rendra pas compte.

Erasmus bouge le doigt.

Quelques minutes plus tôt, l'oreille collée contre la porte, David Miralles s'était assuré qu'Eva dormait profondément. Le privilège de la jeunesse : quand vous êtes accablé, le sommeil vous tend les bras. Il ne voulait pas la réveiller puisque à la vérité il ne se passait rien.

Vraiment ? Il avait surpris des mouvements au rez-de-chaussée, ce devait être les inconnues qui dormaient là. La maison entière était comme traversée de murmures. Il surveillait la fenêtre, mais l'on pouvait tout aussi bien s'introduire par les autres, et un professionnel se doit d'être mobile.

Il sortit de la chambre, le pistolet au poing. Un tour d'inspection s'avérait nécessaire pour vérifier les points vulnérables ; et les points vulnérables étaient si nombreux dans ces murs que c'était peut-être inutile. Il avança à pas feutrés dans le couloir, telle une ombre lui aussi.

Le couloir était désert, le même que celui où Erasmus s'était tapi en se demandant s'il devait ou non ouvrir la porte.

Miralles entendait le craquement des portes disjointes après tant d'années, des meubles vermoulus, et le murmure des rideaux mus par un courant d'air.

Ses cheveux se dressèrent sur sa tête.

Un courant d'air...

Il était très léger, et un autre que lui n'aurait sans doute rien remarqué. Les portes et les fenêtres étaient fermées, il s'en souvenait parfaitement. Mais l'air s'engouffrait quelque part.

Il inspecta le second couloir et comprit à ce moment-là. On avait refermé la fenêtre, sûrement de l'intérieur, mais le carreau présentait un trou circulaire par où une main humaine avait pu s'introduire.

Nul doute : Erasmus était déjà sur place. Et peut-être avec un complice.

Miralles n'était plus tout jeune, mais son corps était comme fondu dans l'acier. L'arme au poing, il balaya son environnement du regard, ne sachant d'où venait le danger.

Peut-être essaierait-on de le prendre à revers.

Il pivota en un clin d'œil, le doigt sur la détente.

Rien.

Subitement, ses yeux se fixèrent sur une porte à l'étage, surmontée d'un fin trait lumineux. La malade avait peut-être allumé, mais c'était improbable. À moins que ce ne fût Mabel, auquel cas elle se trouvait à l'intérieur. Il monta les degrés pas à pas et sans bruit, en chaussettes. Un chat n'aurait pas été plus discret pour s'approcher de la porte.

Il crut même percevoir des murmures au-delà du battant.

Des murmures...

Il ne lui en fallait pas davantage. Il tourna la poignée en poussant la porte et fit irruption dans la pièce sans que quiconque pût réagir.

Il pointait son arme devant lui. En un clin d'œil, il aurait pu tirer deux fois.

Il vit Ruth à demi écroulée sur sa chaise roulante. Et Mabel, debout près d'elle. Une Mabel qui fixait, horrifiée, l'espace derrière lui, la porte qu'il avait laissée dans son dos après l'avoir poussée.

David Miralles ne vit rien d'autre. Il n'eut même pas le temps de se retourner. Le silencieux s'enfonça dans sa nuque. Il fut saisi par la froideur du métal près de l'oreille.

— Bienvenue ! dit Erasmus.

Pour la première fois de sa vie, Miralles s'était fait piéger. Il ne comprenait pas. Il n'avait fait ni bruit ni...

La voix prit soin de le lui expliquer :

— Le reflet.

— Quoi ?

— Le reflet. La fenêtre était fermée, un coup de chance. J'ai vu la poignée tourner sur la vitre et j'ai sauté en arrière. Je suis encore agile.

La voix reprit :

— Lâche ton arme. Écarte les doigts et laisse tomber. Et gare à ton bras gauche. Tu bouges d'un millimètre, je t'éclate la cervelle.

Nul besoin de le lui préciser. Miralles le savait, il était du métier. Il tourna un regard angoissé vers les deux femmes : il n'allait pas mourir seul.

Et il ouvrit la main. Le pistolet claqua par terre, tourna, comme doué de vie, et se figea devant lui.

Là, tout était perdu.

Erasmus eut un ricanement avant de mâchonner :

— Tu n'imaginais pas crever ici, hein, fils de pute ? Je n'avais pas prévu non plus de venger l'Omedes, cet autre fils de pute que tu as descendu dans ce vieil immeuble.

Il y eut un brusque silence. Les deux femmes avaient l'air de ne plus respirer. Le temps s'était concentré comme du cristal liquide.

La voix à cet instant :

— Ce n'est pas moi qui ai tué Omedes, répondit Miralles.

42

Le silence se fit donc tout à coup. Un silence collé aux vitres, aux portes, aux draps. C'était une marque sur la peau ; une goutte de sueur roula sur le front de Ruth, une goutte de silence là encore.

Erasmus le brisa d'un ricanement incrédule.

— Tu me déçois, Miralles. Mais si tu espères t'en tirer à si bon compte, tu te goures.

— Je n'espère rien.

— Vraiment, tu me déçois, reprit l'autre à voix basse. Un homme qui va mourir devrait au moins dire haut et fort qu'il a fait du bon boulot.

— Ce n'est pas moi, je n'ai rien à dire.

Une moue incrédule se dessina sur la figure d'Erasmus comme sur les visages des femmes. Miralles était un pro, le seul apte à tuer de la sorte. Une œuvre d'art comme l'assassinat d'Omedes avait été réalisée par un expert, assurément.

Erasmus bredouilla :

— C'est qui, alors ?

— Je ne sais pas, fit David Miralles, toujours glacial, pourtant j'aurais aimé le buter. C'était mon objectif, mais quelqu'un est passé avant moi, désolé.

La voix d'Erasmus rompit le silence qui adhérait aux murs de nouveau.

— Bon, dit-il, on s'en fout après tout.

Et son doigt se courba sur la détente. Un seul, un doux, un délicat mouvement.

Et soudain, le reflet. Un second reflet sur la vitre, pensa confusément Erasmus. Sur la fenêtre close, la poignée tournait à l'instant où son doigt allait presser la détente. Comme lorsque Miralles était entré. Donc un nouveau péril le menaçait.

Erasmus avait la vue et la souplesse d'un reptile. Aussitôt, il tourna son arme vers la porte et tira. Il avait visé juste : une plainte s'éleva, plus sonore que le bruit de bouchon.

— Bordel de merde ! lâcha Méndez.

Tout s'était déroulé en quelques fractions de seconde, si vite que personne n'avait pu réfléchir. Mais un professionnel, ça ne réfléchit pas. David Miralles l'avait frappé du coude droit alors que la balle fusait du canon. Certes l'ennemi avait tiré, mais en tout cas son bras armé avait été dévié en l'air.

Et le cri de Mabel.

Et Ruth, dans son fauteuil roulant, saisie de convulsions.

Et la porte.

Méndez l'ouvrit d'un coup de pied en pénétrant dans la chambre, mais l'inspecteur n'était plus vraiment humain. Il rampait comme un serpent, se tenant l'entrejambe (ou ce qu'il en restait) effleuré par la balle. La douleur (ou la peur ?) lui avait sans doute insufflé une agilité dont il n'avait jamais fait montre. Il glissa jusqu'aux pieds de Ruth, près de la chaise roulante, un canon digne d'un cuirassé Iowa dans la main droite. Il avait coutume d'affirmer que ses balles épargnaient les frais d'hôpitaux et dégageaient des économies.

Et il s'apprêta à tirer.

Inutile de perdre du temps avec Erasmus.

Il n'était plus à une instruction près.

Il visa la figure, sachant que le cadavre aurait la tête arrachée. Mais il était en mauvaise posture, surtout dans ce climat de panique. Déjà Erasmus le menaçait de son arme après l'hésitation due au coup de coude de Miralles.

À côté.

La balle toucha une œuvre d'art. Elle traversa le cri du *Cri*.

Et la vitesse endiablée de cet épisode fut dépassée par celle des événements qui s'enchaînèrent aussitôt après. Miralles récupéra son pistolet, pratiquement aux pieds de Ruth. Le regard haineux, il balança le pied droit dans les testicules d'Erasmus.

Un tel coup pouvait être fatal.

Quand la cible est atteinte, on peut lire dans la presse : « Disparu au combat. »

Il l'effleura seulement, mais un cri de douleur aux accents féminins jaillit des lèvres d'Erasmus. Ce dernier avait sauté en arrière un dixième de seconde plus tôt. Il heurta un mur et hurla derechef.

Alors il vit la porte ouverte.

Erasmus gardait son arme au poing, mais jamais il n'avait affronté un adversaire coriace. Comme Omedes, il n'était qu'un peloteur de gamines ligotées, un foutu lâche. Méndez lui témoigna tout l'amour qu'il éprouvait à son endroit :

— Crève.

Nouveau tir du .45, vers le bas-ventre encore une fois. Mais Erasmus, en hâte, avait bondi de l'autre côté de la porte. Le battant pivota sous l'impact et faillit sortir de ses gonds. Une autre balle de l'inspecteur le referma pour de bon.

Cela donnait un peu d'avance à Erasmus. Une poignée de secondes. David Miralles le comprit et s'élança vers la porte sans même songer à son arme. Il pouvait le tuer à mains nues.

Méndez se relevait entre la chaise roulante et une Mabel toujours sans réaction.

Mais sa seule réaction avait peut-être été de protéger Ruth. Tous les os de Méndez craquèrent dans cet effort, sans exception, par ordre alphabétique.

Miralles poussa un hurlement.

À présent, il était une machine, incapable de raisonner.

Il faillit défoncer la porte.

Et il vit le palier de l'étage.

Et les marches.

Et, plus bas, le vestibule.

Et aucune trace d'Erasmus, rien.

Rien, rien, rien.

Erasmus étudiait les possibilités qui s'offraient à lui. Son premier avocat l'avait dit à l'époque : il méritait ce nom pour l'étendue de son savoir. Il comprit vite ce que Miralles verrait en premier.

En effet, il regarderait devant lui et en bas. Pas dans son dos. Du moins, au départ. Erasmus l'attendrait le dos au mur, près de la porte.

Il serait à sa merci une ou deux secondes. Cela suffisait. Il criblerait de balles le dos de Miralles et descendrait tous ceux qui sortiraient par là.

Cependant, Miralles eut une réaction inattendue et logique à la fois. Son cerveau remarchait à cent à l'heure et il songea en premier lieu, dans une fraction de seconde, que le fugitif n'avait pas eu le temps de descendre les marches. Il s'était planqué dans la pièce voisine, à coup sûr.

Il fonça dans cette direction.

À la vitesse de l'éclair.

La porte. Et l'autre chambre. L'obscurité. Une fenêtre où entrait une lueur intermittente : au loin, un lampadaire, une fenêtre où une femme se déshabillait, l'enseigne d'un supermarché annonçant le Jour du client.

Et la mort. Erasmus s'est forcément caché ici. La mort est sûrement tapie dans l'ombre.

43

La pensée de David Miralles suivait une logique rigoureuse. Erasmus est caché ici ; il va tirer sur moi quand j'allumerai dans la pièce. Dans l'immédiat, n'appuyons pas sur l'interrupteur.

Je l'entendrai respirer.

Et la respiration d'une bête, on l'étouffe d'une balle... mais si l'on est armé. Il comprit subitement que, dans sa poursuite effrénée, il avait commis une erreur : il n'avait pas récupéré son pistolet.

Il resta à l'affût un instant.

Recroquevillé.

Haletant.

Comme un prédateur cherchant à capter le moindre mouvement dans l'obscurité.

Entre-temps, la pensée d'Erasmus avait suivi une logique tout aussi rigoureuse. Ne pouvant plus descendre Miralles par-derrière, il disposait encore d'une option : la fuite. Il n'avait pas le choix, cette enflure de Méndez pouvait surgir à tout instant dans son dos. Et Méndez n'hésiterait pas à le flinguer. Dix secondes lui suffiraient pour dévaler les marches bien qu'il n'eût rien d'un athlète. Et, au pied de l'escalier, il y avait la porte. Et la nuit. Et la vie.

Il s'élança.

Jamais il n'avait été aussi leste, pas même dans les plus jolis draps.

Les degrés défilaient.

La porte, la porte, la porte...

Et, subitement, la dernière marche.

Et voilà, subitement, qu'on lui barrait la route.

Une femme superbe, dans une chemise de nuit transparente.

Erasmus ne songe plus à la porte mais à l'apparition inattendue de cette créature.

Ma mignonne.

Petite.

44

Petite.

Erasmus avait connu ce genre de fille dans des appartements discrets où l'on trouvait l'armoire et le miroir, sur des lits où elles cherchaient un dernier refuge, dans des rues rebaptisées depuis lors. Ou pas. Elles étaient toutes différentes, toutes effrayées, mais aucune ne possédait sa beauté.

Eva Expósito.

Petite.

Ne me barre pas la route, petite garce, tu as pris le mauvais chemin, comme les autres. Tu as entendu les coups de feu et tu as déboulé comme une flèche, ta petite arme au poing. Mais tu as commis une erreur. Tu n'aurais pas dû rappliquer, jeune tueuse aux allures de *playmate*, avec ta chatte et ton ventre, tes seins trop hauts, ton regard de brave fillette. Les femmes comme toi se trompent à chaque fois, même quand elles sont dociles et qu'elles filent au plumard dès qu'on élève un peu la voix.

Erasmus le savait, un avantage pour lui.

Arrachée à son sommeil, surprise par les coups de feu, Eva n'avait pas chargé son pistolet. Elle se le rappela en tombant sur lui au pied des marches.

Tu es encore novice, ma jolie.

Charger un pistolet, même lorsqu'on est habile, se fait à deux mains, en une seconde. On entendit le *clic* entre les doigts d'Eva, mais déjà Erasmus la menaçait de son canon.

Elle releva son arme. Dans son regard une vibration : la mort, son enfance et la rue.

— Sale ordure !

Plop !

Erasmus avait tiré le premier.

Et la figure d'Eva Expósito, ses yeux tournant de manière insensée pour capter un peu de lumière, la lumière qui tourbillonne dans l'escalier, l'éclat ultime de la maison.

Et le troisième œil.

Le troisième orifice au milieu des sourcils. Les pupilles qui se figent tout à coup, comme ayant découvert le dernier point lumineux. Le corps qui pivote. La goutte de sang rouge et avide qui gicle vers le pubis noir. Les pieds qui s'écartent des marches.

Puis Erasmus devine qu'elle a son compte.

Et sa dernière pensée : *Petite.*

David Miralles alluma dans la chambre sitôt qu'il entendit le *plop* du silencieux. Il comprit aussitôt qu'Erasmus n'était pas dans la pièce, impossible. La clarté l'aveugla.

En effet, la chambre était vide excepté quelques meubles, présages de mort : deux tables de nuit encombrées de médicaments, un stéthoscope, un brancard, un vieux fauteuil roulant comme rongé par le temps. Miralles fondit sur la porte. Ses yeux exorbités semblaient le précéder. Le choc fut si brutal qu'il faillit défoncer le battant.

Il roula sur le palier, à côté de la rambarde, l'écume aux lèvres. Et dans les yeux, aurait-on dit, car il n'enregistra que trois images, confusément : l'escalier, Eva un trou au milieu du front, la silhouette d'Erasmus non loin de la sortie.

Sa gorge libéra un cri bestial :

— Nooon !

Erasmus s'apprêtait à tourner la poignée de sa main droite. La balle lui tritura les doigts.

Son hurlement résonna dans toute la demeure. Méndez, à l'étage, réajusta le tir.

— Pour une fois, je me conformerai au règlement, fils de pute. Il ne faut pas tuer du premier coup, à ce qu'on dit.

Et Méndez sourit. C'était un sourire animal, le sourire du vieux serpent.

— Et une jambe à présent, fiston. Ça m'attriste, tu ne peux pas savoir. Ton genou, on en fera du bouillon.

Méndez pressa la détente à nouveau. Comme je suis charitable, ce soir, nom de Dieu ! Le coup n'était pas parti. Méndez n'avait pas tiré finalement : en une fraction de seconde, il s'était produit quelque chose d'absolument inattendu. Il vit David Miralles voler littéralement. Son corps, dans les airs, occulta celui d'Erasmus. Si Méndez avait tiré, l'agent de sécurité eût été réduit en purée.

Miralles s'était élancé par-dessus la rambarde au premier. C'était un saut brutal, mais sans dommage physique. Hurlant toujours, il atterrit sur la dernière marche, près d'Eva.

Il plongea les mains dans ses cheveux.

Il chercha de ses lèvres la blessure à son front.

Il but littéralement le sang.

Il est une loi au fond de l'existence, et cette loi réside dans la bouche. La bouche, la bouche.

Vérité suprême de l'enfant, et vérité suprême du mort.

Il gardait les yeux exorbités, et l'écume flottait toujours.

Erasmus n'existait plus.

Mais Erasmus comprit très vite qu'il ne pourrait pas s'échapper par la porte principale. Là-haut, Méndez serrait son Colt .45. Une balle tirée par un tel outil peut vous déplacer la tête, mais aussi déplacer un mur.

La balle fendit les airs. Erasmus n'était plus au même endroit.

La douleur de sa main en charpie arrivait à son cerveau par vagues. Il avait le goût de la mort dans la bouche, et sa force émanait du désespoir. Le désespoir le poussa à se réfugier sous l'escalier, seul refuge à couvert.

La vie était là. Du moins quelques minutes.

Pour finir, il avait dû lâcher son pistolet.

Il n'avait pas d'issue.

Vraiment?

Il découvrit des murs, le regard halluciné. Tout semblait danser, comme un espace irréel. Il découvrit aussi un secrétaire contre un des murs. Un drapeau immense qui semblait droit sorti des régiments des Flandres. Et un tableau où des gamins de l'assistance publique instaurée sous Franco avaient l'air de saluer l'Espagne de la faim.

On trouvait là des morceaux du passé, d'un mort, d'un marquis défunt.

Mais aucune issue.

Vraiment?

Il se reposa la question. Il avisa une échelle métallique fixée au mur, où passait une gaine qui devait renfermer les câbles d'alimentation de la maison. Les marches descendaient par un trou qui donnait certainement dans la cave et montaient jusqu'à l'étage supérieur, où l'on voyait une trappe.

Le cerveau d'Erasmus fonctionna plus vite que jamais. Le plus simple était de descendre à la cave, mais en même temps il signerait son arrêt de mort. Il serait pris au piège, et Méndez ferait un carton. Méndez qui descendait sûrement l'escalier principal.

Mais lentement, vu son état.

Erasmus avait le temps, du moins en théorie, d'escalader les degrés métalliques et de pousser la trappe, une fois là-haut. À l'étage, il ne trouverait pas d'ennemis mais une fenêtre. Après, sauter dans le jardin serait un jeu d'enfant.

Il n'était plus un gosse, mais l'avait-il jamais été?

Il n'avait pas le choix. Il grimpa donc avec une agilité inattendue, comme un singe.

La trappe en bois. Si elle est fermée, tu peux faire ta prière, Erasmus. Méndez, en bas, jouera le rôle de la pleureuse : il demandera pardon en te trouant le cul.

Mais elle ne l'était pas. La trappe céda. Au-dessus de sa tête, il vit une obscurité laiteuse, épaisse, l'obscurité d'une pièce ténébreuse recueillant la lueur trouble d'une fenêtre.

Erasmus tressaillit. Il avait vu juste. Montons donc… hop !

Une fois dans la chambre, il referma la trappe. Des ténèbres. Et rien d'autre. Ses yeux s'accoutumèrent péniblement à l'obscurité. Il ne voyait que la fenêtre sur le côté.

C'est là sans doute que Miralles l'avait cherché. Ce con avait éteint en sortant dans un souci de discrétion.

Erasmus soupira. Bon…

La fenêtre.

La fenêtre…

La main en sang d'Erasmus tâtonna dans le noir vers cette unique issue.

La main en sang d'Erasmus buta sur un obstacle métallique. Une chaise roulante. Si vieille qu'il sentait la rouille sous ses doigts. Sa main essaya d'écarter ce satané fauteuil qui lui barrait la route. Mais il ne bougeait pas.

Il était occupé.

Quelqu'un était assis dessus.

Erasmus émit un grognement.

Sa main poussa.

Et saigna de plus belle. Elle saigna sur une robe qui sentait la transpiration. Sur des jambes décharnées. Sur une peau glacée.

Et la voix de la vieille tenancière, la voix de Ruth lorsqu'elle appelait les filles, la voix des après-midi d'antan :

— Chéri, je suis heureuse que tu sois là.

Et le contact de l'arme. Bon sang, c'est l'arme de Miralles, elle a dû la ramasser par terre. Et le canon qui bouge. Et la voix d'Erasmus qui entonne la seule prière à son répertoire :

— Salope !

Le canon sur son bas-ventre. Exactement. Et la pression s'accroît alors même qu'il s'efforce de déplacer la chaise.

Et la voix paisible de Ruth :

— Je n'avais jamais tué un client. Incroyable, pas vrai ?

Et la détonation.

Le bas-ventre.

— Tiens, cher ami : prends ça, et ça, et ça…

Et les trois coups de feu après le premier tir. Erasmus qui se recroqueville entièrement. Et les balles qui lui creusent un plus large orifice que celui d'une femme aguerrie. Et la main d'Erasmus qui descend vers cette horrible déchirure. Et le sang qui recouvre le sang.

C'est alors que Méndez apparut. La lumière extérieure se déversa dans la pièce.

— Zut alors ! fit le vieux policier. Je ne sens plus mes rhumatismes, mais j'arrive trop tard.

La porte mal fermée laissait filtrer les rumeurs du quartier.

Deux vieux intrépides qui jouent ensemble au loto sportif. Une voisine affirmant que sa retraite ne suffit plus. Un véhicule cherchant à se garer près d'une bande de matous. Une gamine – Miss Nombril – qui parle à Dieu dans son portable.

Le quartier.

Une femme qui descend vers le Paralelo dans son jean plein à craquer et qui, à l'évidence, ne cherche pas l'homme de sa vie, mais d'un soir uniquement. Deux enfants qui braillent en rejoignant leur grand-père à la sortie des classes. Foutus mioches, se dit l'Anticipé derrière son comptoir. Autrefois, ils allaient à l'école à l'autre bout de la ville en jouant avec une balle de chiffon. Aujourd'hui, ils ne sont plus foutus d'enfiler leur culotte sans pépé. En même temps, pépé, ça l'occupe. Arrive une voiturette « Barcelone propre » dont le conducteur injurie copieusement les gamins puis le maire.

Le quartier.

Un Arabe qui décharge une camionnette.

— Lui, c'est un des plus vaillants, estime l'Anticipé. Il y a des *Moros* et des *moritos*, n'oubliez jamais ça, m'sieur Méndez.

Et il ajoute :

— Ça vous dit, un gorgeon biologique ?

— Non, merci : j'ai encore la langue verte depuis la dernière fois. Donnez-moi deux crèmes, je les poserai moi-même sur la table à l'écart, près de la fenêtre.

— Deux crèmes... Ne me dites pas que vous suivez un traitement, m'sieur Méndez.

— À quoi bon ? C'est trop tard.

Et l'inspecteur emporte les tasses vers la table à l'écart, près de la fenêtre qui donne sur la place. David Miralles hoche la tête pour l'en remercier.

Miralles est tout maigre.

Il a le regard dans le vague. Seuls les gamins qui traversent la place retiennent son attention.

— Miralles, Erasmus a été enterré aujourd'hui.

— Ah oui ?

— Il était lourd avec tout ce plomb dans le corps. On l'a mis dans la fosse commune, où il retrouvera l'Omedes. J'ai assisté à l'éminente cérémonie.

Miralles acquiesce, les yeux absents. Il ne regarde plus les gosses, ni rien.

— Et la vieille ? demande-t-il en un filet de voix.

— Madame Ruth ? Elle était déglinguée avec tous ces calmants, mais elle a l'air ragaillardie depuis qu'elle a joué de la gâchette. Elle va faire du tir olympique si ça continue. Vous savez qu'on l'accuse d'homicide ? Elle est en liberté provisoire, bien entendu. Elle ne risque rien, d'après son avocat.

— Son avocat ?

— Oui, un certain Escolano. C'est moi qui l'ai choisi, mais il refuse d'être payé. Il dit qu'il peut enfin plaider une cause honorant la justice.

David Miralles absorbe une petite gorgée. Il a toujours les yeux dans le vague. Il ne regarde pas sa tasse. Et Méndez qui murmure :

— Miralles, j'ai un aveu à te faire.

— Quoi donc ?

— Je suis un salopard.

— Ce n'est pas une découverte.

— J'ai fouillé ton appartement, figure-toi. Et sans mandat de perquisition. Oui, plus d'une fois, sans rien déplacer, discrètement.

— Ce n'était pas discret, Méndez. Vous avez dû perdre la main.

— L'âge n'épargne personne, Miralles. Toi-même, tu ne connais pas ton appartement. Tu ne savais pas qui vivait réellement sous ton toit.

L'autre ferme les yeux. Qui soudain ne reflètent rien, rien. Rien.

Méndez reprend :

— Tu n'as pas l'âme d'un limier, au fond, c'est naturel. Tu n'as pas le nez fourré dans les égouts comme moi. Tu n'as jamais eu idée d'inspecter la fenêtre sur la cour intérieure. Normal : c'est Eva qui la nettoyait. Si tu l'ouvres et que tu examines le dormant, tu verras une ligne au milieu, une fente. Ça paraît normal sur de vieilles menuiseries, mais ça ne l'est pas. Si tu tires vers le haut de chaque côté, tu verras un orifice assez gros pour y passer la main. Et dans le mur, sous le rebord, il y a encore un trou. On y a planqué un pistolet. Je n'y ai pas touché, tu pourrais en avoir besoin. Et autant éviter les enquêtes. Et puis, au fond de mon âme, la loi, je lui chie dessus. J'ai ainsi compris qu'Omedes, ce n'est pas toi qui l'avais tué. Tu avais dit la vérité dans cette maison.

Et Méndez avale son crème d'une seule traite. Il grimace. Merde, il n'a aucun goût, à ce train-là il va rejoindre les alcooliques anonymes, et il se pourrait même qu'on lui octroie un ministère. Ou bien qu'on le photographie en train de piétiner une cigarette, un tube d'aspirine à la main. Il ajoute en faisant la moue :

— Eva Expósito, c'était quelqu'un, tu ne peux pas savoir. C'est fou comme elle était reconnaissante.

À présent, Miralles le fixe du regard. À moins qu'il n'ait encore les yeux dans le vague. Ou qu'il n'ait dans les yeux de l'eau trouble, des larmes.

Des larmes.

Il se sent incapable de répondre. C'est Méndez qui poursuit :

— Je n'ai touché à rien dans la chambre de ton fils, mais j'y ai découvert une nouvelle photo.

— Oui.

— Une photo d'Eva Expósito.

Miralles essuie une larme furtivement pour faire le vide.

Il se sent honteux.

Méndez murmure :

— Tu l'avais accrochée avant sa mort. Elle était déjà là. Admise dans ton sanctuaire.

Miralles baisse le front et murmure à grand-peine :

— Il y avait là tout ce que j'aimais, les morceaux de ma vie.

Et il tourne la tête pour que Méndez ne le voie pas.

Il y a là la fenêtre, le quartier.

— Un conseil, souffle Méndez, un conseil de vétéran qu'on va bientôt flanquer dehors, près d'une benne à ordures.

— Oui ?

— Ne reste pas tout seul. Tu mourras face à un mur. Il y a une autre femme qui t'aime et qui t'aidera. Les femmes vous remplissent la vie de leur amour.

— Pourquoi je ferais ça, Méndez ?

— Un, c'est juste. Deux, elle t'a aidé. Trois, tu as besoin d'elle. Quatre, elle t'aime. Tu as deviné, je parle de Mabel. Et il y a une autre raison, la plus importante.

— Laquelle ?

— La pauvre Mabel a eu quinze ans un jour, elle aussi, comme Eva.

Et Méndez de gagner la sortie.

Il abandonna derrière lui le vieux bar, le comptoir, l'Anticipé, les verres qui contenaient une goutte de silence. Il alla vers le Paralelo, laissant le quartier derrière lui.

Sur le Paralelo, il arrêta un taxi tel un marquis. Tout en se demandant si le chauffeur ralentirait en le voyant.

Il se fit conduire au cimetière de Montjuich, dans les hauteurs, là où la mer étincelle et narre tous les soirs ses aventures aux morts.

Il eut froid tout à coup.

Il se pencha sur la tombe. Ses doigts un peu fébriles caressè-rent la jolie pierre.

C'est là, face à la mer, que se trouvait la tombe d'Eva Expó-sito. Son nom. Sa date de naissance – incertaine – et la date pré-cise de sa mort.

Dessous, un seul mot :

« SAVANTE. »